新修版

金庸作品集

11

神鵰俠侶

叁

金庸

图书在版编目（CIP）数据

神雕侠侣/金庸著．－广州：广州出版社，2013.3（2017.6重印）
ISBN 978-7-5462-1335-4

Ⅰ.①神…　Ⅱ.①金…　Ⅲ.①侠义小说－中国－当代　Ⅳ.①I247.5

中国版本图书馆CIP数据核字（2013）第048253号

广东省版权局版权合同登记图字：19-2012-017号

朗声图书

本书版权由查良镛（金庸）先生授权广州市朗声图书有限公司在中国大陆
（不包括香港、澳门、台湾地区）专有使用

敬告读者

为了维护读者、著作权人和出版发行者的合法权益，本书采用了新型数码防伪技术。正版图书的定价标示处及外包装盒上均贴有完好的防伪标签。刮开涂层，可见到一组数码，您可以通过两种途径查验真伪。

1. 拨打全国免费电话4008301315，按语音提示从左到右依次输入相应数码并按#键结束。
2. 扫描防伪标上的二维码，按提示输入相应数码。

读者如发现盗版图书，可向当地"扫黄打非"办公室、新闻出版局、工商管理部门、公安机关、技术监督部门举报，或直接与我们联系。

联系电话：020-34297719　13570022400

我们对举报盗版、盗印、销售盗版图书等侵权行为的有功人员将予以重奖。

广州市朗声图书有限公司

目录

郭靖左足在城墙上一点，身子斗然拔高丈余，右足跟着在城墙上一点，再升高了丈余。霎时间城上城下寂然无声，数万道目光尽皆注视在他身上。

第二十一回　襄阳鏖兵

杨过正想拔出匕首,忽听得窗外有人轻轻弹了三下,忙闭目不动。

郭靖便即惊醒,坐起身来,问道:"蓉儿么? 可有紧急军情?"窗外却再无声音。郭靖见杨过睡得鼻息调匀,心想他好容易睡着了,别再惊醒了他,轻轻下床,推门出房,只见黄蓉站在天井中招手。郭靖走近身去,低声问道:"什么事?"

黄蓉不答,拉着他手走到后院,四下瞧了瞧,这才说道:"你和过儿的对答,我在窗外都听见啦。他不怀好意,你知道么?"郭靖吃了一惊,问道:"什么不怀好意?"黄蓉道:"我听他言中之意,早在疑心咱俩害死了他爹爹。"郭靖道:"他或许确有疑心,但我已答允将他父亲逝世的情由详细说给他知道。"黄蓉道:"你真要毫不隐瞒的跟他说?"郭靖道:"他父亲死得这么惨,我心中一直自责。杨康兄弟误入歧途,但咱们也没好好规劝他,没尽全力想法子挽救。"黄蓉哼了一声,道:"这样的人又有什么可救的? 我只恨杀他不早,否则你那几位师父又何致命丧桃花岛上?"郭靖想到这桩恨事,不禁长长叹了口气。

黄蓉道:"朱大哥叫芙儿来跟我说,这次过儿来到襄阳,神气中很透着点儿古怪,又说你和他同榻而眠。我耽心有何意外,一直守在你窗下。我瞧还是别跟他睡在一房的好,须知人心难测,而他父亲……总是因为一掌拍在我肩头,这才中毒而死。"郭靖道:"那可不能说是你害死他的啊。"黄蓉道:"既然你我均有杀他之心,结果他也因我而死,那么是否咱们亲自下手,也没多大分别。"郭靖沉思半晌,道:"你说得对。那么我还是不跟他明言的为是。蓉儿,你累了半夜,快回房休息罢。过了今晚,明日我搬到军营中睡。"

他知爱妻识见智计胜己百倍,虽不信杨过对己怀有恶意,但她既如此说,也便遵依,伸手扶着她腰,慢慢走向内堂,说道:"过儿奋力夺回武林盟主之位,于国家大事上是非分明;两次救你和芙儿,全不顾自身安危,这等侠义心肠,他父亲如何能比?"黄蓉点头道:"这样的少年原本十分难得,但他心中有两个死结难解,一是他父亲的死因,二是跟他师父的私情。唉,我好容易说得龙姑娘离他而去,可是过儿神通广大,不知怎地又找到了她。瞧他师徒俩的神情,此后万万分拆不开了。"郭靖默然半晌,忽道:"蓉儿,你比过儿更神通广大,怎生想个法子,总之要救他不致误入歧途。"

黄蓉叹了口气道:"别说过儿的事我没法子,就连咱们大小姐,我也不知如何是好。靖哥哥,我心中只一个你,你心中也只一个我。可是咱们的姑娘却不像爹娘,心里同时有两个少年郎君,对武家哥儿俩竟不分轩轾。这教做父母的可有多为难。"

郭靖送黄蓉入房,等她上床睡好,给她盖好了被,坐在床边,握住她手,脸露微笑。近月来二人都为军国之事劳碌,夫妻间难得能如此安安静静的相聚片刻。二人相对不语,心中甚感安适。

黄蓉握着丈夫的手,将他手背轻轻在自己面颊上摩擦,低声道:"靖哥哥,咱们这第二个孩子,你给取个名字。"郭靖笑道:"你明知我不成,又来取笑我啦。"黄蓉道:"你总是说自己不成。靖哥哥,普天下男子之中,真没第二个胜得过你呢。"这两句话说得情意深挚,极是恳切。

郭靖俯下头来,在爱妻脸上轻轻一吻,道:"若是男孩,咱们叫他作郭破虏,若是女孩呢?"想了一会,摇头笑道:"我想不出,你给取个名字罢。"黄蓉道:"丘处机道长给你取这个'靖'字,是叫你不忘靖康之耻。现下金国方灭,蒙古铁蹄又压境而来,孩子是在襄阳生的,就让她叫作郭襄,好使她日后记得,自己是生于这兵荒马乱的围城之中。"

郭靖道:"好啊,但盼这女孩儿将来别像她姊姊那么淘气,年纪这么大了,还让父母操心。"黄蓉微微一笑,道:"倘若操心得了,那也罢了,就只……"叹了口气,道:"我好生盼望是个男孩儿,好让郭门有后。"郭靖抚摸她头发,说道:"男孩儿、女孩儿不都一样?快睡罢,别再胡思乱想了。"给她拢了拢被窝,吹灭烛火,转身回房,见杨过睡得兀自香甜,鼓交三更,上床又睡。

他夫妻俩在后院中这番对答,都让杨过隐身在屏门之后听了个清楚。郭靖黄蓉走入内堂,杨过仍站着出神,反来覆去的只是想着黄蓉那几句话:"我只恨杀他不早……他父亲一掌拍在我肩头,这才中毒而死……你我均有杀他之心,结果他也因我而死……"心想:"我父因他二人而死,那是千真万确、再无可疑的了。这黄蓉好生奸滑,对我已然起疑,今晚我若不下手,只怕再无如此良机。"回房静卧,等郭靖回来。

郭靖揭被盖好,听得杨过微微发出鼾声,心道:"这孩子睡得真好。"轻轻着枕,只怕惊醒了他。过了片刻,正要蒙眬睡去,忽觉杨过缓缓翻了个身,但他翻身之际鼾声依然。郭靖一怔:"任谁梦中翻身,必停打鼾。这孩子呼吸异常,难道他练内功时运逆了气么?这岔子可不小。"却全没想到杨过假装睡熟。

杨过缓缓又翻了个身,见郭靖仍无知觉,继续发出低微鼾声,走下床来。初时他想在被窝中出手行刺,但觉相距过近,极是危险,若郭靖临死之际反击一掌,只恐自己难逃性命,便想坐起之后出刀,总是忌惮对方武功太强,决意先行下床,一刀刺中郭靖要害,立即破窗跃出,又怕自己鼾声一停,让郭靖在睡梦中感到有异,因此一面下床,一面假装打鼾。

这么一来,郭靖更给他弄得满腔胡涂,心想:"这孩子莫非得了梦游离魂之症?我若此时出声,他一惊之下,气息逆冲丹田,立时走火入魔。"一动也不敢动,侧耳静听他动静。

杨过从怀中缓缓拔出匕首，右手平胸而握，一步步走到床前，突然举臂运劲，挺刀正要刺出，只听得郭靖说道："过儿，你做什么恶梦了？"

杨过这一惊非同小可，双足一点，反身破窗而出。他去得快，郭靖追得更快，他人未落地，只觉双臂一紧，已给郭靖两手抓住。杨过万念俱灰，自知武功远非其敌，抗拒无用，便闭目不语。

郭靖抱了他跃回房中，将他放在床上，搬他双腿盘坐，两手垂于丹田之前，正是玄门练气的姿式。杨过又恨又怕："不知他要用什么恶毒的法子折磨我？"突然间想起了小龙女，深吸一口气，要待纵声大呼："姑姑，我已失手被擒，你快逃命。"

郭靖见他突然急速运气，更误会他是练内功岔了气息，心想："当此危急之际，只能缓缓吞吐，如此大呼大吸，大有危害。"忙出掌按住他小腹。

杨过丹田给郭靖运浑厚内劲按住，竟叫不出声，挂念着小龙女的安危，只急得面红耳赤，急想挣扎，苦于丹田遭按，全身受制，动弹不得。

郭靖缓缓的道："过儿，你练功太急，这叫做欲速则不达，快别乱动，我来助你顺气归源。"杨过一怔，不明他其意何指，但觉一团暖气从他掌心渐渐传入自己丹田，说不出的舒服受用，又听郭靖道："你缓缓吐气，让这股暖气从水分到建里，经巨阙、鸠尾，到玉堂、华盖，先通了任脉，不必去理会别的经脉。"

杨过听了这几句话，又觉到他正在以内功助己通脉，一转念间已猜到了八九分，暗叫："惭愧！原来他只道我练功走火入魔，以致行为狂悖。"当下暗运内息，故意四下冲走，横奔直撞，似乎难以克制。郭靖心中担忧，掌心内力加强，将他四下游走的乱息收束在一处。杨过索性力求逼真，他此时内功造诣已自不浅，体中内息狂走之时，郭靖一时却也不易对付，直花了半个时辰，才将他逆行的气息尽数归顺。

这番冲荡，杨过固累得有气无力，郭靖也极感疲困，二人一齐打坐,直到天明,方始复元。郭靖微笑道:"过儿,好了吗?想不到你的内力已有如此造诣,险些连我也照护不了。"杨过知他为了救助自己,不惜大耗功力,不禁感动,说道:"多谢郭伯伯救护,侄儿昨晚险些闹成了四肢残废。"

郭靖心道:"你昨晚昏乱之中,竟要提刀杀我,幸好你自己不知,否则宁不自愧?"他只怕杨过知晓此事后过意不去,岔开话题说道:"你随我到城外走走,瞧一下四城的防务。"杨过应道:"是!"

二人各乘一匹战马,并骑出城。郭靖道:"过儿,全真派内功是天下内功正宗,进境虽慢,却绝不出岔子。各家各派的武功你都可涉猎,但内功还是以专修玄门功夫为宜。待敌兵退后,我再与你共同好好研习。"杨过道:"昨晚我走火之事,你可千万别跟郭伯母说,她知道后定要笑我,说我学了龙姑姑旁门左道的功夫,以致累得郭伯伯辛苦一场。"郭靖道:"我自然不说。其实龙姑娘的功夫也非旁门左道,那是你自己胡思乱想,未得澄虑守一之故。"杨过料知此事只要给黄蓉获悉,立时便识破真相,听郭靖答应不说,心中大安。

二人纵马城西,见有一条小溪横出山下。郭靖道:"这条溪水虽小,却大大有名,名叫檀溪。"杨过"啊"了一声,道:"我听人说过三国故事,刘皇叔跃马过檀溪,原来这溪水便在此处。"郭靖道:"刘备当年所乘之马,名叫的卢,相马者说能妨主,哪知这的卢竟跃过溪水,逃脱追兵,救了刘皇叔的性命。"说到此处,不禁想起了杨过之父杨康,喟然叹道:"其实世人也均与这的卢马一般,为善即善,为恶即恶,好人恶人又哪里有一定的?分别只在心中一念之差而已。"

杨过心下一凛,斜目望郭靖时,见他神色间殊有伤感之意,显然不是出言讥刺自己,心想:"你这话虽然不错,但什么是善,什么是恶?你夫妻俩暗中害死我父,难道也是善么?当真大言炎炎,不知羞惭。"他对郭靖事事佩服,但一想到父亲死于他夫妻手下,总不自禁的胸间横生恶念。

二人策马行了一阵，到得一座小山之上，升崖远眺，但见汉水浩浩南流，四郊遍野都是难民，拖男带女的涌向襄阳。郭靖伸鞭指着难民人流，说道："蒙古兵定是在四乡加紧屠戮，令我百姓流离失所，实堪痛恨。"遥望汉水彼岸的樊城，幸亏倒尚安靖。

从山上望下去，见道旁有块石碑，碑上刻着一行大字："唐工部郎杜甫故里。"杨过道："襄阳城真了不起，原来这位大诗人的故乡便在此处。"

郭靖扬鞭吟道："大城铁不如，小城万丈余……连云列战格，飞鸟不能逾。胡来但自守，岂复忧西都？……艰难奋长戟，万古用一夫。"

杨过听他吟得慷慨激昂，跟着念道："胡来但自守，岂复忧西都？艰难奋长戟，万古用一夫。郭伯伯，这几句诗真好，是杜甫做的么？"郭靖道："是啊，前几日你郭伯母和我谈论襄阳城守，想到了杜甫这首诗。她写了出来给我看。我很爱这诗，只是记心不好，读了几十遍，也只记下这几句。你想中国文士人人都会做诗，但千古只推杜甫第一，自是因他忧国爱民之故。"杨过道："你说'为国为民，侠之大者'，那么文武虽然不同，道理却是一般。"郭靖听他体会到了这一节，很是欢喜，说道："经书文章，我一点也不懂，但想人生在世，便做个贩夫走卒，只要有为国为民之心，由此尽力，那就是真好汉、真豪杰了。"

杨过问道："郭伯伯，你说襄阳守得住吗？"郭靖沉吟良久，手指西方郁郁苍苍的丘陵树木，说道："襄阳古往今来最了不起的人物，自然是诸葛亮。此去以西二十里的隆中，便是他当年耕田隐居的地方。诸葛亮治国安民的才略，我们粗人也懂不了。他曾说只知道'鞠躬尽瘁，死而后已'，至于最后成功失败，他也看不透了。我与你郭伯母谈论襄阳守得住、守不住，谈到后来，也总只是'鞠躬尽瘁，死而后已'这八个字。"

说话之间，忽见城门口的难民回头奔跑，但后面的人流还是继续前涌，一时之间，襄阳城外大哭小叫，乱成一团。郭靖吃了一惊，道："干么守兵不开城门，放百姓进城？"忙纵马急奔而前，一口气驰到城外，只见一排守兵弯弓搭箭，指着难民。郭靖大叫："你们干什么？快开城门。"守将见是郭靖，忙打开城门，放他与杨过进城。郭靖道："众百姓惨受蒙古兵屠戮，怎不让他们进来？"守将道："吕大帅说难民中混有蒙古奸细，千万不能放进城来，否则为祸不小。"

郭靖大声喝道："便有一两个奸细，岂能因此误了数千百姓的性命？快快开城。"郭靖守城已久，屡立奇功，威望早著，虽无官职，但他的号令守将不敢不从，只得开城，同时命人飞报安抚使吕文焕。（注）

众百姓扶老携幼，涌入城来，堪堪将完，突见远处尘头大起，蒙古军自北来攻。宋兵分别散开，隐身城垛之后守御。只见城下敌军之前，当先一大群人衣衫褴褛，手执棍棒，并无一件真正军器，乱糟糟不成行列，齐声叫道："城上不要放箭，我们都是大宋百姓！"蒙古精兵铁骑却列在众百姓之后。

自成吉思汗以来，蒙古军攻城，向来驱赶敌国百姓先行，守兵只要手软罢射，蒙古兵随即跟上。此法既能屠戮敌国百姓，又可动摇敌兵军心，可说一举两得，残暴毒辣，往往得收奇效。郭靖久在蒙古军中，自然深知其法，但要破解，却苦无良策。只见蒙古精兵持枪执刀，驱逼宋民上城。众百姓越行越近，最先头的已爬上云梯。

襄阳安抚使吕文焕骑了一匹青马，四城巡视，眼见情势危急，下令道："守城要紧，放箭！"众兵箭如雨下，惨叫声中，众百姓纷纷中箭跌倒，其余的百姓回头便走。蒙古兵一刀砍去个首级，一枪刺出个窟窿，逼着众百姓攻城。

杨过站在郭靖身旁，见到这般惨状，气愤难当，只听吕文焕叫道："放箭！"又是一排羽箭射了下去。郭靖大叫："使不得，莫错杀了好人！"吕文焕道："如此危急，便是好人，也只得错杀了。"郭靖叫道："不，好人怎能错杀？"

杨过心中一动,暗念:"莫错杀了好人!好人怎能错杀?"

郭靖叫道:"丐帮兄弟和各位武林朋友,大家跟我来!"说着奔下城头。杨过跟了下来。郭靖道:"你昨晚练气伤身,今日千万不能用力,在城头上给我掠阵罢。"杨过见蒙古兵屠戮汉人,当他们猪狗不如,本想随郭靖下去大杀一阵,听了他这话,心中一怔,又不能直说昨晚其实并非练功走火,只得回上城头。

郭靖率领众人,大开西门,冲了出去,迂回攻向蒙古军侧翼。在众百姓之后押队的蒙古军当即分兵来敌。郭靖所率领的大半是丐帮好手,另有一小半是各地来投效的忠义之士,齐声呐喊,奋勇当先,两军相交,即有百余名蒙古兵给砍下马来。眼见这队蒙古千人队抵挡不住,斜刺里又冲到一个千人队,挥动长刀,冲刺劈杀。蒙古军是百战之师,猛勇剽悍,郭靖所率壮士虽身有武艺,一时间却也不易取胜。被逼攻城的众百姓见蒙古军专心厮杀,不再逼攻,发一声喊,四下逃散。

只听得东边号角声响,马蹄奔腾,两个蒙古千人队疾冲而至,接着西边又有两个千人队驰来,将郭靖等一群人围在垓心。

吕文焕在城头见到蒙古兵这等威势,只吓得心胆俱裂,哪敢分兵去救?

杨过站在城头观战,心中反覆念着郭靖那两句话:"莫错杀了好人!好人怎能错杀?"眼见他身陷重围,心想:"城头本来只须不断放箭,射死一些百姓,蒙古兵便没法攻上。郭伯伯眼下身遭危难,全是为了不肯错杀好人而起。这些百姓与他素不相识,绝无渊源,他尚且舍命相救,他又何以要害死我爹爹?"

眼望着城下的惨烈厮杀,心中的念头却只是绕着这个难解之谜打转:"他和我爹爹义结金兰,交情自不寻常,但终于下手害他,难道我爹爹真是个十恶不赦的坏人么?"他自小想像父亲仁侠慷慨,勇武仗义,乃天下一等一的好男儿,突然要他承认父亲是个坏人,委实万万不能。可是在他内心深处,早已隐约觉得父亲远远不及郭伯伯,只是以前每当甫动此念,立即强自压抑,此刻却不由得他不想此节了。

这时城下喊声动天地，郭靖一干人左冲右突，始终杀不出重围。朱子柳率领一队人马，武氏兄弟与郭芙另行率领一队人马，均欲出城接应，只听得号角声急，蒙古又有四个千人队冲到城门之前。忽必烈用兵果然非同寻常，只待城中开门接应，四队精兵便一拥而入。吕文焕瞧得心惊肉跳，大声传令："不许开城！"又命两百名刀斧手严守城门之旁，有敢开启城门者立斩。大将王坚领弓弩手在城头不住放箭。

城内城外乱成一团，杨过心中也是诸般念头互相交战，一时盼望郭靖就此陷没在乱军之中，一时又望他杀退敌军。突见蒙古军阵势乱了，数千骑兵如潮水般向两旁溃退，郭靖手持长矛，纵马驰出，身后壮汉结成方阵，冲杀而前。这方阵甚是严整，片刻间已冲到城门口，郭靖回转马头，亲自殿后，长矛起处，接连把七八名蒙古将官挑下马来。蒙古兵将一时不敢逼近。

吕文焕对郭靖倚若长城，见他脱险，心中大喜，忙叫："开城！只可小开，千万不能大开！"当下城门开了三四尺，仅容一骑，众壮汉陆续奔进城来。蒙古中军黄旗招动，两队军马分自左右冲到。吕文焕大叫："郭大侠，快进城！咱们不等旁人了。"郭靖见部属未曾尽数脱险，哪肯先行入城，反而回马上前，刺杀了两名冲得最近的蒙古勇士。

但大军既动，犹如潮水一般，郭靖虽武艺精深，一人之力，又怎抵挡得了大军冲击？朱子柳在城头见情势危急，忙垂下一根长索，叫道："郭兄弟，抓住了。"郭靖一回头，见最后一名丐帮兄弟已经入城，却有十余名蒙古兵跟着冲进城门。城门旁的刀斧手一面抵敌，一面用力关门，两尺厚的铁门缓缓合拢。郭靖大喝一声，挺矛刺死了一名蒙古十夫长，纵身跃起，拉住了长索。朱子柳奋力拉扯，郭靖登时向上升了丈许。

蒙古军督战的万夫长大喝："放箭！"霎时之间千弩齐发。郭靖上跃之际早已防到此着，扯下长袍下襟，右手拉索，左手将袍子

· 727 ·

在身前舞得犹如一块大盾牌，劲力贯袖，将羽箭尽皆挡开，只是他所乘的坐骑却在城门前连中数百枝长箭，竟如刺猬一般。朱子柳双手交替，将郭靖越拉越高。

眼见他身子离城头尚有二丈，蒙古军中突然转出一个高瘦和尚，身披黄色袈裟，正是金轮国师。他从一名蒙古军官手中接过铁弓长箭，拉满了弦，搭上狼牙雕翎，心知郭靖与朱子柳都武艺深湛，倘若射向人身，定给挡开，左手移弓转的，右手一松，羽箭离弦，向长索中节射去。这一招甚是毒辣，羽箭离郭朱二人均有一丈上下，二人无法相挡。金轮国师尚怕二人突出奇法破解，一箭既出，又分向朱子柳与郭靖各射一箭。第一箭啪的一声，将长索断成两截，第二第三箭势挟劲风，续向朱郭二人射到。

长索既断，郭靖身子一沉，那第三箭自射他不着。朱子柳但觉手上一轻，叫声："不好!"羽箭已到面门。这一箭劲急异常，发射者显然内力深厚，此刻城头上站满了人，朱子柳心知若是低头闪避，这箭定然伤了身后之人，左手伸二指看准长箭来势，在箭杆上一拨，那箭斜斜的落下城头去了。

郭靖一觉绳索断截，暗暗吃惊，跌下城去虽不致受伤，但在这千军万马包围之中，如何杀得出去? 此时敌军逼近城门，我军若开城接应，敌军定然乘机抢门。危急中不及细想，左足在城墙上一点，身子斗然拔高丈余，右足跟着在城墙上一点，再升高了丈余。这路"上天梯"的高深武功当世会者极少，即令有人练就，每一步也只上升得二三尺而已。郭靖少年之时，曾随马钰练"金雁功"，以轻身功夫攀上蒙古悬崖，后来练"上天梯"功夫，因有"金雁功"根柢，基础更为扎实，他这般在光溜溜的城墙上踏步而上，一步便跃上丈许，武功之高，的是惊世骇俗。霎时之间，城上城下寂静无声，数万道目光尽皆注视在他身上。

金轮国师暗暗骇异，知道这"上天梯"功夫全凭提一口气跃上，只消中间略有打岔，令他一口气松了，第三步便不能再次窜上。弯弓搭箭，又一箭向郭靖背心射去。

箭去如风,城上城下众军齐叫:"休得放箭!"两军见郭靖武功惊人,个个钦服,均盼他就此纵上城头。蒙古人向来崇敬英雄好汉,虽是敌军,见有人暗箭加害,无不愤慨。郭靖听得背后长箭来势凌厉,暗叫:"罢了!"只得回手将箭拨开。两军数万人见他背后犹似生了眼睛一般,这一箭偷袭竟伤他不得,齐声喝采。但就在震天响的采声之中,郭靖身子已微微向下一沉,距城头虽只数尺,却再也窜不上去了。

当两军激战之际,杨过心中也似有两军交战一般,见郭靖身遭危难,他上升下降,再上再落,这两下起伏只片刻间之事,杨过心中却已转了几次念头:"他是我杀父仇人,我杀他不杀?救他不救?"当郭靖使"上天梯"功夫将上城头之际,杨过便想凌空发掌击落,郭靖在半空无所借力,定须身受重伤,堕下城去。他稍一迟疑,郭靖已为国师发箭阻挠,无法纵上。杨过心中乱成一团,突然间左手拉住朱子柳手中半截绳索,扑下城去,右手已抓住了郭靖手臂。

这一下奇变陡生,朱子柳随机应变,快捷异常,当即双臂使劲,先将绳索向下微微一沉,随即劲运双臂,急甩过顶。杨过与郭靖二人在半空中划了个圆圈,就如两头大鸟般飞在半空。城上城下兵将数万,无不瞧得张大了口合不拢来。

郭靖身在半空,心想连受这番僧袭击,未能还手,岂非输于他了?望见金轮国师又一箭射来,左足一踏上城头,立即从守军手中抢过弓箭,猿臂伸屈,长箭飞出,对准金轮国师发来的那箭射去,半空中双箭相交,将来箭劈为两截。国师刚凛然一呆,突然疾风劲急,铮的一响,手中硬弓又已断折。国师与郭靖的武功在伯仲之间,但郭靖自幼在蒙古受神箭手哲别传授,再加上精湛内力,弓箭之技,天下无双,国师自瞠乎其后。郭靖连珠三箭,第一箭劈箭,第二箭断弓,第三箭却对准了忽必烈的大纛射去。

这大纛迎风招展,在千军万马之中显得十分威武,猛地里一箭飞来,旗索断绝,忽必烈的王旗立时滑落。城上城下两军又齐声发喊。

忽必烈见郭靖如此威武,己军士气已沮,传令退军。

郭靖站在城头,见蒙古军军形整肃,后退时井然有序,先行者不躁,殿后者不惧,不禁叹了一口长气,心想:"蒙古精兵,实非我积弱之宋军可敌。"想起国事,不由得忧从中来,浓眉双蹙。朱子柳、杨过等见他扬威于敌阵之中,耀武于万众之前,竟没半点骄色,无不深佩。

忽必烈退军数十里,途中默思破城之策,心想有郭靖在彼,襄阳果是难克。国师道:"殿下亲眼所见,若非杨过那小子出手救援,郭靖今日性命不保。那杨过武功了得,谁知竟会反覆无常。"忽必烈道:"不然! 料那杨过是要手刃郭靖,为父报仇,不愿假手于人。我瞧他为人飞扬勇决,并非奸猾险诈的小人。"国师不以为然,但不敢反驳,只道:"但愿如殿下所料。"

蒙古兵退,襄阳城转危为安。安抚使吕文焕兴高采烈,又在元帅府大张筵席庆功,这一次杨过也受邀为席中上宾。众人对他飞身相救郭靖时出手迅捷、奋不顾身,无不交口大赞。武氏兄弟坐在另席旁座,见杨过一到立时建功,不免心生妒意,又怕经此一役,郭靖感他相救之德,更要将女儿许配于他。两兄弟一言不发,只喝闷酒。

筵席过后,一行人回到郭靖府中。黄蓉请杨过到内堂相见,温言嘉赞。杨过逊谢。郭靖道:"过儿,适才你使力强猛,胸口可有隐隐作痛么?"他耽心杨过昨晚走火之余,今日城头使力狠了,只恐伤了内脏。

杨过怕黄蓉追问情由,瞧出破绽,忙道:"没事,没事。"随即岔开话题,道:"郭伯伯,你这飞跃上城的功夫,那真是独步武林了。"郭靖微笑道:"这功夫我搁下已久,数年没练了,不免生疏,这才出了乱子。"其实昨晚他若非运用真力助杨过意守丹田,以致大耗元气,那么使"上天梯"功夫之际,即使有国师发箭阻挠,也难为不了他。但他于此节自然不提,只道:"当年丹阳子马道长在蒙古传我'金雁功',那是'上天梯'的根基,你若喜欢,这功夫过几天我便传你。"

黄蓉见杨过神情恍惚,说话之际每每若有所思,他今日奋身相救郭靖乃万目共睹，自无可疑，但终究放心不下，说道："靖哥哥，今晚我不大舒服，你在这儿照看一下。"郭靖点头答应，向杨过说道："过儿，今日累了，你早些回去休息罢。"

杨过辞别两人，独自回房，耳听得更楼上鼓交二更，坐在桌前，望着忽明忽暗的烛火，心中杂念丛生，忽听得门上剥啄一声，一个女子声音在门外说道："没睡么？"正是小龙女的声音。杨过大喜，一跃而起，打开了房门，见小龙女穿着淡绿色衫子，俏生生的站在门外。杨过道："姑姑，有什么事？"小龙女笑道："我想来瞧瞧你。"杨过握住了她手，柔声道："我也正想着你呢。"

两人并肩慢慢走向花园。园中花木扶疏，幽香扑鼻。小龙女望了望天上半边月亮，道："你非亲手杀他不可么？时日无多了呢。"杨过忙在她耳边低声道："此间耳目众多，别提此事。"小龙女痴痴的望着他，说道："等到月亮圆了，那便是十八日之期的尽头。"

杨过蓦然而惊，屈指一算，与裘千尺别来已有九日，若不在一二日内杀了郭靖夫妇，毒发之前便不能赶回绝情谷了。他幽幽叹了口气，与小龙女并坐在一块太湖石上。两人相对无语，柔情渐浓，灵犀互通，浑忘了仇杀战阵之事。

过了良久，忽听假山外传来脚步之声，有两个人隔着花丛走近。

一个少女的声音说道："你再逼我，干脆拿剑在我脖子上一抹，也就是了，免得我零碎受苦。"一个男人声音气愤愤的道："哼，你三心两意，我就不知道么？这姓杨的小子一到襄阳，便在人前大大露脸。你从前说过的话，又怎还放在心上？"听声音正是郭芙和武修文。小龙女向杨过装个鬼脸，意谓你到处惹下情丝，害得不少姑娘为你烦恼。杨过一笑，拉她靠近自己，微微摇手，叫她不可作声，且听他二人说些什么。

郭芙听武修文这么说，登时大怒，提高了声音道："既是如此，咱们从前的话就算白说。我一个人走得远远地，永远不见杨过，咱们也永远别见面了。"只听衣衫噗的一响，想是武修文拉住了郭芙的衣袖,而她用力一摔。她话中怒意更增,说道:"你拉拉扯扯的干什么?人家露脸不露脸,干我什么事?我爹娘便将我终身许配于他,我宁可死了,也决不从。爹爹倘若真迫得我紧,我便逃得远远地。杨过这小子自小就飞扬跋扈,自以为了不起,我偏就没瞧在眼里。爹爹当他是宝贝,哼,我看他就不是好人。"武修文忙道:"是啊,是啊。先前算我瞎疑心,芙妹你千万别生气。以后我再这样,教我不得好死,来生变个乌龟大王八。"语音中喜气洋溢。郭芙噗哧一笑。

杨过与小龙女相视一笑,一个意思说:"你瞧,人家将我损得这样。"另一个意思说:"原来我先前想错了,我心中喜欢你,旁人却情有别钟。"听郭芙语意,对武修文虽一时呵责,一时使小性儿,将他播弄得俯头帖耳、颠三倒四,但心中对他实大有柔情。

只听武修文道:"师母是最疼你的,你日也求,夜也求,缠着她不放。只要师母答应你不嫁那姓杨的,师父决没话说。"郭芙道:"哼,你知道什么?爹虽肯听妈的话,但遇上大事,妈是从不违拗爹爹的。"武修文叹道:"你对我也这般,那就好了。"

但听得啪的一响,武修文"啊"的一声叫痛,急道:"怎么又动手打人?"郭芙道:"谁叫你说便宜话?我不嫁杨过,可也不能嫁你这小猴儿。"武修文道:"好啊,你今晚终于吐露了心事,你不肯做我媳妇,却肯做我嫂子。我跟你说,我跟你说……"气急败坏,下面的话说不出来了。

郭芙语声忽转温柔,说道:"小武哥哥,你对我好,已说了一千遍一万遍,我自早知道你是真心。你哥哥虽一遍也没说过,可我也知他对我是一片痴情。不管我许了谁,你哥儿俩总有一个要伤心的。你体贴我,爱惜我,你便不知我心中可有多为难么?"

武敦儒、武修文自小没爹娘照顾,兄弟俩向来友爱甚笃,但近年来两人都痴恋郭芙,不由得互相有了心病。武修文心中一急,竟自掉下泪来。郭芙取出手帕,掷了给他,叹道:"小武哥哥,咱们自小一块儿长大,我敬重你哥哥,可是跟你说话却更加投缘些。对你哥儿俩,我实在没半点偏心。你今日定要逼我清清楚楚说一句,倘若你做了我,该怎么说呢?"武修文道:"我不知道。我只跟你说,倘若你嫁了旁人,我便不能活了。"

郭芙道:"好啦,今晚别再说了。爹爹今日跟敌人性命相搏,咱们却在园子中说这些没要紧的话,要是给爹爹听到了,大家都讨个没趣。小武哥哥,我跟你说,你想要讨我爹娘欢心,干么不多立战功?整日价缠在我身旁,岂不让我爹娘看轻了?"武修文跳了起来,大声道:"对,我去刺杀忽必烈,解了襄阳之围,那时你许不许我?"郭芙嫣然笑道:"你立了这等大功,我便想不许你,只怕也不能呢。但忽必烈身旁有多少护卫?单是一个金轮国师,就连爹爹也未必胜得了。快别胡思乱想了,乖乖的去睡罢。"

武修文向着郭芙俊俏的脸孔恋恋不舍的望了几眼,说道:"好,那你也早些睡罢。"他转身走了几步,忽又停步回头,问道:"芙妹,你今晚做梦不做?"郭芙笑道:"我怎知道?"武修文道:"倘若做梦,你猜会梦到什么?"郭芙微笑道:"我多半会梦见一只小猴儿。"武修文大喜,跳跳蹦蹦的去了。

小龙女与杨过在花丛后听他二人情话绵绵,相对微笑,均想他二人一个痴恋苦缠,一个心意不定,比起自己两人的一往情深、死而无悔,心中的满足喜乐自必远远不及。

武修文去后,郭芙独自坐在石凳上,望着月亮呆呆出神,隔了良久,长叹了一声。忽然对面假山后转出一人,说道:"芙妹,你叹什么气?"正是武敦儒。杨过与小龙女都微微一惊,想是武修文和郭芙来到花园,他一直悄悄跟在后面。

郭芙微嗔道:"你就总是这么阴阳怪气的。我跟你弟弟说的话,你全都听见了,是不是?"武敦儒点点头,站在郭芙对面,和她离得远远的,但眼光中却充满了眷恋之情。两人相对不语,过了好一阵,郭芙道:"你要跟我说什么?"武敦儒道:"没什么。我不说你也知道。"说着慢慢转身,缓缓走开。

郭芙望着武敦儒的背影,见他在假山之后走远,竟一次也没回头,心想:"不论是大武还是小武,世间倘若只有一人,岂不是好?"深深叹了口气,独自回房。

杨过待她走远,笑问:"倘若你是她,便嫁哪一个?"小龙女侧头想了一阵,道:"嫁你。"杨过笑道:"我不算。郭姑娘半点也不喜欢我。我说倘若你是她,二武兄弟之中你嫁哪一个?"小龙女"嗯"了一声,心中拿二武来相互比较,终于又道:"我还是嫁你。"杨过又好笑,又感激,伸臂将她搂在怀里,柔声道:"旁人那么三心二意,我的姑姑却只爱我一人。"

二人相倚相偎,满心愉乐的直坐到天明。

眼见朝暾东升,二人仍不愿分开。忽见一名家丁匆匆走来,向二人请了个安,说道:"郭爷请杨大爷快去,有要事相商。"

杨过见他神情紧急,心知必有要事,当即与小龙女别过,随那仆人走向内堂。那仆人道:"我到处都找过了,原来杨爷在园子里赏花。"杨过道:"郭大爷等了我很久么?"那仆人低声道:"两位武少爷忽然不知去了哪里,郭大爷和郭夫人都着急得很,郭姑娘已哭了几次啦!"杨过一怔,已知其理:"武家哥儿俩为了争娶师妹,均想建立奇功,定是出城行刺忽必烈去了。"匆匆来到内堂,见黄蓉穿着宽衫,坐在一旁,容色憔悴,郭靖不停的来回走动,郭芙红着双目,泫然欲泣。桌上放着两柄长剑。

郭靖一见杨过,忙道:"过儿,你可知武家兄弟俩到敌营去干什么?"杨过向郭芙望了一眼,道:"两位武兄到敌营去了么?"郭靖道:"不错,你们小兄弟之间无话不说,你事先可曾瞧出一些端倪?"杨过道:"小侄没曾留心。两位武兄也没跟我说过什么。料来两位武兄定是见城围难解,心中忧急,想到敌营去刺杀蒙古大将,如能得手,倒是奇功一件。"郭靖叹了口气,指着桌上的两把剑,道:"便算存心不错,可是太过不自量力,兵刃都给人家缴下,送了回来啦。"

这一着颇出杨过意料之外,他早猜到武氏兄弟此去必难得逞,以他二人的武功智慧,焉能在国师、尹克西、潇湘子等人手下讨得了好去? 却想不到只几个时辰之间,二人的兵器也给送了回来。郭靖拿起压在双剑之下的一封书信,交给杨过,与黄蓉对望一眼,两人都摇了摇头。杨过打开书信,见信上写道:

"大蒙古国第一护国法师金轮大喇嘛书奉襄阳城郭大侠尊前:昨宵夜猎,邂逅贤徒武氏昆仲,常言名门必出高弟,诚不我欺。老衲久慕大侠风采,神驰想像,盖有年矣。日前大胜关英雄宴上一会,匆匆未及深谈。兹特移书,谨邀大驾。军营促膝,杯酒共欢,得聆教益,洵足乐也。尊驾一至,即令贤徒归报平安如何?"

信中语气谦谨,似乎只是请郭靖过去谈谈,但其意显是以武氏兄弟为质,要等郭靖到来方能放人。郭靖等他看完了信,道:"如何?"

杨过早已算到:"郭伯母智谋胜我十倍,我若有妙策,她岂能不知? 她邀我来此相商,唯一用意,便是要我和姑姑伴同郭伯伯前去敌营。郭伯伯到得蒙古军营,国师、潇湘子等合力纵能败他,但要杀他擒他,却也未必能够。有我和姑姑二人相助,他自能设法脱身。"随即想到:"但如我和姑姑突然倒戈,一来出其不意,二来强弱之势更加悬殊,那时要伤他易如反掌。我即令不忍亲手加害,假手于国师诸人取他性命,岂不大妙?"微微一笑,说道:"郭伯伯,我和师父陪你同去便是。郭伯母见过我和师父联剑打败金轮国师,三人同去,敌人未必留得下咱们。"

郭靖大喜,笑道:"你的聪明伶俐,除了你郭伯母之外,旁人再也难及。你郭伯母之意也正如此。"

杨过心道:"黄蓉啊黄蓉,你聪明一世,今日也要在我手下栽个筋斗。"说道:"事不宜迟,咱们便去。我和师父扮作你的随身僮儿,更显得你单刀赴会的英雄气概。"

郭靖道:"好!"转头向黄蓉道:"蓉儿,你不用耽心,有过儿和龙姑娘相伴,便龙潭虎穴,我们三人也能平安归来。"他一整衣衫,说道:"相请龙姑娘。"

黄蓉摇头道:"不,我意思只要过儿一人和你同去。龙姑娘是个花朵般的闺女,咱们不能让她涉险,我要留她在这儿相陪。"

杨过一怔,立即会意:"郭伯母果有防我之心,她要留姑姑在此为质,好教我不敢有甚异动。我如定要姑姑同往,只有更增其疑。"寻思:"你们想扣住姑姑,未必能够。襄阳城中郭伯伯既然不在,又有谁能胜得了我的媳妇儿?"当下并不言语。

郭靖却道:"龙姑娘剑术精妙,倘能同行,大得臂助。"黄蓉懒懒的道:"你的破房、襄儿,就快出世啦,有龙姑娘守着,我好放心些。"郭靖忙道:"是,是,我真胡涂了。过儿,咱们走罢。"杨过道:"让我跟姑姑说一声。"黄蓉道:"回头我告知她便是,你爷儿俩去敌营走一趟,半天即回,又不是什么大事。"

杨过心想与黄蓉斗智,处处落于下风,但郭靖诚朴老实,决不是自己对手,同去蒙古军中后对付了他,再回来与小龙女会合不迟,于是略一结束,随同郭靖出城。

郭靖骑的是汗血宝马,杨过乘了黄毛瘦马,两匹马脚力均快,不到半个时辰,已抵达蒙古大营。

忽必烈听报郭靖竟然来到,又惊又喜,忙叫请进帐来。

郭靖走进大帐,见一位青年王爷居中而坐,方面大耳,两目深陷,不由得一怔:"此人竟与他父亲拖雷一模一样。"想起少年时与拖雷情深义重,此时却已阴阳相隔,不禁眼眶一红,险些儿掉下泪来。

忽必烈下座相迎,一揖到地,说道:"先王在日,时常言及郭靖叔叔英雄大义,小侄仰慕无已,日来得睹尊颜,实慰生平之愿。"郭靖还了一揖,说道:"拖雷安答和我情逾骨肉,我幼时母子俩托庇成吉思汗麾下,极仗令尊照拂。令尊英年,如日方中,不意忽尔谢世,令人思之神伤。"说着不禁泪下。忽必烈见他言辞恳挚,动了真情,也不由得伤感,便与潇湘子、尹克西等一一引见,请郭靖上座。

杨过侍立在郭靖身后,假装与诸人不识。国师等不知他此番随来是何用意,见他不理睬各人,也均不与他说话。麻光佐却大声道:"杨兄……"下面一个"弟"字还未出口,尹克西在他大腿上狠狠捏了一把。麻光佐"啊哟"一声,叫道:"干什么?"尹克西转过了头不理。麻光佐不知是谁捏他,口中唠唠叨叨骂人,便忘了与杨过招呼。

郭靖坐下后饮了一杯马乳酒,不见武氏兄弟,正要动问,忽必烈已向左右吩咐:"快请两位武爷。"左右卫士应命而出,推了武敦儒、武修文进帐。两人手足都给牛筋绳绑得结结实实,双足之间的牛筋长不逾尺,迈不开步子,只能慢慢的挨着过来。二武见到师父,满脸羞惭,叫了一声:"师父!"都低下了头不敢抬起。

他兄弟俩贪功冒进,不告而行,闯出这样一个大乱子,郭靖本十分恼怒,但见他二人衣衫凌乱,身有血污,显是经过一番剧斗才失手被擒,又见二人给绑得如此狼狈,不禁由怒转怜,心想他二人虽然冒失,却也是一片为国为民之心,温言说道:"武学之士,一生之中必受无数折磨、不少挫败,那也算不了什么。"

忽必烈假意怪责左右,斥道:"我命你们好好款待两位武爷,怎地竟如此无礼? 快快松绑。"左右连声称是,伸手去解二人绑缚。但那牛筋绑缚之后,再浇水淋湿,深陷肌肤,一时解不下来。郭靖走下座去,拉住武敦儒胸前的牛筋两端,轻轻往外一分,波的一响,牛筋登时崩断,跟着又扯断了武修文身上的绑缚。这一手功夫瞧来轻描淡写,殊不足道,其实却非极深厚的内功莫办。国师、潇湘子、尼摩星、尹克西等相互望了一眼,均暗赞他武功了得。忽必烈道:"快取酒来,给两位武爷赔罪。"

郭靖心下盘算:今日此行,决不能善罢,少时定有一番恶战,二武若不早走,不免要分心照顾。向众人作了个四方揖,朗声道:"小徒冒昧无状,承王爷及各位教诲,兄弟这里谢过了。"转头向武氏兄弟道:"你们先回去告知师母,说我会见故人之子,略叙契阔,稍待即归。"武修文道:"师父,你……"他昨晚行刺不成,为潇湘子所擒,知道敌营中果然高手如云,不由得耽心郭靖的安危。郭靖将手一挥,道:"快些走罢! 你们禀报吕安抚,请他严守城关,不论有

737

何变故,总之不可开城,以防敌军偷袭。"这几句话说得神威凛然,要叫忽必烈等人知道,即令自己有何不测,襄阳城决不降敌。

武氏兄弟见师父亲自涉险相救,又是感激,又是自悔,当下不敢多言,拜别师父,自行回城。

忽必烈笑道:"两位贤徒前来行刺小侄,郭叔父谅必不知。"郭靖点头道:"我事先未及知悉,小儿辈不知天高地厚,胡闹得紧。"忽必烈道:"是啊,想我与郭叔父相交三世,郭叔父念及故人之情,必不出此。"郭靖正色道:"那却不然,公义当前,私交为轻。昔日拖雷安答领军来攻青州,我曾起意行刺义兄,以退敌军,适逢成吉思汗病重,蒙古军退,这才全了我金兰之义。古人大义灭亲,亲尚可灭,何况友朋?"

这几句话侃侃而言,国师、尹克西等均相顾变色。杨过胸口一震,心道:"是了,刺杀义兄义弟,原是他的拿手好戏,不知我父当年有何失误,致遭他毒手。郭靖啊郭靖,岂难道你一生之中,从没做过什么错事么?"想到此处,一股怨毒又在胸中渐渐升起。

忽必烈却全无愠色,含笑道:"既然如此,郭叔父何以又说两位贤徒胡闹?"郭靖道:"想他二人学艺未成,不自量力,贸然行刺,岂能成功? 他二人失陷不打紧,却教你多了一层防备之心,后人再来行刺,便更加不易了。"忽必烈哈哈大笑,心想:"久闻郭靖忠厚质朴,口齿迟钝,哪知他辞锋竟极为锐利。"其实郭靖只是心中想到什么,口中便说什么,只因心中想得通达,言辞便显凌厉。国师等见他孤身一人,不携兵刃,赤手空拳而入蒙古千军万马之中,竟毫无惧色,这股气概便非己所能及,无不钦服。

忽必烈见郭靖器宇轩昂,不自禁的喜爱,心想若能将此人罗致麾下,胜于得了十座襄阳城,说道:"郭叔父,赵宋无道,君昏民困,奸佞当朝,忠良含冤,我这话可不错罢!"郭靖道:"不错,淳祐皇帝乃无道昏君,宰相贾似道是个大大的奸臣。"众人又都一怔,万料不到他竟会公然直言指斥本朝君臣。忽必烈道:"是啊,郭叔父是当世大大的英雄好汉,却又何苦为昏君奸臣卖命?"

郭靖站起身来，朗声道："郭某纵然不肖，岂能为昏君奸臣所用？只是心愤蒙古残暴，侵我疆土，杀我同胞，郭某满腔热血，是要为我神州千万老百姓而洒。"

忽必烈伸手在案上一拍，道："这话说得好，大家敬郭叔父一碗。"说着举起碗来，将马乳酒一饮而尽。随侍众人暗暗焦急，均怕忽必烈顾念先世交情，又为郭靖言辞打动，竟将他放归，再要擒他可就难了，但见忽必烈举碗，也只得各自陪饮了一碗。左右卫士在各人碗中又斟满了酒。

忽必烈道："贵邦有一位老夫子曾道：民为贵，社稷次之，君为轻。这话当真有理。想天下者，天下人之天下也，唯有德者居之。我大蒙古朝政清平，百姓安居乐业，各得其所。我大汗不忍见南朝子民陷身于水深火热之中，无人能解其倒悬，这才吊民伐罪，挥军南征，不惮烦劳。这番心意与郭叔父全无二致，可说是英雄所见略同了。来，咱们再来干一碗。"说着又举碗饮干。

国师等举碗放到口边。郭靖大袖一挥，劲风过去，呛啷啷一阵响处，众人的酒碗尽数摔在地下，跌得粉碎。郭靖大声说道："王爷，你说'民为贵'，真正半点儿不错。你蒙古兵侵宋以来，残民以逞，白骨为墟，血流成河。我大宋百姓家破人亡，不知有多少性命送在你蒙古兵刀枪之下，说什么吊民伐罪，解民倒悬？"

这一下拂袖虽然来得突兀，大出众人意料之外，但国师等人人身负绝艺，竟让他打落酒碗，均觉脸上无光，一齐站起，只待忽必烈发作，立时上前动手。

忽必烈仰天长笑，说道："郭叔父英雄无敌，我蒙古兵将提及，无不钦仰，今日亲眼得见，果真名下无虚。小王不才，不敢伤了先父之义，今日只叙旧情，不谈国事如何？"郭靖拱手道："拖雷有子，气度宽宏，蒙古诸王无一能及，他日必膺国家重任。我有良言奉告，不知能蒙垂听否？"忽必烈道："愿听叔父教诲。"

郭靖又手说道："我南朝地广人多，崇尚气节，俊彦之士，所在多有，自古以来，从不屈膝异族。蒙古纵然一时疆场逞快，日后定遭逐回漠北,不免元气大伤,悔之无及,愿王爷三思。"忽必烈笑道:"多谢明教。"郭靖听他这四字说得言不由衷,说道:"就此别过,后会有期。"忽必烈将手一拱,说道:"送客。"

国师等相顾愕然,一齐望着忽必烈,均想:"好容易鱼儿入网,岂能纵虎归山?"但忽必烈客客气气的送郭靖出帐,众人也不便动手。

郭靖大踏步出帐,心中暗想:"这忽必烈举措不凡,果是劲敌。"向杨过使个眼色,加快脚步,走向坐骑之旁。

突然旁边抢出八名蒙古大汉,当先一人说道:"你是郭靖么?你在襄阳城头伤了我不少兄弟,今日竟到我蒙古军营来耀武扬威。王爷放你走,我们却容你不得。"一声吆喝,八名大汉同时拥上,各使蒙古摔跤手法,十六只手抓向郭靖。原来忽必烈不愿亲自下令捉拿郭靖,伤了故人情谊,但在帐外伏有兵马,待和他告别后这才擒拿。

摔跤之术,蒙古人原是天下无双,这八名大汉更是蒙古军中一等一的好手,忽必烈特地埋伏在帐外擒拿郭靖。但郭靖幼时在蒙古长大,骑射摔跤自小精熟,眼见八人抓到,双手连伸,右腿勾扫,霎时之间,四名大汉给他抓住摔出丈余,另四人给他勾扫倒地。他使的正是蒙古人正宗摔跤之术,只是有了上乘武功为底,手脚上劲力大得异乎寻常,那八名大汉如何能敌?忽必烈王帐外驻着一个亲兵千人队,一千名官兵个个精擅摔跤,见郭靖手法利落,以蒙古人惯用手法一举将八名军中好手同时摔倒,快速无伦,神技从所未见,不约而同的齐声喝采。

郭靖向众军一抱拳,除下帽子转了个圈子。这是蒙古人摔角获胜后向观众答谢的礼节,众官兵更加欢声雷动。那八名大汉爬起身来,望着郭靖呆呆发怔,不知该纵身又上呢,还是就此罢手?

郭靖向杨过道:"走罢!"只听得号角声此起彼和,四下里千人队来往奔驰,原来忽必烈调动军马,已将郭杨二人团团围困。郭靖暗暗吃惊,心想:"我二人纵有通天本领,怎能逃出这军马重围?想不到忽必烈对付我一人,竟如此兴师动众。"他怕杨过胆怯,脸上神色自如，说道："我二人马快，只管疾冲，先过去夺两面盾牌来，以防敌军乱箭射马。"又在他耳边低声道："先向南冲，随即回马向北。"

杨过一怔："襄阳在南，何以向北？"随即会意："啊，是了，忽必烈军马必集于南，防他逃归襄阳，北边定然空虚。先南后北，冲他一个出其不意，措手不及，便可乘机突围。我当如何阻住他才好？"

杨过心念甫动，只见忽必烈王帐中窜出几条人影，几个起落，已拦住去路，跟着呜呜之声大作，一个铜轮一个铁轮往两匹坐骑飞到，正是国师出手阻挡二人脱身。郭靖见双轮飞来之势极为刚猛，不敢伸手去接，头一低，双手在两匹坐骑的颈中一按，两匹马前足跪下，铜铁双轮刚好在马头上掠过，在空中打了一个转，回入国师手中。就这样微一耽搁，尼摩星与尹克西已奔到二人身前，国师与潇湘子跟着赶到，四人团团围住。

金轮国师、潇湘子等均是一流高手，与人动手，决不肯自堕身分，倚多为胜，但郭靖武功实在太强，每人又均想得那"蒙古第一勇士"的封号，只怕给旁人抢了头筹，但见白刃闪动，黄光耀眼，四人手中均已执了兵刃。尹克西手执一条镶珠嵌玉的黄金软鞭，潇湘子拿着一条哭丧棒模样的杆棒，尼摩星的兵刃最怪，是一条铁铸的灵蛇短鞭，在他手臂上盘旋吞吐，上下滚动，宛似一条活蛇。国师所持是个金轮，他的金轮在大胜关英雄大会中为杨过所夺，自觉少了金轮，与自己名号不符，于是命高手匠人重铸一个，形状重量，与前无异。

郭靖眼看四人奔跑身形和取兵刃的手法，四人中似以尹克西较弱，当即双掌拍出，击向潇湘子面门。潇湘子杆棒一立，棒端向他掌心点来。郭靖见杆棒上白索缠绕，棒头拖着一条麻绳，便如是孝子手中所执的哭丧棒，心想此人武功深湛，所用兵刃怪模怪样，必有特异之处，当下右手回转，一招"神龙摆尾"，已抓住了尹克西的金鞭。尹克西待要抖鞭回击，鞭梢已入敌手，当即顺着对方一扯之势，和身向郭靖扑去，左手中已多了一柄明晃晃的匕首。这一招以攻为守,乃从十八式小擒拿手中化出来的绝招。

郭靖叫道:"好!"双手同施擒拿,右手仍抓住金鞭不放,左手径来夺他匕首。这时右手夺他右手兵刃,左手夺他左手兵刃,双手已成交叉之势。尹克西满拟这一匕首刺出,敌人非放脱金鞭而闪避匕首不可,岂知他能双手分击,连匕首也要一并夺去。

就在这时,国师的金轮和潇湘子的杆棒已同时攻到。郭靖一扯金龙鞭不下,大喝一声,一股罡气自金鞭上传了过去。尹克西胸口犹如给大铁锤重重一击,眼前金星乱舞,哇的一声,喷出一口鲜血。郭靖已放脱金鞭,回手招架。尹克西自知受伤不轻,慢慢退开,在地下盘膝而坐,气运丹田,忍住鲜血不再喷出。国师与潇湘子、尼摩星三人不敢冒进,严密守住门户。

郭靖见招拆招,察看潇湘子和尼摩星的两件奇特兵刃。那哭丧棒显是精钢打就,但除沉重坚实之外,一时之间也瞧不出异处。尼摩星的蛇形兵器却甚古怪,活脱是条头呈三角的毒蛇,蛇身柔软屈折,当是无数细小铁球镶成,蛇头蛇尾均具锋锐尖刺,最厉害的是捉摸不定蛇身何时弯曲,蛇头蛇尾指向何方,但见那铁蛇短鞭在尼摩星手中忽而上跃飞舞,忽而盘旋打滚,变幻百端,灵动万状。

四人拆得数招,突听一人虎吼连连,大踏步而至,魁梧奇伟,宛似一座肉山,正是麻光佐到了。他手挺一根又粗又长的熟铜棍,在尼摩星身后往郭靖头顶砸了下去。四位高手激斗正酣,各人严守门户,绝无半点空隙,郭靖的掌风、国师的金轮、潇湘子的杆棒、尼摩星的铁蛇来往交错,织成了一道力网,麻光佐这一棍砸将下去,给四人合组的力网一撞,熟铜棍猛地反弹上来。他一觉不对,大喝一声,劲贯双臂,硬生生将铜棍在半空止住,饶是如此,双手虎口已震得鲜血长流。他高声大叫:"邪门,邪门!"手上加力,更运刚劲,猛击而下。

杨过在侧瞧得明白,他爱这浑人心地质朴,又曾数次回护自己,眼见他这一棍击下,定然遭殃,大叫:"麻光佐,看剑!"君子剑出手,往他后心刺去。麻光佐一呆,铜棍停在半空,愕然道:"杨兄弟,你干么跟我动手?"杨过骂道:"你这浑人,在这儿瞎搅什么?快给我回去!"长剑颤动,连刺数剑,只刺得麻光佐手忙脚乱,不住倒退。杨过长剑急刺,迫得他一步步退后。麻光佐腿长脚大,一步足足抵得常人二步,退得十余步,已离郭靖等甚远。他见眼前剑光闪烁,全力抵御都有所不及,更无余暇去想杨过何以忽然对己施展辣手。

杨过等他又退数步,收剑指地,低声道:"麻大哥,我救了你一命,你知不知道?"麻光佐大声道:"什么?"杨过低声道:"你说话小声些,别让他们听见了。"麻光佐瞪眼道:"为什么? 我不怕这个郭靖。"这两句话仍是声音响亮,于他不过是平常语气,在常人却已似叫喊一般。杨过道:"好,那你别说话,只听我说。"麻光佐倒真听话,点了点头。杨过道:"那郭靖会使妖法,口中一念咒语,便能取人首级,你还是走得远远的好。"麻光佐睁大了铜铃般的眼睛,将信将疑。

杨过有心要救他性命,心知若说郭靖武功了得,他必不肯服输,但说他会使妖法,这浑人多半会信,又道:"你一棍打他的头,棍子没撞上什么,却反弹上来,这岂不古怪? 那卖珠宝的胡人武功很厉害,怎么一上手便给他伤了?"麻光佐信了七八成,又点了点头,却向国师、潇湘子等望了一眼。

杨过猜到他心中想些什么,说道:"那大和尚会画符,他送了给僵尸鬼和黑矮子,身上佩了这符,便不怕妖法。大和尚有没给你?"麻光佐愤愤的道:"没有啊。"杨过道:"是啊,这贼秃不够朋友,也没给我,回头咱们跟他算帐。"麻光佐大声道:"不错,那咱们怎么办?"杨过道:"咱们袖手旁观,离开得越远越好。"麻光佐道:"杨兄弟你是好人,多亏你跟我说。"收起熟铜棍,遥望郭靖等四人相斗。

郭靖此时所施展的正是武林绝学"降龙十八掌"。国师等三人紧紧围住,心想他内力便再深厚,掌力如此凌厉,必难持久。岂知郭靖近二十年来勤练"九阴真经",初时真力还不显露,数十招后,降龙十八掌的劲力忽强忽弱,忽吞忽吐,从至刚之中生出至柔的妙用，以此抵挡三大高手的兵刃，非但丝毫不落下风，而且乘隙反扑，越斗越挥洒自如。

杨过在旁观斗，惊佩无已，他也曾在古墓中练过"九阴真经"，只乏人指点，不知真经的神奇竟至于斯。他以真经功诀印证郭靖掌法，登时悟到了不少深奥拳理，默默记习，一时忘了身上负着血海深仇，立意要将郭靖置于死地。

金轮国师的武功与郭靖本在伯仲之间，郭靖虽然屡得奇遇，但国师比他大了二十岁年纪，也即多了二十年的功力，二人若是单打独斗，非到千招之外，难分胜败，再加上潇湘子和尼摩星两个一流好手相助，国师本来不难取胜，只是郭靖的降龙十八掌实在威力太强，兼之他在掌法之中杂以全真教天罡北斗阵的阵法，斗到分际，身形穿插来去，一个人竟似化身为七人一般；又因他一上来便将尹克西打伤，这一下先声夺人，敌对的三人先求自保，不敢放手攻击，是以虽然以三敌一，也只打了个平手。

又拆数十招，国师的金轮渐渐显出威力，尼摩星的铁蛇也攻势渐盛。郭靖暗感焦躁："如此缠斗下去，我终究要抵敌不住。过儿和那大个儿到那边相斗，那大个儿武功平平，这会儿该当已料理了他。须得尽快跟过儿会合，共谋脱身。"四人全力拼搏，目光不敢有瞬息旁顾，杨过与麻光佐在十余丈外观斗，郭靖等四人均无暇顾及。

忽听得怪啸一声，潇湘子双脚僵直，一窜数尺，从半空中将哭丧棒点将下来。郭靖侧身避过，突觉眼前一暗，哭丧棒的棒端喷出一股黑烟，鼻中微微闻腥臭之气，头脑微微一晕。他暗叫不好，知道棒中藏有毒物，忙拔步倒退。潇湘子见他明明已闻到自己棒中的剧毒，竟不昏倒，不禁大异，二次窜起，又挥毒砂棒凌空点落。

当年潇湘子在湖南荒山中练功，曾见一只蟾蜍躲在破棺之后口喷毒砂，将一条大蟒蛇毒倒，心有所悟，捕捉蟾蜍，取其毒液，炼制而成毒砂，藏于哭丧棒中。棒尾装有机括，手指一按，毒砂便激喷而出，发射时纵跃窜高，毒砂威力更增。这毒砂棒在遇到巨蟒猛兽时曾经用过，当者立晕，岂知郭靖内力深厚，竟能强抗剧毒。

国师与尼摩星便在郭靖之侧，虽非首当其冲，但闻到少些，也已胸口烦恶欲呕，忙窜跃远离。潇湘子鼻中早已塞有解药，在黑气中直穿而前，挥棒追击。郭靖一掌"见龙在田"往他僵直的膝盖上击去。潇湘子收棒挡格，未及发毒，身子已被掌力推得飘开五尺。

郭靖斜过身子，却见尼摩星的铁蛇递近身来，当下一掌"潜龙勿用"击出。尼摩星忙横过铁蛇，右手握蛇尾，左手执蛇头，在胸口一挡，岂知郭靖这一掌之力却是在出掌之处的四周，掌心虽对准他的胸口，他胸口竟是毫不受力，尼摩星一挡挡了个空，情知不妙，面门与小腹上已感到掌力，总算他身子矮小，行动敏捷，急忙往地下一扑，随即几个小筋斗，就似个大皮球般滚了开去。

郭靖见有隙可乘，叫道："过儿，咱们去罢!"向空旷处跃出数步。金轮国师见他脱出包围，飞窜赶来。郭靖身后与蒙古兵将相距已不过数丈，十余枝长矛指向他背心。郭靖双臂一振，架开长矛，反手抓住两名军士向国师投去，叫道："接住了!"国师倘若伸手接住，这么一延缓，势必给郭靖走得更远，当即侧过左肩一撞，两名军士飞出丈余，金轮猛往郭靖背上砸去。

郭靖情知只要还得一招，立时给他缠住，数招一过，尼摩星与潇湘子又跟着攻上，再想脱身又得大费周章，当即夺过两枝长矛向后戳出。他脚下竟没片刻停留，背上又如长了眼睛一般，一矛刺向国师右肩，一矛刺向他胸口，准头劲力，绝无分毫减色。国师暗暗喝采，金轮横砸，喀喀两声，双矛齐断，看郭靖时，却已钻入了蒙古军阵中。

郭靖藏身军马之中，犹如入了密林，反比旷地上更易脱身。他几个起伏，奔到一个百夫长马前，伸手将他拉扯下马，跃上马背，在众军中东冲西突，绕出阵后，放马急奔，口中长哨。那汗血宝马站在远处，听得主人招呼，如风驰至。

杨过远立观望，突见汗血宝马疾驰而前，奔向郭靖，暗叫："不妙!"心想郭靖只要一乘上宝马，忽必烈便尽集天下精兵也追他不上了。情急之下，猛地大叫："啊哟，痛死我了!"摇摇晃晃的似欲摔跌，随即低声向麻光佐道："别说话，快走开！越远越好。"他那一声大叫运了丹田之气，虽在众军杂乱之中，郭靖必能听见，料得他听见后定然来救，麻光佐倘若在旁，说不定给他一掌送了性命。麻光佐很肯听杨过的话，虽不明白他用意，还是撒开长腿，向王帐狂奔。

郭靖听得杨过的叫声，果然大为忧急，不等红马奔到，立刻回过马头，又冲入阵，向杨过站立之处驰来。国师念头一转，已明杨过用意，让郭靖在身边掠过，不加阻拦，却回身挡住了他退路。

郭靖驰到杨过身前，急叫："过儿，怎么啦！"杨过假意摇晃身子，说道："那大汉不是我敌手，但不知怎的，我一运真力，一股气走逆了，丹田中痛如刀绞。"这番谎话全无破绽，麻光佐武功平常，只出手砸了一棍，郭靖已然看出，杨过如说给麻光佐打伤，不免令他生疑，但说运力出了岔子，外表上却决计瞧不出。何况前一晚郭靖误认杨过练功走火，此时激斗之下旧伤复发，事极平常。郭靖眼见他左手按住小腹，额上全是大汗，伤势不轻，忙道："你伏在我背上，我负你出去。"杨过假意道："郭伯伯你快走！小侄性命无足轻重，你却是襄阳的干城。合郡军民，尽皆寄望于你。"郭靖道："你为我而来，岂能撇下你不顾？快快伏上。"

杨过犹自迟疑，郭靖双腿蹲下，将他拉着伏在自己背上。就在此时，抢来的那匹马接连中箭，长声哀鸣，倒毙于地。郭靖一生经历过无数凶险，情势越危急，越加鼓足勇气，沉着应付，说道："过儿，别怕，咱们定须冲杀出去。"长身站起，径往北冲。

此时国师、尼摩星、潇湘子又已攻到身前，郭靖眼瞧四周军马云集，比适才围得更加紧了。王帐前大纛之下，忽必烈手持酒碗，与一个和尚站着指指点点的观战，胜算在握，神情极是得意。

郭靖大喝一声，负着杨过向忽必烈扑去，只三四个起伏，已窜到他身前。左右卫护亲兵大惊，十余人挺着长刀长矛上前阻拦。郭靖掌风虎虎，当者披靡，一名亲兵给他掌力扫得向外跌开，只须再抢前数步，掌力便可及忽必烈之身。众亲兵舍命来挡，又怎敌得住郭靖的神勇？国师眼见危急，金轮飞出，往郭靖头顶撞去。郭靖低头让过,脚下丝毫不停。

杨过心想:"倘若他拿住了忽必烈,蒙古人投鼠忌器,势必放他脱身。我再不下手,更待何时?"稍一迟疑,百忙中陡然想起答允过程英的话,又问一句:"郭伯伯,我爹爹当真罪大恶极,你非杀他不可么?"郭靖一怔,此时哪里有余暇细想,顺口答道:"他认贼作父,叛国害民,人人得而诛之。"

杨过这一下问得清清楚楚,更无丝毫怀疑,提起君子剑,便要往他后颈插落。其时郭靖正全力奔跑,杨过只感到他背上热气一阵阵传到自己小腹胸口,立时便想到前晚他大耗真元,以内力为自己调气顺息的原意,而此刻他明明已可乘小红马脱出重围,只因听得自己一声呼叫,便不顾性命的冲过来相救。杨过从来没有父亲,遇到危难之时,内心总盼有个爱护自己、能保护自己的父亲,此刻身在郭靖背上,情不自禁的生出一股孺慕之情,只觉得郭靖便是自己所盼望的父亲,他可放弃自己一切来维护自己。至于亲生之父,只不过是一个虚无渺茫的意念,既从来没见过他面,也不知他是否爱惜自己,为了"报杀父之仇"这五个空泛字眼,是不是该当将这个将自己背负在身、拼命救护、犹如父亲之人一剑杀死?

突然眼前白影闪动,潇湘子挥哭丧棒击向郭靖后脑,此时郭靖正以掌法与国师的金轮、尼摩星的铁蛇两般兵刃周旋。杨过自然而然的挺剑格开哭丧棒。两人棒剑相交,拆了数招,郭靖叫道:"小心,他棒头会放毒!"潇湘子转到杨过身后,挺棒疾点他后心要穴,这时他身在郭靖背上,既难回剑招架,又不易闪避。郭靖左掌"神龙摆尾"向后击出,砰的一声,正中杆棒,只震得潇湘子全身发烧,一张白森森的脸登时通红。

便在此时,尼摩星着地滚进,铁蛇挺上,蛇头已触到郭靖左胁。郭靖全身内劲有七成正在对付金轮国师,三成震开潇湘子的杆棒,全无余力抵御铁蛇,危急中左胁斗然向后缩了半尺,总算避过了敌招最厉害的锋芒,但铁蛇蛇头还是刺入他胁下数寸。

郭靖一运气,肌肉回弹,铁蛇进势受阻,难再深入,跟着飞起左腿,将尼摩星踢了个筋斗。尼摩星眼见铁蛇刺中要害,这一招定然送了郭靖性命,"蒙古第一勇士"的荣号已经到手,大喜之下,万料不到敌人竟有败中求胜的厉害功夫,这一腿正中胸口,喀喇一响,三根肋骨齐断。

金轮国师乘虚而入,掌力疾催。郭靖左胁气门已破,再也抵挡不住,只觉一股大力排山倒海般压至,再行硬拼,非命丧当场不可,只得卸去掌力,以本身二十余年上乘内功强接了这一招,身子连晃,哇的一声,喷出一口鲜血。他命虽垂危,还是顾念杨过,叫道:"过儿,快去抢马,我给你挡住敌人。"

杨过眼见他拼命救护自己,胸口热血上涌,哪里还念旧恶?心想郭伯伯义薄云天,我若不以一命报他一命,真是枉在人世了。当即从他背上跃下,将君子剑舞成一团剑花,护住了郭靖,势如疯虎,招招都是拼命。郭靖道:"过儿快别理我,自己逃命要紧。"杨过只道:"郭伯伯,今日我和你死在一起。"剑光霍霍,只护着郭靖,全然不顾自身。

国师与潇湘子提起兵刃,一齐攻向郭靖身前。杨过剑招灵动,逼得二人近不了身。蒙古数千军马四下里围住,呼声震动天地,眼望着三人激斗。

郭靖连声催杨过快逃,却见他一味维护自己,又是焦心,又是感激,触动内伤,再也支持不住,双膝一软,坐倒在地。

尼摩星断了三根肋骨,强忍疼痛,提着铁蛇慢慢走近,要来刺杀郭靖。杨过狂刺数剑,俯身将郭靖负在背上,向外猛冲。他武功本就不及国师,这时负着郭靖,怎能支持?又斗数合,嗤的一声,左臂给金轮划破了一道长长的口子。

注:

镇守襄阳城之安抚使原为吕文德,因守城有功,升为宋朝枢密副使(相当于军事委员会副委员长),受宰相贾似道拉拢,与其结党,襄阳改由其弟吕文焕任安抚使。

背后呜呜声响，金轮急飞而至，声音近地，竟是来削马足。杨过只得回剑去挡，明知自己气力耗尽，绝难挡架得住，眼见轮子距马足已不过两尺，呜呜之声，响得惊心动魄。

第二十二回　危城女婴

　　郭靖与杨过眼见无幸,蒙古军马忽地纷纷散开,一个年老跛子左手撑着铁拐,右手舞动一个烧红了的铁锤,冲杀进来,叫道:"杨公子快向外闯,我给你断后。"杨过百忙中一瞥,认得是桃花岛弟子铁匠冯默风,甚觉诧异,激斗之际,也无暇去细想这人如何会突然到来。

　　原来冯默风为蒙古兵征入军中,打造修整兵器,已暗中刺杀了蒙古兵一名千夫长、一名百夫长。他下手隐秘,未给发觉。这日听得呐喊声响,在高处望见郭靖、杨过受困,当下将大铁锤放入冶铁炉中烧红,杀入解救。他将大铁锤舞得风声呼呼,蒙古兵将见到这个烧红了的大铁锤飞舞而来,尽皆远远逃开,不敢阻拦,登时给他杀出一条血路。

　　杨过心中一喜,挥剑抢出,但国师金轮转动,将他剑招和冯默风的铁锤同时接过,只有当潇湘子哭丧棒向郭靖背上递去之时,国师才放松杨过,让他回剑相救。但若他的轮子砸向郭靖,潇湘子也必运杆棒架开。他二人均不欲对方杀了郭靖,抢得"蒙古第一勇士"的称号,若非他二人争功,杨过虽舍命死战,郭靖亦已不免丧命。忽必烈当日许下"蒙古第一勇士"的荣号,本盼人人奋勇,岂知各人互相牵制,竟收反效,这也是他始料所不及的了。

　　郭靖性命虽保于一时,蒙古军却已在四周布得犹如铜墙铁壁一般。国师与潇湘子着着争先。尼摩星咬牙忍痛,也寻瑕抵隙,东一下西一下的使着阴毒招数。

这时郭靖与杨过在万军之中已斗了大半个时辰,日光微偏,国师舞动金轮,招数突变,当的一下,与杨过长剑相交。君子剑削铁如泥,金轮登时给削出了一道缺口。国师并不在意,仍向前急推,轮子伴随着一股极强的劲风压将过来。杨过只怕伤到郭靖,不敢侧身闪避,回剑相挡,金轮微斜,嗤的一声轻响,右手下臂又给轮口划伤,伤口虽不深,但划破了血脉,鲜血迸流,数招之间,只觉腿臂渐渐发软,力气渐弱,敌人攻势正急,哪能缓出手来裹伤止血?

潇湘子见有便宜可捡,挥棒将尼摩星铁蛇震开,猛地跃起,杆棒向郭靖当头点下,便要施放毒砂。

杨过大惊,危急中左手长出,抓住了杆棒棒头,右手中长剑顺势刺出。此时他全身门户大开,国师只要轻轻一轮,立时便可送了他性命,但国师有意要借他之手逐开潇湘子,挥掌逼开冯默风,伸手便向郭靖背上抓去,要将他生擒活捉,立下奇功。潇湘子没料想杨过竟会拼命胡来,身未落地,杆棒已给抓住,半空中使不出力气,眼前乌光闪动,剑尖已刺到了胸口,只得撒手放棒,身向后仰,保住了性命。

冯默风锤拐齐施,往国师背心急砸。国师回轮挡开,当当两响,震得冯默风双手虎口齐裂。国师左掌往郭靖背心抓去。冯默风虎吼一声,挥铁锤砸向国师背心。国师左掌回拍,这一拍中使上了内劲,料得要将这怪人震得呕血身亡。不料嗤嗤声响,左掌剧痛,手掌竟黏在烧红了的大铁锤上。国师急忙缩手,左掌心肉已烧得焦烂。冯默风见对方连连挥手,后心露出空隙,双手自国师背后伸前,牢牢抱住了他身子,两人翻倒在地。

本来两人武功相差甚远,但金轮国师一掌拍上了烧红的大铁锤,掌心烧焦,痛入心肺,冯默风又不顾自身,与他拼命,国师竟给他抱住了脱身不得。国师手掌既痛,又失了捉拿郭靖的良机,而阻挠自己的却又是个武功低微的老人,如何不怒?左手成拳,击在冯默风肩头,只震得他五脏六腑犹如倒翻一般。冯默风在军中眼见蒙古军残忍暴虐、驱民攻打襄阳,又眼见郭靖奋力死战,击退敌军,他与郭靖素不相识,更不知他是师门快婿,但知此人一死,襄阳难保,是以立定了主意,宁教自己身受千刀之苦,亦要救郭靖出险。国师出掌快捷无伦,啪啪啪几下,打得冯默风筋折骨断,内脏重伤,但他双手始终不放,十指深深陷入国师胸口肌肉。

蒙古众兵将本来围着观斗,只道国师等定能成功,是以均不插手,突见国师倒地,潇湘子退开,便即一拥而上。杨过暗叹:"罢了,罢了!"挥动潇湘子的杆棒乱砸乱打,无意中触动机括,波的一声轻响,棒端喷出一股黑烟,身前十余名蒙古兵将给毒烟一薰,登时摔倒。

杨过微微一怔,立时省悟,负着郭靖大踏步往前,见蒙古兵将如潮水般涌至,他一按机括,黑烟喷出,又是十余名军卒中毒倒地。蒙古兵将虽然善战,但人人奉神信妖,见他杆棒一挥,黑烟喷出,即有十余人倒地昏晕,齐声发喊:"他棒上有妖法,快快躲避!"忽必烈的近卫亲兵勇悍绝伦,念着王爷军令如山,虽见危险,还是扑上擒拿。杨过杆棒一点,黑烟喷出,又毒倒了十余人。

他撮唇作哨,黄马迈开长腿,飞驰而至。杨过奋力将郭靖拥上马背,只感手足酸软,再也无力上马,只得伸手在马臀上轻轻一拍,叫道:"马儿,马儿,快快走罢!"黄马甚有灵性,见主人无力上马,只仰头长嘶,不肯发足。杨过见蒙古军又从四下里渐渐逼至,心想杆棒上毒砂虽然厉害,总有放尽之时,提起剑来要往马臀上一刺催其急走,总是不忍,大叫:"马儿快走!"伸杆棒往马臀戳去。他战得脱力,杆棒伸出去准头偏了,这一下竟戳在郭靖腿上。郭靖本已昏昏沉沉,突然给杆棒一戳,睁开眼来,俯身拉住杨过胸口,将他提上马背。黄马长声欢嘶,纵蹄疾驰。

但听得号角急鸣,此起彼落,郭靖纵声低啸,汗血宝马跟着奔来,大队蒙古军马也急冲追至。红马奔在黄马之旁,不住往郭靖身上挨擦。杨过知黄马虽是骏物,毕竟不如红马远甚,猛吸一口气,抱住郭靖,一齐跃上红马。就在此时,背后呜呜声响,金轮急飞而至。杨过心中一痛:"冯铁匠死在国师手下了。"心念甫动,金轮越响越近,杨过低伏马背,只盼金轮从背上掠过,但听声音近地,竟是来削红马马足。

原来国师将冯默风打死,站起身来,见郭靖与杨过已纵身上马,追之不及,当即掷出金轮,准头定得甚低。他见杨过在郭靖身后,算到便以金轮打死杨过,红马仍会负了郭靖逃走,只有削断马足,方能建功。

杨过听得金轮渐渐追近,只得回剑去挡,明知自己气力耗尽,这一剑绝难挡架得住,但实迫处此,也只得尽力而为,眼见轮子距马足已不过两尺,呜呜之声,响得惊心动魄,他垂剑护住马腿,岂知红马一发了性,越奔越快,过得瞬息,金轮与马足相距仍有两尺,并未飞近。杨过大喜,知道金轮来势只有渐渐减弱,果然一刹那间,轮子距马足已有三尺,接着四尺、五尺,越离越远,终于当的一声,掉在地下。

杨过正自大喜,猛听得身后一声哀嘶,只见黄马肚腹中箭,跪倒在地,双眼望着主人,不尽恋恋之意。杨过心中一酸,不禁掉下泪来。

红马追风逐电、迅如流星,片刻间已将追兵远远抛在后面。杨过抱住郭靖,问道:"郭伯伯,你怎样?"郭靖"嗯"了一声。杨过探他鼻息,觉得呼吸粗重,知一时无碍,心头一宽,再也支持不住,便昏昏沉沉的伏身马背,任由红马奔驰。突见前面又有无数军马来擒郭靖,当即挥动长剑,大叫:"莫伤了我郭伯伯!"左右乱刺乱削,眼前一团模糊,只见东一张脸,西一个人,舞了一阵剑,撞下马来。他还在大叫:"杀了我,杀了我,是我不好,别伤了郭伯伯。"蓦地里天旋地转,人事不省。

也不知过了多少时候,这才悠悠醒转,他大叫:"郭伯伯,郭伯伯,你怎样?别伤了郭伯伯!"身旁一人柔声道:"过儿,你放心,郭伯伯将养一会儿便好。"杨过回过头来,见是黄蓉,脸上满是感激神色。她身后一人泪光莹莹,爱怜横溢的凝视着他,却是小龙女。

杨过惊叫："姑姑，你怎么来了？你也给蒙古人擒住了？快走，快走，别理我。"小龙女低声道："过儿，你回来啦，别怕。咱们都平平安安的在襄阳。"

杨过叹了口长气，但觉四肢百骸软洋洋的一无所依，又闭上了眼。黄蓉道："他已醒转，不碍事了，你在这儿陪着他。"小龙女答应了，双眼始终望着杨过。

黄蓉站起身来，正要走出房门，突听屋顶上喀的一声轻响，脸色微变，左掌一挥，灭了烛火。杨过眼前蓦地一黑，一惊坐起。他受的只是外伤，流血多了，兼之恶战脱力，是以晕去，但此刻已将养了半日，黄蓉给他服了疗伤灵药九花玉露丸，他年轻体健，已好了大半，惊觉屋顶有警，立时振奋，便要起身御敌。小龙女挡在他身前，抽出悬在床头的君子剑，低声道："别动，我在这儿守着。"

屋顶上有人哈哈一笑，朗声道："小可前来下书，岂难道南朝礼节是暗中接见宾客么？倘若有何见不得人之事，小可少待再来如何？"听口音却是国师的弟子霍都。黄蓉道："南朝礼节，因人而施，于光天化日之时，接待光明正大的贵客；于烛灭星沉之夜，会晤鬼鬼祟祟的恶客。"霍都登时语塞，轻轻跃下庭中，说道："书信一通，送呈郭靖郭大侠。"黄蓉打开房门，说道："请进来罢。"

霍都见房内黑沉沉地，不敢举步便进，站在房门外道："书信在此，便请取去。"黄蓉道："自称宾客，何不进屋？"霍都冷笑道："君子不处危地，须防暗箭伤人。"黄蓉道："世间岂有君子而以小人之心度人？"霍都脸上一热，心想这黄帮主口齿好生厉害，与她舌战定难得占上风，不如藏拙，一言不发，双目凝视房门，双手递出书信。

黄蓉挥出竹棒，倏地点向他的面门。霍都吓了一跳，忙向后跃开数尺，但觉手中已空，那通书信不知去向。原来黄蓉将棒端在信上一搭，乘他后跃之时，已使黏劲将信黏了过来。她分娩在即，肚腹隆起，不愿再见外客，是以始终不与敌人朝相。霍都一惊之下，大为气馁，入城的一番锐气登时消折了八九分，大声道："信已送到,明晚再见罢!"

黄蓉心想:"这襄阳城由得你直进直出,岂非轻视我城中无人?"顺手拿起桌上茶壶,向外一抖,一壶新泡的热茶自壶嘴中如一条线般射了出去。

霍都早自全神戒备,只怕房中发出暗器,但这茶水射出去时无声无息,不似一般暗器先有风声,待得警觉,颈中、胸口、右手都已溅到茶水,只觉热辣辣的烫人,一惊之下,"啊哟"一声叫,忙向旁闪避。黄蓉站在门边,乘他立足未定,竹棒伸出,施展打狗棒法的"绊"字诀,腾的一下,将他绊了一交。霍都纵身上跃,但那"绊"字棒法乃一棒快似一棒,第一棒若能避过,立时躲开,方能设法挡架第二棒,现下一棒即遭绊倒,爬起身来想要避过第二棒,却谈何容易?脚下犹如陷入了泥沼,又似缠在无数藤枝之中,一交摔倒,爬起来又一交摔倒。

霍都的武功原本不弱,若与黄蓉正式动手,虽终须输她一筹,亦不致一上手便给摔得如此狼狈,只因身上斗然遭泼热茶,只道是中了极厉害的剧毒药水,只怕性命难保,稍停毒水发作起来,不知肌肤将烂得如何惨法,正当惊魂不定之际,黄蓉突然袭击,第一棒既已受挫,第二棒更无还手余地,黑暗中只摔得鼻青目肿。

这时武氏兄弟已闻声赶至。黄蓉喝道:"将这小贼擒下了!"

霍都情急智生,知道只要纵身站起,定是接着又给绊倒,"哎哟"一声大叫,假装摔得甚重,躺在地下,不再爬起。武氏兄弟双双扑下,去按他身子。霍都的铁骨折扇忽地伸出,哒哒两下,已点了两人腿上穴道,将二人身子同时推出,挡住黄蓉竹棒,飞身跃起,上了墙头,双手一拱,叫道:"黄帮主,好厉害的棒法,好脓包的徒弟!"

黄蓉笑道:"你身上既中毒水,旁人岂能再伸手碰你?"霍都一听,只吓得心胆俱裂:"这毒水烫人肌肤,又带着一股茶叶之气,不知是何等厉害古怪的药物?"黄蓉猜度他的心意,说道:"你中了剧毒,可是连毒水的名儿也不知道,死得不明不白,谅来难以瞑目。

好罢,说给你听那也不妨,这毒水叫作子午见骨茶。"

霍都喃喃的道:"子午见骨茶?"黄蓉道:"不错,只要肌肤上中了一滴,全身溃烂见骨,子不过午,午不过子,你还有六个时辰可活,快快回去罢。"

霍都素知丐帮黄帮主武功既强,智谋计策更人所难测,她父亲黄药师所学渊博之极,名字中有个"药"字,何况再加一个"师"字,自是精于药理,以她聪明才智与家传之学,调制这子午见骨药茶自是易如反掌,一时呆在墙头,不知该当回去挨命,还是低头求她赐予解药。

黄蓉知霍都实非蠢人,毒水之说,只能愚他一时,时刻长了,必能瞧出破绽,说道:"我与你本来无冤无仇,你若非言语无礼,也不致枉送了性命。"霍都听出一线生机,再也顾不得什么身分骨气,跃下墙头,一躬到地,说道:"小人无礼,求黄帮主恕罪。"黄蓉隐身门后,手指轻弹,弹出一颗九花玉露丸,说道:"急速服下罢。"霍都伸手接过,这是救命的仙丹,哪敢怠慢,急忙送入口中,只觉一股清香直透入丹田,全身说不出的舒服受用,又是一躬,说道:"谢黄帮主赐药!"这时他气焰全消,缓缓倒退,直至墙边,这才翻墙而出,急速出城去了。

黄蓉见他远离,微微叹息,解开武氏兄弟穴道,想起霍都那两句话:"好厉害的棒法,好脓包的徒弟。"虽以计挫敌,心中殊无得意之情,她以打狗棒法绊跌霍都,使的固是巧劲,也已牵得腹中隐隐作痛,坐在椅上,调息半晌。

小龙女点亮烛火。黄蓉打开来信,只见信上写道:

"蒙古第一护国法师金轮大喇嘛致候郭大侠足下:适才枉顾,得仰风采,实慰平生。原期秉烛夜谈,岂料青眼难屈,何老衲之不足承教若斯,竟来去之匆匆也?古人言有白头如新,倾盖如故,悠悠我心,思君良深。明日回拜,祈勿拒人于千里之外也。"

黄蓉吃了一惊,将信交给杨过与小龙女看了,说道:"襄阳城墙虽坚,却挡不住武林高手,你郭伯伯身受重伤,我又使不出力气,眼见敌人大举来袭,这便如何是好?"

杨过道:"郭伯伯……"小龙女向他横了一眼,目光中大有责备之意。杨过知她怪自己不顾性命相救郭靖,登时住口不言。黄蓉心中起疑,又问:"龙姑娘,过儿身子亦未痊愈,咱们只能依靠你与朱子柳大哥拒敌了。"小龙女自来不会作伪,想到什么,便说什么,淡淡的道:"我只护着过儿一人,旁人死活可不和我相干。"

黄蓉更感奇怪,不便多说什么,向杨过道:"郭伯伯言道,此番全仗你出力。"杨过想起自己曾立心要害郭靖,心中惭愧,道:"小侄无能,致累郭伯伯重伤。"黄蓉道:"你好好休息罢,敌人来攻之时,咱们如不能力敌,即用智取。"转头向小龙女说道:"龙姑娘,你来,我跟你说句话。"

小龙女踌躇道:"他……"自杨过回进襄阳之后,小龙女守在他床前一直寸步不离,听黄蓉叫她出去,生怕杨过又受损伤。黄蓉道:"敌人既说明日来攻,今晚定然无事。我跟你说的话,与过儿有关。"小龙女点点头,低声嘱咐杨过小心提防,才跟黄蓉出房。

黄蓉带她到自己卧室,掩上了门,说道:"龙姑娘,你想杀我夫妇,是不是?"

小龙女虽生性真纯,却绝非傻子,她立意要杀郭靖夫妇以救杨过性命,黄蓉若用言语盘套,她焉能吐露实情,但黄蓉摸准了她性格,竟尔单刀直入的问了出来。小龙女一怔,支支吾吾的道:"我……我……你们待我这样好,我干么……干么要杀你们?"黄蓉见她脸生红晕,神情忸怩,更料得准了,说道:"你不用瞒我,我早知道啦。过儿说我夫妇害死了他爹爹,要杀我夫妇二人报仇。你心爱过儿,便要助他完成这番心愿。"

小龙女给她说中,无法谎言欺骗,又道杨过已露了口风,半晌不语,叹了口气道:"我便是不懂。"黄蓉道:"不懂什么?"小龙女道:"过儿今日却又何以舍命救郭大爷回来? 他和金轮国师他们约好,要一齐下手杀死郭大爷。"黄蓉听了大惊,她虽猜到杨过心存歹念,却绝未料到他竟致与蒙古人勾结,不动声色,装作早已明白一切,道:"想是他见郭大爷对他情义深重,到得临头,不忍下手。"

小龙女点点头,凄然道:"事到如今,也没什么可说了。他宁可不要自己性命,也只由得他。我早知道他是世上最好的好人,甘愿自己死了,也不肯伤害仇人。"

黄蓉于倏忽之间,脑中转了几个念头,却推详不出她这几句话是何用意,但见她神色之间甚是凄苦,顺口慰道:"过儿的杀父之仇,中间另有曲折,咱们日后慢慢跟他说明。他受伤不重,将养几日,也便好了,你不用难过。"

小龙女向她怔怔的望了一会儿,突然两串眼泪如珍珠断线般滚下来,哽咽道:"他……他只有七日之命了,还……还说什么将养几日?"

黄蓉一惊,忙问:"什么七日之命?你快说,咱们定有救他之法。"

小龙女缓缓摇头,终于将绝情谷中之事说了出来,杨过怎样中了情花之毒,裘千尺怎地给他只服半枚绝情丹,怎地限他在十八日中杀了他夫妇二人回报才给他服另半枚,又说那情花剧毒发作时如何痛楚,世间又如何只有那半枚绝情丹才能救得杨过性命。

黄蓉越听越惊奇,万想不到裘千丈兄弟竟还有一个妹子裘千尺,酿成了这等祸端。小龙女述毕原委,说道:"他尚有七日之命,便今晚杀了你夫妇,也未必能赶回绝情谷了,我更要害你夫妇作甚?我只是要救过儿,至于他父仇什么的,全不放在心上。"

黄蓉初时只道杨过心藏祸胎,纯是为报父仇,岂知尚有这许多曲折,如此说来,他力护郭靖,实如自戕,这般舍己为人的仁侠之心当真万分难得。她缓缓站起,在室中彷徨来去,饶是她智计绝伦,处此困境,苦无善策,想到再过几个时辰,敌方高手便大举来袭,自己虽安慰杨过说:"不能力敌,便当智取。"可是如何智取?如何智取?

小龙女全心全意只深爱杨过。黄蓉的心却分作了两半,一半给了丈夫,一半给了女儿,只想:"如何能教靖哥哥与芙儿平安。"陡地转念:"过儿能舍身为人,我岂便不能?"转身慨然道:"龙姑娘,我有一策能救得过儿性命,你可肯依从么?"

小龙女大喜之下,全身发颤,道:"我……我……便是要我死……唉,死又算得什么,便是比死再难十倍……我……我都……"黄蓉道:"好,此事只有你知我知,可千万不能泄漏,连过儿也不能说给他知道,否则便不灵了。"小龙女连声答应。黄蓉道:"明日你和过儿联手保护郭大爷,待危机一过,我便将我首级给你,让过儿骑了汗血宝马,赶去换那绝情丹便是。"

小龙女一怔,奇道:"你说什么?"黄蓉柔声道:"你爱过儿,胜于自己的性命,是不是?只要他平安无恙,你自己便死了也是快乐的,是不是?"小龙女点头道:"是啊,你怎知道?"黄蓉淡淡一笑,道:"只因我爱自己丈夫也如你这般。你没孩儿,不知做母亲的心爱子女,不逊于夫妻情义。我只求你护我丈夫女儿平安,别的我还希罕什么?"小龙女沉吟不答。

黄蓉又道:"若非你与过儿联手,便不能打退金轮国师。过儿曾数次舍命救我夫妇,难道我一次也救他不得?汗血宝马日行千里,不到三日,便能赶到绝情谷。我跟你说,那裘千丈与过儿的父亲全是我一人所伤,跟郭大爷绝无干系。裘千尺见了我的首级,纵然心犹未足,也不能不将解药给了过儿。此后你们二人如能为国出力,为民御敌,那自然最好,否则便在深山幽谷中避世隐居,我也一般感激。"

这番话说得明明白白,除此之外,确无第二条路可走。小龙女近日来一直在想如何杀了郭靖、黄蓉,好救杨过性命,但此时听黄蓉亲口说出这番话来,心中又觉万分过意不去,如何答应得下,只不住摇头,道:"那不成,那不成!"

黄蓉还待解释,忽听郭芙在门外叫道:"妈,妈,你在哪儿?"语声惶急。黄蓉吃了一惊,问道:"芙儿,什么事?"郭芙推门而进,也不理小龙女便在旁边，当即扑在母亲怀里，叫道："妈，大武哥哥和小武哥哥……"哇的一声哭了出来。黄蓉皱眉道："又怎么啦？"郭芙哽咽道："他……他哥儿俩，到城外打架去啦。"

黄蓉大怒，厉声道："打什么架？他兄弟俩自己打自己么？"郭芙极少见母亲如此发怒，不禁甚是害怕，颤声道："是啊，我叫他们别打，可是他们什么也不听，说……说要拼个你死我活。他们……他们说只回来一个，输了的就算不死，也不回来见……见我。"黄蓉越听越怒，心想大敌当前，满城军民性命只在呼吸之间，这兄弟俩还为了争一个姑娘竟尔自相残杀。她怒气冲动胎息，登时痛得额头见汗，低沉着声音道："定是你在中间捣乱，你跟我详详细细的说，不许隐瞒半点。"郭芙向小龙女瞧了一眼，脸上微微晕红，叫了声："妈！"

小龙女记挂杨过，无心听她述说二武相争之事，转身而出，又去陪伴杨过，一路心中默默琢磨黄蓉适才的言语。

郭芙等小龙女出房，说道："妈，他们到蒙古军营中行刺忽必烈，失手遭擒，累得爹爹身受重伤，全是女儿不好。这回事女儿再不跟你说，爹妈不是白疼我了么？"于是将武氏兄弟如何同时向她讨好、她如何教他们去立功杀敌以定取舍等情说了。黄蓉满腔气恼，却又发作不出来，只向她恨恨的白了一眼。

郭芙道："妈，你教我怎么办呢？他哥儿俩各有各的好处，我怎能说多喜欢谁一些儿？我教他们杀敌立功，那不正合了爹爹和你的心意么？谁教他们这般没用，一过去便让人家拿住了？"黄蓉啐道："二武的武功不强，你又不是不知道。"郭芙道："那杨过呢？他又大不了他们几岁，怎地又斗国师又闯敌营，从来也不让人家拿住？"

黄蓉知女儿自小给自己娇纵惯了，她便明知错了，也要强辞夺理的辩解，也不追问过去之事，说道："放回来也就是了，干么又到城外去打架？"郭芙道："妈，是你不好，只因你说他们是好脓包的徒弟。"黄蓉一怔，道："我几时说过了？"

郭芙道："我听大武哥哥和小武哥哥说，适才霍都来下战书，你叫他们擒他，反给点了穴道，你便怪他们脓包。"黄蓉叹了口气，道："艺不如人，那有什么法子？'好脓包的徒弟'这句话，是霍都说的。"郭芙道："那便是了，你不跟霍都争辩，就是默认。他兄弟愤愤不平，说啊说的，二人争执起来，一个埋怨哥哥擒拿霍都时出手太慢，另一个说兄弟挡在身前，碍手碍脚。二人越吵越凶，终于拔剑动手。我说：'你们在襄阳城里打架，给人瞧见了，成什么样子？再说爹爹身上负伤，你们气恼了他，我永世也不会再向你哥儿俩瞧上一眼。'他们就说：'好，咱们到城外打去。'"

黄蓉沉吟片刻，恨恨的道："眼前千头万绪，这些事我也理不了。他们爱闹，由得他们闹去罢。"郭芙搂着她脖子道："妈，要是二人中间有了损伤，那怎生是好？"黄蓉怒道："他们若是杀敌受伤，咱们这才牵挂。他们同胞手足，自己打自己，死了才活该。"郭芙见母亲神色严厉，与平时纵容自己的情状大异，不敢多说，掩面奔出。

这时天将黎明，窗上已现白色。黄蓉独处室中，虽恼怒武氏兄弟，但从小养育他们长大，总是悬念，想起来日大难，不禁掉下泪来，又记着郭靖的伤势，到他房中探望。

只见郭靖盘膝坐在床上运功，脸色虽苍白，气息却甚调匀，知道只要休养数日，便能痊愈，当此情景，不禁想起少年时两人同在临安府牛家村密室疗伤的往事。

郭靖缓缓睁开眼来，见妻子脸有泪痕，嘴角边却带着微笑，说道："蓉儿，你知我的伤势不碍事，又何必耽心？倒是你须得好好休息要紧。"黄蓉笑道："是了。这几天腹中动得厉害，你的郭破房还是郭襄，就要见爹爹啦。"她怕郭靖耽心，绝口不提霍都下战书与武氏兄弟出城之事。郭靖道："你叫二武加紧巡视守城，敌人知我受伤，只怕乘机前来袭击。"黄蓉点头答应。郭靖又问："过儿的伤势怎样啦？"

黄蓉还未回答,只听得房外脚步声响,杨过的声音接口道:"郭伯伯,我不过一些外伤,服了郭伯母的九花玉露丸,全不当他一回事。"说着推门进来,说道:"我已到城头上去瞧了一周,众弟兄都斗志高扬,只武家兄弟……"黄蓉一声咳嗽,向他使个眼色,杨过当即会意,说道:"武家兄弟说,你为他们身受重伤,敌人再来攻城,必当死战,方能报答你老人家的恩德。"郭靖叹道:"经此一役,他兄弟俩也该长了一智,别把天下事瞧得太过容易了。"杨过道:"郭伯母,姑姑没跟你在一起么?"黄蓉道:"我跟她说了一会子话,想是她回去睡啦。自你受伤之后,她还没合过眼呢。"

　　杨过"嗯"了一声,心想她与黄蓉说话之后,必来告知,只是她回来时,恰好自己到城头巡视去了。他初进襄阳时,一心一意要刺杀郭靖夫妇,但一经共处数日,见他二人赤心为国,事事奋不顾身,已大为感动,待在蒙古营中一战,郭靖舍命救护自己,这才死心塌地的将杀他之心尽数抛却,反过来决意竭力以报。他自知再过七日,情花之毒便发,索性一切置之度外,在这七日之中做一两件好事,也不枉了一世为人。他也料得到郭靖既受重伤,敌军必乘虚来攻,是以力气稍复,即到城头察看防务。

　　这时牵记着小龙女,正要去寻她,忽听得十余丈外屋顶上一人纵声长笑,跟着铮铮两声大响,金铁交鸣,正是金轮国师到了。

　　郭靖脸色微变,顺手一拉黄蓉,想将她藏于自己身后。黄蓉低声道:"靖哥哥,襄阳城要紧,还是你我的情爱要紧?是你身子要紧,还是我的身子要紧?"

　　郭靖放开了黄蓉的手,说道:"对,国事为重!"黄蓉取出竹棒,拦在门口,心想自己适才与小龙女所说的那番话,她尚未转告杨过,不知他要出手御敌,还是要乘人之危,既报私仇、又取解药?此人心性浮动,善恶难知,如真反戈相向,那便大事去矣,虽横棒守在门口,眼光却望着杨过。

　　郭靖夫妇适才短短对答的两句话,听在杨过耳中,却宛如轰天霹雳般惊心动魄。他决意相助郭靖,也只是为他大仁大义所感,还是一死以报知己的想法，此时突听到"国事为重"四字，又记起郭靖日前在襄阳城外所说"为国为民，侠之大者"、"鞠躬尽瘁，死而后已"那几句话，心胸间斗然开朗，眼见他夫妻俩相互情义深重，然而临到危难之际，处处以国为先，自己却念念不忘父仇私怨、念念不忘与小龙女两人的情爱，几时有一分想到国家大事？有一分想到天下百姓的疾苦？相形之下，真是卑下极了。

霎时之间，幼时黄蓉在桃花岛上教他读书，那些"杀身成仁、舍生取义"的语句，在脑海间变得清晰异常，不由得既觉汗颜无地，又是志气高昂。眼见强敌来袭，生死存亡系乎一线，许多平时从来没想到、从来不理会的念头，这时突然间领悟得透彻无比。他心志一高，似乎全身都高大起来，脸上神采焕发，宛似换了一个人一般。

他心中所转念头虽多，其实只是一瞬间之事。黄蓉见他脸色自迷惘而羞愧，自激动而凝定，却不知他所思何事，忽听他低声道："你放心！"一声清啸，拔出君子剑抢到门口。

金轮国师双手各执一轮，站在屋顶边上，笑道："杨兄弟，你东歪西倒，朝三暮四，成了反覆小人，这滋味可好得很啊？"

若在昔日，杨过听了此言定然大怒，但此时他思路澄澈，心境清明，暗道："你这话说得不错，时至今日，我心意方坚。此后活到一百岁也好，再活一个时辰也好，我是永远不会反覆的了。"笑道："国师，你这话挺对，不知怎地鬼迷上了身，我竟助着郭靖逃了回来。他一到襄阳，便不知藏身何处，我再也找他不到了，正自后悔烦恼。你可知他在哪里么？"说着跃上屋顶，站在他身前数尺之地。

国师斜眼相睨，心想这小子诡计多端，不知此言是真是假，笑道："倘若找到了他，那便怎地？"杨过道："我提手便是一剑。"国师道："哼，你敢杀他？"杨过道："谁说杀他？"国师愕然道："那你杀谁？"

嗤的一响，君子剑势挟劲风，向他左胁刺去，杨过同时笑道：

"自然杀你!"他在笑谈之际斗然刺出一剑,招数固极凌厉,又是出其不意的近身突袭,国师只要武功稍差,若与尼摩星、潇湘子等人相仿,这一剑已送了他性命,总算他变招迅捷,危急中运劲左臂,向外疾掠,挡开了剑锋。但君子剑何等锐利,他手臂上还是给剑刃划了一道长长口子,深入近寸,鲜血长流。

国师虽知杨过狡黠,却也万料不到他竟会在此时突然出招,以致一入襄阳便即受伤,折了锐气,不由得大怒,右手金轮呼呼两响,连攻两招,同时左手银轮也递了过去。杨过一步不退,敌来三招,他也还了三剑,笑道:"我在蒙古军中受你金轮之伤,此刻才还得一剑。我这剑上有些古怪,你知不知道?"国师金银双轮连连抢攻,忍不住问道:"什么古怪?"杨过笑道:"这古怪须怪不得我。"国师道:"花言巧语,无耻狡童! 什么怪不得你?"杨过洋洋得意,说道:"我这剑从绝情谷中得来。公孙止擅用毒药,日后你若侥幸中毒不死,那便去找他算帐罢。"

国师暗暗吃惊,他亲眼见到这口剑确是从绝情谷中取来,不知公孙老儿是否在剑锋上喂了毒药? 惊疑不定,出招稍缓。其实剑上何尝有毒? 杨过想起黄蓉以热茶吓倒霍都,自知武功不是国师敌手,于是乘机以言语扰敌心神,眼见一言生效,当下凝神守御,得空便还一招,总要使他缓不出手来裹伤。国师左臂伤势虽不甚重,但血流不止,便算剑上无毒,时候一长,力气也必大减,心想眼前情势,利在速战,催动双轮,急攻猛打。

杨过知他心意,长剑守得严密异常。国师双轮上的劲力越来越大,猛地里金轮上击,银轮横扫,杨过眼见抵挡不住,纵跃避开。国师撕下衣襟待要裹伤,杨过却又挺剑急刺。如此来回数次,国师计上心来,待他远跃避开之际,自己同时后跃,跟着银轮掷出,教杨过不得不再向后退,如此两人之间相距远了,待得杨过再度攻上,他已乘这瞬间,将撕下的衣襟在左臂上一绕,包住伤处,又觉伤口只是疼痛,并无麻痒之感,似乎剑上无毒,心中一宽。

就在此时,只听得东南角上呛啷叮当之声急作,兵刃相互撞击,杨过放眼望去,见小龙女手舞长剑,正自力战潇湘子与尼摩星两人。潇湘子的哭丧棒在蒙古战阵中给杨过夺去,杨过昏迷中早不知抛在何处,此刻他手中又持一棒,形状与先前所使的相同,只不知其中是否藏有毒砂。杨过心想郭靖夫妇就在下面房中,若为国师发觉,为祸不小,该当将他引得越远越好,但此事必须不露丝毫痕迹,否则弄巧反拙,叫道:"姑姑莫慌,我来助你!"几个纵跃,抢到尼摩星身后,挺剑向他刺去。

国师中了杨过暗算,极为恼怒,但想此行的主旨是刺杀郭靖,这狡童一剑之仇日后再报不迟,纵声大叫:"郭靖郭大侠,老衲来访,你怎地不见客人?"他叫了几声,四下无人答应,只西北方传来一阵阵吆喝呼斗,正是他两个弟子达尔巴和霍都在围攻朱子柳。见杨过、小龙女与潇湘子、尼摩星一时胜败难分,屋下人声渐杂,却是守城的兵将得知有人进城偷袭,纷纷赶来捉拿奸细。

国师心想这些军士不会高来高去,奈何不了自己,但人手一多,不免碍手碍脚,又高声叫道:"郭靖啊郭靖,枉为你一世英名,何以今日竟做了缩头乌龟?"

他连声叫阵,要激郭靖出来,到后来越骂越厉害,始终不见郭靖影踪,心想:"襄阳数万户人家,怎知他躲在何处?此人甘心受辱,一等养好了伤,再要杀他便难了。"微一沉吟,毒计登生,跃下屋顶,寻到后院的柴草堆,取出火刀火石,纵起火来,东跃西窜,连点了四五处火头,才回到屋顶,心想火势一大,不怕你不从屋里出来。

杨过虽与潇湘子二人接战,但眼光时时望向国师,突见他纵火烧屋,郭靖居室南北两处都冒上了烟焰,心中一惊,险些给尼摩星的铁蛇扫中胸口,急忙缩胸避开,寻思:"郭伯伯受伤沉重,郭伯母临盆在即,这番大火一起,两人若不出屋,必受火困,但如逃出屋来,正撞见金轮贼秃。"料想小龙女虽以一人而敌两大高手,暂且无碍,向潇湘子急刺两剑,跃下屋顶,冒烟突火,来寻郭靖夫妇。

只见黄蓉坐在郭靖床边,窗中一阵阵浓烟冲了进来。郭靖闭目运功,黄蓉双眉微蹙,脸上却神色自若,见杨过进来,只微微一笑。杨过见二人毫不惊慌,心下略定,一转念间,已想到一计,低声道:"我去引开敌人,你快扶郭伯伯去安稳所在暂避。"说着伸手轻轻揭下郭靖头顶帽子,越窗而出。

黄蓉一怔,不知他捣什么鬼,见烟火渐渐逼近,伸手扶住郭靖,说道:"咱们换个地方。"手上刚欲用劲,突然间腹中一阵剧痛,不由得"哎唷"一声,又坐回床边,心中大恨:"小鬼头儿,不迟不早,偏要在这当口出世,那不是存心来害爹娘的命?"她产期本来尚有数日,只因连日惊动胎息,竟催得孩子提前出生了。

杨过一出窗口,见四下里兵卒高声叫嚷,有的提桶救火,有的向屋顶放箭,有的在地下挥动长刀、双脚乱跳的喝骂。他跃向一名灰衣小兵身后,伸手点了他穴道,将郭靖的帽子往他头上一罩,随即将他负在背上,提剑舞动剑花,跃上屋顶。

此时潇湘子、尼摩星双战小龙女,达尔巴、霍都合斗朱子柳,均已大占上风。金轮国师却将两个轮子逼住了郭芙,双轮利口不住在她脸边划来划去,相距不过数寸,不住喝问她父母的所在。郭芙头发散乱,手中长剑的剑头已给金轮砸断,兀自咬紧牙关恶斗,对国师的问话宛似不闻,心中恼怒异常:"大武小武若不去自相残杀,此时我们三人联手,何惧这贼秃?"忍不住脱口而出:"好,你们两个只管争去,不论是谁胜了,回来只见到我的尸首罢啦!"国师奇道:"你说什么?郭靖在哪里?"

他正在等郭芙回答,突见杨过负着一人向西北方急逃,他背上那人一动也不动,自是郭靖,当即撇下郭芙,发脚追去。潇湘子、尼摩星、达尔巴、霍都四人见到,也都抛下对手,随后赶去。朱子柳不敢怠慢,追去助杨过护卫郭靖。

杨过上屋之时,奔过小龙女身旁,向她使个眼色,微微一笑,神气诡异。小龙女知他又在使诈,只猜不透他安排下什么计策,见敌人势大,放心不下,便要一同追去相助,忽听得屋下"哇哇"几声,传出婴儿啼哭之声。郭芙喜道:"妈妈生了弟弟啦!"一跃下地。

天下女子心理,若知有人生育,必问是男是女,小龙女好奇心不异常人,又想杨过智计多端,这一笑之中似显占上风,且去瞧瞧黄蓉的孩儿再说,跟着进屋。

金轮国师提气急追,距杨过越来越近,心下大喜,暗想:"这一次瞧你还能逃出我的手掌?"见他背负那人头上帽子正是郭靖昨日所戴,自是郭靖无疑。

杨过所学的古墓派轻功可说天下无双,虽背上负人,但想到多走一步,郭伯伯便离危险远一步。他没命价狂奔,国师一时倒也追他不上。杨过在屋顶奔驰一阵,听得背后脚步声渐近,跃下地来,在小巷中东钻西躲,大兜圈子,竟与国师捉起迷藏来。

杨过的轻功虽稍胜国师一筹,毕竟背上负了人,若在平原旷野之间,早给赶上,但他尽拣阴暗曲折的里巷东躲西藏,国师始终追他不上。两人兜得几个圈子,潇湘子、尼摩星与朱子柳三人也已先后到来。

国师向尼摩星道:"尼摩老兄,你守在这巷口,我进去赶那兔崽子出来。"尼摩星怪眼一翻,喝道:"和尚的话和尚自己听的,尼摩星老兄大大不听的。"国师心想这天竺矮子不可理喻,跃上墙头,放眼四望,见杨过负着郭靖正缩在墙角喘气。他心下大喜,悄悄从墙头掩近,正要跃下擒拿,杨过突然大叫,跳起身来,钻入了烟雾之中,登时失了影踪。

国师纵火本是要逼郭靖逃出,但这时到处烟焰弥漫,反而不易找人了,正自东张西望,忽听达尔巴大叫:"在这里啦!"国师寻声跟去,只见达尔巴挥动黄金杵,正与杨过相斗。国师纵身而前,先截住杨过的退路。杨过向前疾冲,晃身闪到了达尔巴身旁。便在此时,国师银轮已然掷出。银轮来势如风,杨过不及闪避,嗤的一声,已掠过郭靖肩头,在他背上深深划了一道口子。国师大喜,叫声:"着!"哪知杨过不理郭靖死活,仍放步急奔。

杨过冲出巷头,只听一个阴森森的声音说道:"小子,投降了罢!"正是潇湘子手执杆棒,拦在巷口。此时杨过前无退路,后有追兵,抬头一望,墙头上黑漆一团,却是尼摩星站着。杨过纵身跳上墙头,尼摩星怪蛇当头击下,要逼他回入巷中。杨过心想拖延已久,郭靖与黄蓉此时定已脱险,反手抓起背上那小兵往尼摩星手中一送,叫道:"郭靖给你!"

尼摩星惊喜交集,只道杨过反反覆覆,突又倒戈投降,却将一件大功劳送到自己手中,当即伸手抱住。杨过飞脚狠踢,正中他臀部,将他踢下墙头。尼摩星大声欢叫:"我捉到了郭靖的,我是蒙古国第一大勇士的!"潇湘子和达尔巴焉肯让他独占功劳,前来争夺。三人分别拉住那小兵的手足用力拉扯,三人全都力大异常,只这么一扯,将那小兵拉成了三截。他头上帽子落下,三人看清楚原来不是郭靖,呆在当地,做声不得。

国师见杨过撇下郭靖而逃,早知其中必有蹊跷,并不上前争夺,见三人突然呆住,哼了一声,骂道:"呆鸟!"径自又去追赶杨过,心想今日便拿不到郭靖,只要杀了这反覆奸诈的小子,也就不枉了来襄阳一遭。

但此时杨过已逃得不知去向,却又往何处追寻?国师微一沉吟,已自想到:"杨过这兔崽子背了个假郭靖,费这么大的力气奔逃,自是要引得我瞎追一场。郭靖却必在我先前纵火之处附近。我不妨将计就计,引他过来。"径往火头最盛处奔去。

杨过躲在一家人家的屋檐下察看动静,见国师又迅速奔回郭靖的住所。他不知郭靖是否已然逃远,心中挂虑,悄悄跟随。见国师奔到那大屋附近,向下跃落,叫道:"好郭靖,原来你在此处,快跟老和尚走罢!"杨过大惊,正要跟着跃下,只听得乒乒乓乓的兵刃相交,又听国师大喝:"郭靖,快快投降罢!"跟着金铁撞击之声连续不绝。杨过眼珠子一滚,暗笑:"臭贼秃,险些上了你的鬼当,可笑你弄巧成拙,假装什么兵器撞击。郭伯伯伤成这个样子,怎能用兵刃跟你过招?又怎能如此乒乒乓乓的打个不休?你想骗我出来,我偏躲在这儿瞧你捣鬼。"

忽听得国师大声叫道："杨过，这次你总死了罢！"杨过一奇："什么这次我死了？"随即会意："他引不出我，便想引得郭伯伯冲出来救我。"只听国师哈哈笑道："杨过啊杨过，你今日将小命送在我手里，也算活该。"

他一言方毕，突然烟雾中白影晃动，一个少女窜了出来，挺剑向国师扑去。杨过叫道："姑姑，我在这儿！"但国师已挥动轮子将小龙女截住。原来国师大叫大嚷，显得杨过遭逢危难，小龙女听到后情切关心，冲出来动手。杨过仗剑上前，和小龙女相对一笑，使出"玉女素心剑法"，将国师裹在剑光之中，国师暗暗叫苦："这番惹祸上身，却教他二人双剑合璧。"四下里热气蒸腾，火柱烟梁，纷纷跌落。

国师奋力挥轮挡开两人双剑，急往西北角上退却。杨过叫道："今日不容他再逃，务须诛了这个祸根。"长剑颤动，身随剑起，刺向国师后心。

国师自上次在"玉女素心剑法"下铩羽，潜心思索，钻研了一套对付这剑法的武功，但想对方双剑合璧，奥妙无方，两人心灵合一，成为一个四腿四臂的武学高手，是否真能破解，殊无把握，此时形势危急，顾不得自己这套"五轮大转"尚有许多漏洞，只得一试，于是探手怀中，呛啷啷一阵响亮，空中飞起三只轮子，手中却仍各握一轮。这金银铜铁铅五轮轻重不同，大小有异，他随接随掷，轮子出来时忽正忽歪。

杨过与小龙女登感眼花缭乱，心下暗惊。杨过向左刺出两剑，身往右靠，小龙女立时会意，手中淑女剑向右连刺，脚步顺势移动，往杨过身侧靠近。两人见敌招太怪，不敢即攻，要先守紧门户，瞧清楚敌人招术的路子，再谋反击。

国师五轮运转如飞，但见两人剑气纵横，结成一道光网，五轮合起来的威力虽强，却攻不进剑光之中，暗叹："瞧我这五轮齐施，还是奈何不了两个小鬼的双剑合璧。"正自气馁，小龙女怀中突然"哇哇"两声，发出婴儿的啼哭。这一来不但国师大吃一惊，连杨过也诧异无比,三人一呆之下,手下招数均自缓了。

小龙女左手在怀中轻拍,说道:"小宝宝莫哭,你瞧我打退老和尚。"哪知婴儿越哭越厉害。杨过低声问:"郭伯母的?"小龙女点点头,向国师刺了一剑。

国师横金轮挡住,他没听清楚杨过的问话,一时想不透小龙女怀抱一个婴儿作甚,但想她身上多了累赘,剑法势必威力大减,当下催动金轮,猛向小龙女攻击。

杨过连出数剑,将他的攻势接了过去,侧头问道:"郭伯伯、郭伯母都好么?"小龙女道:"黄帮主扶住郭大爷从火窟中逃走……"当的一响,她架开国师左手铜轮,又道:"当时情势危急,大梁快摔下来啦,我在床上抢了这女孩儿……"杨过向国师右腿横削一剑,解开了他推向小龙女的铅轮,说道:"是女孩儿?"他想郭靖已生了一个女儿,这次该生男孩,哪知又是一个女儿,颇有点出乎意料之外。小龙女点头道:"是女孩儿,你快接去……"说着左手伸到怀中,想把婴孩取出交给杨过。

婴儿哭叫声中,国师攻势渐猛,三个轮子在头顶呼呼转动,俟机下击,手中双轮更加凌厉。杨过竭尽全力也只勉强挡住,哪里还能缓手去接婴儿? 小龙女叫道:"你快抱了孩儿,骑汗血宝马到……"当当两响,国师双轮攻得二人连遇凶险,小龙女一句话再也说不下去。这时他二人心中所想各自不同,玉女素心剑法的威力已施展不出。

杨过心想只有自己接过婴儿,小龙女才不致分神失手,慢慢靠向她身旁。小龙女也正要将婴儿交给杨过,二人心意合一,霎时间双剑锋芒陡长,国师给迫得退开两步。小龙女左手将婴儿送了过来,杨过正要伸手去接,倏地黑影闪动,铁轮斜飞而至,砸向婴儿。小龙女怕婴儿受伤,左手松开婴儿,手掌翻起,往铁轮上抓去。那铁轮来势威猛,轮子边缘锋利逾于刀刃,但小龙女手上带着金丝手套,手掌与铁轮相接,立即顺势向外一推,再以斜劲消去轮子急转之势,向上微托,抓了下来,正是四两拨千斤的妙用。

就在此时,杨过已将婴儿接过,见小龙女抓住铁轮,叫了声:"好!"国师这轮子倘若向小龙女直砸,她原难抓住,只因准头向着婴儿,她才侧拿得手。小龙女一拿到轮子,甚是高兴,轻轻一笑,学着国师的招式,举起铁轮往敌人砸去,要来一个即以其人之道,还治其人之身。国师又惊又愧,五轮既失其一,这"五轮大转"登时破了。他索性收回两轮,手中只剩金银二轮,横砍直击,威力又增。

　　杨过左手抱了孩子,道:"咱们先杀了这贼秃,其余慢慢再说。"小龙女道:"好!"左手持铁轮挡在胸口,与杨过双剑齐攻。她手中多了一厉害武器,又少了婴儿的拖累,本该威力倍增,岂知数招之下,与杨过的剑法格格不入,竟尔难以合璧。她越打越惊,不知何以如此。却不知"玉女素心剑法"的妙诣,纯在使剑者两情欢悦,心中全无渣滓,此时双剑之中多了一个铁轮,就如一对情侣之间插进了第三者,波折横生,如何再能意念相通? 如何能化你心为我心? 两人一时之间均未悟到此节,又斗数合,竟比两人各自为战尚要多了一番窒滞。小龙女大急,道:"今日斗他不过了,你快抱婴儿到绝情谷……"

　　杨过心念一动,已明白了她用意:此时若骑汗血宝马出城,七日之内定能赶到绝情谷,他虽不能携去郭靖、黄蓉的首级,但带去了二人的女儿,对裘千尺说郭靖夫妻痛失爱女,定会找上绝情谷来,那时自可设法报仇。当此情境,裘千尺势必心甘情愿的交出半枚丹药来。待得身上剧毒既解,可再奋力救此幼女出险。这缓兵之计,料想裘千尺不得不受。若在两日之前,杨过对此举自毫不迟疑,但此时对郭靖赤心为国之心钦佩已极,实不愿为了自己而使他女儿遭遇凶险,这时夺他幼女送往绝情谷,无论如何是乘人之危,非大丈夫所当为,微一沉吟,便道:"姑姑,这不成!"

　　小龙女急道:"你……你……"她只说了两个"你"字,嗤的一响,左肩衣服已给国师金轮划破。杨过道:"如此作为,我怎对得起郭伯伯? 有何面目使这手中之剑?"说着将君子剑一举。他心意忽变,小龙女原不知情,她全心全意只求解救杨过身上之毒,听他说既要对得起杀父仇人，又要做一个有德君子，不禁错愕异常。二人所思既左，手上剑法更难于相互呼应。国师乘势踏上，手臂微曲，一记肘锤击在杨过左肩。

杨过只觉半身一麻，抱着的婴儿脱手落下。他三人在屋顶恶斗，婴儿一离杨过怀抱，径往地下摔落。杨过与小龙女齐声惊叫，想要跃落相救，哪里还来得及？

国师听了二人断断续续的对答，已知这婴儿是郭靖、黄蓉之女，心想虽拿不着郭靖，携走他女儿为质，再逼他降服，岂不是奇功一件？眼见情势危急，右手一挥，银轮飞出，刚好托在婴儿的襁褓之下。

银轮将婴儿托在轮上，离地五尺，平平飞去。三人齐从屋顶纵落，要去抢那轮子。杨过站得最近，见银轮越飞越低，不久便要落地，当即右足在地下一点，一个打滚，要垫身银轮之下，连轮和人一并抱住，使婴儿不受半点损伤。突见一只手臂从旁伸过，抓住了银轮，连着婴儿抱了过去。那人随即转身便奔。

杨过翻身站起，国师与小龙女已抢到他身边。小龙女叫道："是我师姊。"

杨过见那人身披淡黄道袍，右手执着拂尘，正是李莫愁的背影，不知如何，此人竟会在这当口来到襄阳，心想此人生性乖张，出手毒辣无比，这幼女落在她手中，哪里还会有什么好下场？提气疾追。

小龙女大叫："师姊，师姊，这婴儿大有干连，你抱去作甚？"李莫愁并不回头，遥遥答道："我古墓派代代都是处女，你却连孩子也生下了，好不识羞！"小龙女道："不是我的孩儿啊。你快还我。"她连叫数声，中气一松，登时落后十余丈。眼见李莫愁等三人向北而去，当即追了下去。

这时城中兵马来去，到处是呼号喝令之声，或督率救火，或搜捕奸细。小龙女一概不闻不见，堪堪奔到城墙边，只见鲁有脚领着一批丐帮的帮众正在北门巡视，以防敌人乘着城中火起前来攻城，他一见小龙女，忙问："龙姑娘，黄帮主与郭大侠安好罢？"小龙女不答他的问话，反问道："可见到杨公子和金轮国师？可见到一个抱着孩子的女人？"鲁有脚向城外一指，道："三人都跳下城头去了。"

小龙女一怔，心想城墙如是之高，武功再强跳下去也得折手断脚，怎么三人都跳下了？瞥眼见一名丐帮弟子牵着郭靖的汗血宝马正在刷毛，心中一凛："过儿便算夺得婴儿，若无这宝马，怎能及时赶到绝情谷去？"抢上前去拉住了马缰，转头向鲁有脚道："我有要事出城去，急需此马一用。"

鲁有脚只记挂着黄蓉与郭靖二人，又问："黄帮主与郭大侠安好吗？"小龙女翻身上马，道："他二人安好。黄帮主刚生的婴儿却给那女人抢了去，我非去夺回不可。"鲁有脚一惊，忙喝令开城。

城门只开数尺，吊桥尚未放落，小龙女已纵马出城。汗血宝马神骏非凡，后腿一撑，已如腾云驾雾般跃过了护城河。城头众兵将见了，齐声喝采。

小龙女出得城来，只见两名军士血肉模糊的死在城墙角下，另有一匹战马也摔得腿断头裂，放眼远望，但见苍苍群山，莽莽平野，怎知这三人到了何处？她愁急无计，拍着宝马的颈道："马儿啊马儿，我是去救你幼主，快快带我去罢！"那马也不知是否真懂她的言语，昂头长嘶，放开四蹄，泼刺刺往东北方奔去。

原来杨过与国师追赶李莫愁，直追上了城头，均想城墙极高，她已无退路，必可就此截住。哪知李莫愁一上城头，顺手抓过一名军士，便往城下掷去，跟着向下跳落。待那军士与地面将触未触之际，她左足在军士背上一点，已将下落的急势消去，身子向前纵出，轻飘飘的着地，竟连怀中的婴儿亦未震动，那军士却已颈折骨断，哼都没哼一声，已然毙命。

国师暗骂："好厉害的女人！"依样葫芦，也掷了一名军士下城，跟着跃落。

杨过要以旁人来作自己的垫脚石，实有所不忍，见时机紧迫，心念一动，发掌将一匹战马推出城头，不待战马落地，飞身跃在马背，那马摔得骨骼粉碎，他却安然跃下，跟在国师之后追去。他先一日在蒙古军营中大战，为国师的轮子割伤两处，虽无大碍，但流血甚多，身子疲软，这日又苦战多时，实已支撑不住，然想到郭靖的幼女不论落在李莫愁或国师手中都凶多吉少，虽觉心跳渐剧，仍仗剑急追。

　　这三人本来脚程均快，但李莫愁手中多了个婴儿，国师臂受剑伤，剑上到底是否有毒毕竟捉摸不准，时时耽心创口毒发，不敢发力，因此每人奔跑都已不及往时迅捷，待得奔出数里，襄阳城已远远抛在背后，三人仍分别相距十余丈，国师追不上李莫愁，杨过也追不上国师。

　　李莫愁再奔得一阵，见前面丘陵起伏，再行数里便入丛山，加快脚步，只要入了山谷，便易于隐蔽脱身。她虽听小龙女说这不是她的孩子，但见杨过舍命死追，料来定是他与小龙女的孽种无疑，只要挟持婴儿在手，不怕她不拿师门秘传《玉女心经》来换。上次在古墓之中，小龙女将一本书抛入空棺，李莫愁待小龙女走开后入棺取来，却是一本常见的道书《参同契》，失望之余，对师传的《玉女心经》更加热中。

　　三人渐奔渐高，四下里树木深密，山道崎岖。国师心想再不截住，只怕给她藏入丛林幽峡，那就难以找寻。他从未与李莫愁动过手，但见她轻功了得，实是个劲敌，自己五轮已失其二，原不想飞轮出手，但见情势紧迫，不能再行犹豫迁延，大声喝道："兀那婆娘，快放下孩儿，饶你性命，再不听话，可莫怪大和尚无情了。"李莫愁格格娇笑，脚下却更加快了。国师右臂挥动，呼呼风响，金轮卷成一道金虹，向她身后袭到。

　　李莫愁听得敌轮来势凌厉，不敢置之不理，只得转身挥动拂尘，待要往轮上拂去，蓦见轮子急转，金光刺眼，拂尘搭上了只怕立即便断，斜身闪跃，避开轮子正击。国师抢上两步，铜轮出手，这一次先向外飞,再以收势向里回砸。李莫愁仍不敢硬接,倒退三步,纤腰一折,以上乘轻功避了开去。但这么一进一退,与国师相距已不逾三丈。国师左手接过金轮,抢上几步,右手铅轮向她左肩砸下。

李莫愁拂尘斜挥,化作万点金针,往国师眼中洒将下来。国师铅轮上抛,挡开了她这一招,右手接住回飞而至的铜轮,双手互交,金铜两轮碰撞,当的一响,只震得山谷间回声不绝,这时左手的金轮已交在右手,右手的铜轮交在左手,双轮移位之际,杀着齐施。李莫愁斗逢大敌,精神一振,想不到这高瘦和尚臂力固然沉厚,出招尤为迅捷,展开生平所学,奋力应战。

两人甫拆数招,杨过已然赶到,他站在圈外数丈之地旁观,一面调匀呼吸,俟机抢夺婴儿。见二人越斗越快,三轮飞舞之中,一柄拂尘上下翻腾。

说到武功内力,国师均胜一筹,何况李莫愁手中又抱着一个婴儿,按理不到百招,她已非败不可。哪知她初时护着婴儿,生怕受国师利轮伤害,但每见轮子临近婴儿身子,他反急速收招,微一沉吟,已然省悟:"这贼秃要抢孩子,自不愿伤她性命。"以她狠毒的心性,自然不顾旁人死活,既看破了国师的心思,每当他疾施杀着、自己不易抵挡之时,便即举婴儿挡护。这样一来,婴儿非但不是累赘,反成一面威力极大的盾牌,只须举起婴儿一挡,国师再凶再狠的绝招也即收回。

国师连攻数轮,都给李莫愁以婴儿挡开,杨过瞧得大急,二人中哪一个只要手上劲力稍大半分,这婴儿哪里还有命在?正想上前抢夺,只见国师右手金轮倏地自外向内回砸,左手铜轮跟着平推出去,这一来,两轮势成环抱,将李莫愁围在双臂之间。李莫愁脸上微微一红,啐了一口,暗骂贼秃这一招不合出家人庄严身分,拂尘后挥,架开金轮,左手举婴儿护在胸前。国师当双手环抱之时,早已算就了后着,左手松指,铜轮突然向上斜飞,砸向她面门。

这轮子和她相距不过尺许,忽地飞出,来势又劲急异常,实不易招架,总算李莫愁一生纵横江湖,大小数百战,临敌经历实比国师丰富得多,危急中身子后仰,双脚牢牢钉在地下,拂尘却还攻敌肩。国师右肩疾缩,拂尘掠肩而过,仍有几根寻丝拂中了肩头。他左掌既空,顺势斩中了李莫愁左臂。李莫愁手臂登时酸麻无力,低呼一声:"啊哟!"纵身跃起,但觉手中已空,婴儿已让国师抢去。

国师正自大喜,忽觉身旁风响,杨过和身扑上,已夺过了婴儿,在地下一个打滚,长剑舞成一道光网,护住身后,跟着翻身站起,长剑一招"顺水推舟",阻住两个敌人近身。原来他见婴儿入了国师之手,心知只要迟得片刻,再要抢回便千难万难,乘着他抱持未稳之际,不顾性命的以"夭矫空碧"扑上,一举奏功。婴儿在三人手中轮转,只一瞬间之事。

李莫愁也会他这身法,见他使得灵动,喝采:"小杨过,这一手耍得可俊!"国师大怒,双轮一击,声若龙吟,悠悠不绝,左手袍袖挥处,右手金轮向杨过递出。杨过长剑虚刺,转身欲逃,忽听得身后风响,却是李莫愁挥拂尘挡住了去路,笑道:"杨过别走!且斗斗这大和尚再说。"杨过眼见国师的金轮已递到身前不逾半尺,只得还剑招架。

二人连日鏖战,于对方功力招数,都已明明白白,一出手均是以快打快,但见二人身形晃动,三道光芒上下飞舞,转瞬间拆了二十余招。李莫愁暗暗惊异:"怎地相隔并无多日,这小子武功竟练到了如此地步? 这恶和尚又怎地厉害?"

其实杨过武功固然颇有长进,一半也因自知性命不久,为了报答郭靖养育之恩,决意死拼,遇到险招之时常不自救,却以险招还险招,逼得国师只有变招。然杨过不顾自己性命,却须顾到婴儿安全,哪肯如李莫愁这般以婴儿掩蔽自己要害? 虽见国师与李莫愁相斗之时招数避开婴儿,但想到这是郭靖之女,半点不敢冒险大意,只因处处护着婴儿,时刻稍长,便给国师逼得险象环生。

国师见李莫愁不顾婴儿,出招便尽力避开婴儿身子,见杨过唯恐伤害婴儿,两轮便攻向婴儿的多而攻向他本人的反少。这一来,杨过更加手忙脚乱,抵挡不住,大声叫道:"李师伯,你快助我打退贼秃,别的慢慢再说。"

国师向李莫愁望了一眼,见她闲立微笑,竟是隔山观虎斗,两不相助,心中大感不解:"小龙女也叫他师姊,这女人的确是他师伯,何以又不出手相助?其中必有诡计!须得尽快伤了这小子,抢过婴儿。"手上加劲,更逼得杨过左支右绌。李莫愁知国师不会伤害婴儿,不管杨过如何大叫求助,只是不理,双手负在背后,意态闲适。

又斗一阵,杨过胸口隐隐生疼,知自己内力不及对方,如此蛮打无法持久,多时不听到婴儿哭泣,只怕有失,百忙中低头向婴儿望了一眼,只见她一张小脸眉清目秀,模样甚是娇美,正睁着两只黑漆漆的眼珠凝视自己。杨过素来与郭芙不睦,但对怀中这个幼女心头忽起异样之感:"我此刻为她死拼,若天幸救得她性命,七日之后我便死了,日后她长到她姊姊那般年纪,不知可会记得我否?"心头一酸,险些掉下泪来。

李莫愁在旁见他势穷力竭,转瞬间便要命丧双轮之下,要待上前相助,随即想到:"这小子武功大进,正好假手和尚除他,否则日后不可复制。"便仍袖手不动。

三人中国师武功最强,李莫愁最毒,但论到诡计多端,却推杨过。他一阵伤心过了,随即筹思脱身之策,心想:"郭伯母当年讲三国故事,说道其时曹魏最强,蜀汉抗曹,须联孙权。"李莫愁既不肯相助自己,只有自己去助李莫愁了,当下唰唰两剑,挡住了国师,疾退两步,突将婴儿递给李莫愁,说道:"给你!"

这一着大出李莫愁意料之外,一时不明他用意,顺手将婴儿接过。杨过叫道:"李师伯,快抱了孩子逃走,让我挡住贼秃!"奋力刺出两剑,教国师欺不近身来。李莫愁心道:"原来他想我总还顾念师门之谊,不致伤了孩子,危急中递了给我,那真再妙不过。"她哪想到这是杨过嫁祸的恶计,刚提步要走,国师回过手臂,金轮砸出,竟舍却杨过,击向她后心。这一招来得好快,她身形甫动,金轮已如影随形的击到。李莫愁无奈,只得回过拂尘挡架。

杨过见计已售,登时松了口气,他顾念婴儿,却不肯如李莫愁般袖手旁观,以待二人斗个两败俱伤,呼吸稍一调匀,立即提剑攻向国师。

这时红日中天,密林中仍有片片阳光透射进来,杨过精神一振,长剑更使得得心应手,只听当的一响,铜轮给君子剑削去一片。国师暗暗心惊,出招越见凌厉。杨过心生一计,叫道:"李师伯,你小心和尚这个轮子,给我削破的口子上染有剧毒,莫给他扫上了。"李莫愁问道:"为什么?"杨过道:"我这剑上所喂毒药甚是厉害!"

适才国师为杨过长剑刺伤,一直在耽心剑上有毒,但久战之后,伤口上并无异感,也就放心,此时听他一提,不由得心中一震:"公孙止为人险诈,只怕剑上果然有毒。"登时气便馁了。

李莫愁拂尘猛地挥出,叫道:"过儿,用毒剑刺这和尚。"伸手一扬,似有暗器射出。国师舞轮护住胸前,李莫愁这一下只虚张声势,她见国师如此武功,料想冰魄银针也射他不中,只阻得他一阻,已脱出双轮威力笼罩,转身便奔。

金轮国师虽疑心杨过剑上有毒,但伤口既不麻痒,亦不肿胀,实不愿此番徒劳往返,落得个负伤而归,见李莫愁逃走,拔步急追。

杨过心想如此打打追追,不知如何了局,令这初生婴儿在旷野中经受风寒,便算救回,只怕也难以养活,只有合二人之力先将国师击退,再筹良策,大声叫道:"李师伯,不用走啦! 这贼秃身中剧毒,活不多久了。"叫声甫毕,见李莫愁向前急窜,钻进了山边的一个洞中。

国师一呆,不敢便即闯入。杨过不知李莫愁抢那婴儿何用,生怕她忽下毒手,他早已将自己生死置之度外,当即长剑护胸,冲了进去,眼见银光闪动,挥剑将三枚冰魄银针打落,叫道:"李师伯,是我!"洞中黑漆一团,但他双目能暗中见物,见李莫愁左手抱着孩子,右手又扣着几枚银针,他为显得并无敌意,转身向外,说道:

"咱们联手先退贼秃。"仗剑守在洞口。

国师料想二人一时不敢冲出,盘膝坐在洞侧,解开衣衫,检视伤口,见剑伤处血色殷红,殊无中毒之象,伸手按去,伤口微微疼痛,再潜运内功一转,四肢百骸没半分窒滞,心中又喜又怒,喜的是杨过剑上无毒,怒的是竟尔受了这小子之骗,白白耽心半日。瞧那山洞时,见洞口长草掩映,入口处仅容一人,自己身躯高大,若贸然冲入,转折不便,只怕受了洞内两人暗算。

一时正无善策,忽听得山坡后一人怪声叫道:"大和尚,你在这里干什么的?"语声正是天竺矮子尼摩星。国师仍瞧定洞口,说道:"三只兔儿钻进了洞里,我要赶他们出来。"

尼摩星在襄阳城混闹一场,无功而退,在回归军营途中,远远望见国师的金铜铅三轮在空中飞旋,知他正与人动手,于是认明了方向过来,见国师全神贯注瞧着山洞,心中一喜,问道:"郭靖逃进了洞里么?"国师哼了一声,说道:"一只雄兔,一只雌兔,还有只小兔。"尼摩星更是欢喜,道:"啊,除了郭靖夫妇,还有杨过小子的。"国师由得他自说自话,不予理睬,四下一瞧,已有计较,伸手拾些枯枝枯草堆在洞口,打火点燃。是时西南风正劲,一阵阵浓烟立时往洞中涌入。

当国师堆积枯柴之时,杨过已知其计,对李莫愁低声道:"我去瞧瞧这山洞是否另有出口。"于是向内走去,走了七八丈,山洞已到尽头,回过头来低声道:"李师伯,他们用烟薰,你说怎么办?"李莫愁心想硬冲决计摆脱不了国师,躲在这里自然亦非了局,当真不济之时,只有丢下婴儿独自脱身,这和尚和自己无冤无仇,他志在婴儿,自也不会苦缠,因此并不惊慌,只微微冷笑。

过不多时,山洞中浓烟越进越多,杨李二人闭住呼吸,一时尚可无碍,那婴儿却又哭又咳。李莫愁冷笑道:"你心疼么?"杨过怀抱着这女婴一番舍生忘死的恶斗,心中已对她生了怜惜之情,听她哭得厉害,道:"让我抱抱!"伸出双手,走近两步。李莫愁拂尘唰的一下,向他的手臂挥去,喝道:"别走近我!你不怕冰魄银针吗?"

杨过向后跃开,听了"冰魄银针"四字,忽地生出一个念头,想起幼时与她初次相遇,只将银针在手中握了片刻,即已身中剧毒,当下撕一片衣襟包住右手,走到洞口拾起李莫愁适才射他的三枚银针,针尾向下,将银针插入土中,只余一寸针尖留在土外,再洒上少些沙土,掩住针尖的光亮。此时洞口堆满了柴草,再加浓烟弥漫,他弓身插针,国师与尼摩星全未瞧见。

杨过布置已毕,退身回来,低声道:"我已有退敌之计,你哄着孩子别哭。"大声叫道:"好极了,山洞后面有出口,咱们快走!"声音中充满了欢喜之情。李莫愁一怔,还道山洞后面真有出路。杨过将口俯到她耳畔低声说道:"假的,我要叫贼秃上当。"

国师与尼摩星听得杨过这般欢叫,一愕之下,但听得洞中寂然无声,婴儿的哭喊也渐渐隐去,哪想得到是杨过以袍袖盖在婴儿脸上,只道他真的从洞后逸出。尼摩星不加细想,立即飞身绕到山坡之后去阻截。国师却心思细密,凝神听去,婴儿的哭喊只低沉细微,却非渐渐远去,知是杨过使诈,想骗他到山坡之后,便抱了孩子从洞口冲出,不禁暗暗冷笑:"这小小的调虎离山之计,也想在老和尚面前行使。"躲在洞侧,提起金铜两轮,只待杨过出来。

杨过叫道:"李师伯,那贼秃走了,咱们并肩往外。"忽又低声道:"咱们同时惊呼,诱他进洞。"李莫愁不明杨过要使何等诡计,但素知这小子狡猾,自己便曾吃过他不少亏,他既安排下妙策,谅必使得,好在婴儿抱在自己手中,只要先驱退国师,不怕他不拿《玉女心经》来换孩子,便点了点头。

两人齐声大叫"啊哟!"杨过假装受伤甚重,大声呻吟,叫道:"你……你如何对我下此毒手?"随即低声道:"你装作性命不保。"李莫愁怒道:"好,我今日……虽然死在你手里,却教你这小贼……也活不成。"说到后来,语声断续,已上气不接下气。

国师在洞口听了大喜,心想这二人为了争夺婴儿,还未出洞,已自相残杀起来,看来已斗得两败俱伤。他生怕婴儿连带送命,便不能挟制郭靖，当即拨开柴草，抢进洞去，只跨得两步，突觉左脚底微微一痛。

他应变奇速，不待踏实，立即右足使劲，倒跃出洞，左足落地时小腿一麻，竟然险些摔倒。以他深厚内功，即令给人连砍数刀，纵跃时也不致站立不稳，心念一转，已知足底心为剧毒之物刺中，正要拉下鞋袜察看，尼摩星已从山坡转回，叫道："小子骗人的，山后出口没有的，洞里郭靖和老婆的还有的。"国师住手不再脱鞋，脸上不动声色，说道："你所料不错，但洞内并无声息，想来他们都给烟火薰得昏过去了。"

尼摩星大喜，心想这番生擒郭靖之功终于落在自己手上，他也不想国师何以不抢此功劳，舞动铁蛇护住身前要害，从洞口直钻进去。杨过这三枚银针倒插在当路之处，不论来人步子大小如何，都非踏中一枚不可。尼摩星身矮步短，走得又快，右脚一脚踏中银针，一痛之下未及缩步，左脚又踏上了另一枚针尖。天竺国天气炎热，国人向来赤足，尼摩星也不穿鞋，虽脚底板练得厚如牛皮，但那冰魄银针何等锐利，早已刺入寸许。他生性勇悍，小小受伤毫不在意，挥铁蛇在地下一扫，察觉前面地下再无倒刺，正要继续进内活捉郭靖和老婆的，猛地里两腿麻软，站立不稳，一交摔倒。才知针刺上毒性厉害非凡的，急忙连滚带爬的冲出洞来。只见国师除去鞋袜，捧着一只肿胀黝黑的左腿，正在运气阻毒上升。

尼摩星大怒，喝道："坏贼秃，你明明中毒受伤，干么不跟我说，让我也上当的？"国师微微一笑，说道："我上一当，你也上一当，这才两不吃亏啊。"

尼摩星怒气勃发，不可遏制，大声怒骂："我，郭靖也不要拿了，尼摩星，坏和尚，今日拼个死样活气的！"他双足使不出半点力气，左手在地下一撑，和身向国师扑去，右手铁蛇往他头顶击落。国师举铜轮挡开铁蛇，随即横过手臂，一个肘锤撞出。尼摩星身在半空，难以闪避，国师这一招又来势迅捷，竟给他一锤打中肩头。

尼摩星虽筋骨坚厚，却也给打得剧痛攻心，他狂怒之下，也不顾自己死活的,扑将上去,牢牢抱住了国师,张口便咬,一口正咬在对方颈下的"气舍穴"上。若在平时,以国师如此武功,如何能让他欺近抱住? 即令抱住了,又如何能给他咬中颈下大穴? 但此时国师知道脚底所中毒针非同小可,全身内力都在与毒气相抗,硬逼着不令毒气冲过大腿与小腿之间的"曲泉穴",只要严守此关,最多是废去一只小腿,还不致送了性命,当尼摩星扑上来之时,他已变成内力全失,只以外功与他相抗。尼摩星却全力施为,一咬住对方穴道,牙齿再不放松。

国师伸出右足一钩,尼摩星双足早无力气,向前扑出,两人一齐跌翻。国师伸手想将他扯开,但大穴受制,手上力道已大为减弱,却哪里拉得动? 只得回手扣住他后颈"大椎穴",防他陡施毒手制自己死命。两人本来都是一流高手,中毒后近身搏斗,却如泼皮无赖蛮打硬拼一般,已全然不顾身分。

两人在地下翻翻滚滚,渐渐滚近山谷边的断崖之旁。国师瞧得明白,大声叫道:"快放手,你再进一步,两个儿都跌得粉身碎骨!"尼摩星此时已失去了理性,他不运气与毒气相抗,内力便比国师深厚得多,奋力前推,国师竟抵挡不住。眼见距离崖边已不过数尺,下面便是深谷,国师情急智生,大叫:"郭靖来了!"尼摩星一凛,问道:"哪里的?"他这三个字一说,口一张,登时放开了国师的穴道。国师气贯左掌,呼的一声,向前击出。尼摩星知道上当,低头避开,弯腰前撞。

国师这一掌本是要逼使尼摩星向后闪避,但他忘了对方双足中毒,早已不听使唤,哪里还能向后退跃? 但见他不后反前,一惊之下,两人又已纠缠在一起,突觉身下一空,两人齐往山谷中直掉下去。

李莫愁见杨过奇计成功,暗暗佩服这小子果然了得,听得二人在外喝骂殴斗,知道已无危险,拔步便要出洞,猛听得国师与尼摩星二人齐声惊呼,声音极怪。这正是他二人掉下山崖之时所发,但那断崖与山洞相隔十丈开外，又为一片山石挡住，从洞中瞧不见外面情景，不知二人如此大叫为了何事。李莫愁道："喂，小子，他们干什么啊？"杨过却也料想不到二人竟会跌落山谷，沉吟道："那贼秃狡猾得紧，咱们假装相斗受伤，只怕他们依样葫芦，骗咱们出去。"

李莫愁心想不错，低声道："嗯，他定是想骗我出去，夺我解药。"缓缓走向洞口，想要探首出洞窥视。杨过道："小心地下银针。"话一出口，便即后悔："又何必好意提醒这女魔头？"只为他天性良善，又与李莫愁联手抗敌，一时竟忘了此人原是敌人。

李莫愁一惊，急忙缩步。这时洞口烟火已熄，洞中又黑漆一团，她不能如杨过一般暗中见物，不知三枚银针插在何处，若贸然举步，十九也要踏上。她虽有解药，但针上剧毒厉害异常，治疗时固然要受一番痛苦，而且脚上受到针刺，杨过定然乘机攻击，便缓不出手来疗毒，只怕这条性命便要送在自己的毒针之下了，说道："你快将针拔去，咱们呆在这儿干么？"杨过道："稍待片刻，让他二人毒发而死，慢慢出去不迟。"李莫愁哼了一声，她对杨过实在忌惮，与他同处在这暗洞之中，刻刻都是危机，自己武功已未必能够胜他，智计更远不及，低头沉思出洞之策。

这时洞外一片寂静，洞内二人也各想各的心思，默不作声。突然之间，那婴儿哇的一声哭了出来，她出世以来从未吃过一口奶，此时自是饿了。

李莫愁冷笑道："师妹呢？她连自己孩子饿死也不理么？"杨过道："谁说是姑姑的孩子，这是郭靖郭大侠的女儿。"李莫愁道："哼，你用郭大侠的名头来吓我，我便怕了么？别人家的孩子，料你也不会这般抢夺，这自是你们师徒俩的孽种。"

杨过大怒，喝道："不错，我是决意要娶姑姑的。但我们尚未成亲，何来孩子？你嘴里放干净些。"李莫愁又冷笑一声，撇嘴道："你要我口里干净些，还不如自己与师父的行为干净些。"杨过一生对小龙女敬若天人，哪容她如此污蔑，更是恼怒，大声道："我师父冰清玉洁,你可莫胡言乱语。"李莫愁道:"好一个冰清玉洁,还没成亲,就生出了孩子。"

唰的一声,杨过挺剑向她当胸刺去,喝道:"你骂我不要紧,但你出言辱我师父,今日跟你拼了。"唰唰唰连环三剑。他剑法既妙,双眼又瞧得清楚,李莫愁全赖听风辨器之术招架,虽不失厘毫,但数招之后已险象环生,总算杨过顾念着孩子,只怕剑底过于厉害,她便对孩子猛下毒手,因此并未施展杀着。

二人在洞中交拆十余招,那婴儿忽地一声哭叫,随即良久没了声息。

杨过大惊,立即收剑,颤声道:"你伤了孩子么?"李莫愁见他对孩子如此关怀,更认定是他的亲生孩儿,说道:"现下还没死,但你如不听我吩咐,你道我没胆子捏死这小鬼头么?"杨过打了个寒战,素知她杀人不眨眼,别说弄死一个初生婴儿,只消稍有怨毒,便能将人家杀得满门鸡犬不留,说道:"你是我师伯,只要你不辱骂我师父,我自然听你吩咐。"李莫愁听他口气软了,心知只要婴儿在自己手中,他便无法相抗,说道:"好,我不骂你师父,你就听我的话。现下你出去瞧瞧,那两人的毒发作得怎样了。"

杨过依言出洞,四下一瞧,不见国师与尼摩星的影踪,他怕国师诡计多端,躲在隐蔽之处,挥剑在左近树丛长草等处斩刺一阵,不见有人隐藏,回洞说道:"两人都不在啦,想是中毒之后,吓得远远逃走了。"

李莫愁道:"哼,中了我银针之毒,便算逃走,又怎逃得远?你将洞口的针拔掉,放在我面前。"杨过听婴儿啼哭不止,心想也该出去找些什么给孩子吃,于是仍用衣襟裹手,拔出银针,还给了她。

李莫愁将三枚银针放入针囊,拔步往外便走。杨过跟了出来,问道:"你将孩子抱到哪里去?"李莫愁道:"回我自己家去。"杨过急道:"你要孩子干么? 她又不是你生的。"李莫愁双颊一红,随即沉脸道:"你胡说什么? 你送我古墓派的玉女心经来,我便将孩子还你,管教不损了她一根毫毛。"说罢展开轻功,疾向北行。

杨过跟在她身后,叫道:"你先得给她吃奶啊。"李莫愁回过身来,满脸通红,喝道:"你这小子怎地没上没下,说话讨我便宜?"杨过奇道:"咦,我怎地讨你便宜了?孩子没奶吃,岂不饿死了?"李莫愁道:"我是个守身如玉的处女,怎会有奶给你这小鬼吃?"杨过微微一笑,道:"李师伯,我是说要你找些奶给孩子吃啊,又不是要你自己……"

　　李莫愁听了,忍不住一笑,她守身不嫁,一生在刀剑丛中出入,于这养育婴儿之事当真一窍不通,沉吟道:"却到哪里找奶去?给她吃饭成不成?"杨过道:"你瞧她有没牙齿?"李莫愁往婴儿口中一张,摇头道:"半颗也没有。"杨过道:"咱们到乡村中去找个正在给孩子喂奶的女人,要她给这婴儿吃个饱,岂不是好?"李莫愁喜道:"你果真满腹智谋。"

　　两人登上山丘四望,遥见西边山坳中有炊烟升起。两人脚程好快,片刻间已奔近一个小村落。襄阳附近久经烽火,大路旁的村庄市镇尽已遭蒙古铁蹄毁成白地,只有在这般荒谷僻壤之间,尚有少些山民聚居。

　　李莫愁逐户推门查看,找到第四间农舍,见一个少妇抱着一个岁余孩子正在喂奶。李莫愁大喜,一把将她怀中孩子抓起往炕上一丢,将女婴塞在她怀里,说道:"孩子饿了,你喂她吃饱罢。"

　　那少妇的儿子给摔在炕上,手足乱舞,大声哭喊。那少妇爱惜儿子,忙伸手抱起。杨过见那少妇袒着胸膛,立即转身向外,却听得李莫愁喝道:"我叫你喂我的孩子吃奶,你没听见么?谁教你抱自己儿子了?"但听得砰的一响,杨过吓了一跳,回过头来,只见那农家孩子已给摔在墙脚之下,满头鲜血,不知死活。那少妇急痛攻心,放下郭靖之女,扑上去抱住自己儿子,连哭带叫。李莫愁大怒,拂尘一起,往少妇背上击落。

　　杨过忙伸剑架开,心想:"天下哪有如此横蛮女子?"口中却道:"李师伯,你若将她打死了,死人可没奶。"李莫愁怒道:"我是为你孩子好,你反来多管闲事!"杨过心道:"这明明不是我的孩子,你却口口声声说是我的。但若真是我的,那又怎能说我多管闲事?"陪笑道:"这孩子饿得紧了,快让她吃奶是正经。"说着伸手到炕上去抱婴儿。李莫愁举起拂尘,挡住他手,叫道:"你敢抢孩子么?"杨过退后一步,笑道:"好,好! 我不抱便是。"

李莫愁将女婴抱起,正要再送到那少妇怀中,转过身来,那少妇已不知去向,原来她乘着两人争执,已抱了儿子悄悄从后门溜走。李莫愁怒气勃发,直冲出门,但见那少妇抱着婴儿正自向前狂奔。李莫愁哼了一声,纵身而起,拂尘搂头击下,风声过去,那农妇母子两人登时脑骨碎裂,尸横当地。她再去寻人喂奶,村中却惟有男人。李莫愁怒气越盛,胡乱杀了几人,到灶下取了火种,在农家的茅草屋上纵火焚烧,连点了几处火头,这才快步出村。

杨过见她出手凶狠,暗自叹息,不即不离的跟在她身后。二人在山野间走了数十里,那婴儿哭得倦了,在李莫愁怀中沉沉睡去。

正行之间,李莫愁突然"咦"的一声,停住脚步,只见两只花斑小豹正自厮打嬉戏。她踏上一步,要将小豹踢开,突然旁边草丛中呜的一声大吼,眼前一花,一只金钱大豹扑了出来。她吃了一惊,挫步向左跃开。那大豹立即转身又扑,举掌来抓。李莫愁举起拂尘,唰的一声,击在豹子双目之间。那豹痛得呜呜狂吼,更加凶性大发,露出白森森的一口利齿,蹲伏在地,两只碧油油的眼睛瞧定了敌人,俟机进扑。

李莫愁左手微扬,两枚银针电射而出,分击花豹双目。杨过叫道:"且慢!"挥长剑将银针打下,就在此时,那豹子也已纵身而起,高跃丈余,从半空中扑将下来。杨过也飞身窜起,先舞长剑又砸飞了李莫愁的两枚银针,跟着右拳砰的一声,击在花豹颈后椎骨之上。那花豹吃痛,大吼一声,落地后随即跳起,向杨过扑来。杨过侧身避开,左掌击出,这一掌中含了五成内力,那花豹给他击得一个筋斗向后翻出。

李莫愁心中奇怪,自己两枚银针早已可制花豹死命,何以他既出手救豹,却又费这么大力气和豹子打斗? 只见他左一掌,右一掌,打得豹子跌倒爬起,爬起跌倒,狼狈不堪,但每一掌却又避开豹子的要害之处,只听那猛兽吼叫声越来越低,十余掌吃过,花豹再也受不住了,转身纵上山坡。杨过早防到它要逃走,预拟扯住它尾巴拉将转来,岂知那豹威风尽失,尾巴垂下,夹在后腿之间,一拉竟尔拉了个空。他正待施展轻功追去,只见那豹子跃出数丈,回身呜呜而叫,招呼两头小豹逃走。杨过心念一动,双手伸出,抓住两头小豹的头颈,一手一只,高高提起。

那母豹爱子心切,见幼豹被擒,顾不得自己性命,又向杨过扑来。杨过将两头小豹往李莫愁一掷,叫道:"抓住了,可别弄死。"身随声起,跃得比豹子更高,正是使出"夭矫空碧"的高跃功夫。他看准了从半空中落将下来,正好骑在豹子背上,抓住豹子双耳往下力掀。那豹子出力挣扎,但全身要害受制,一张巨口没入沙土之中。

杨过叫道:"李师伯,你快用树皮结两条绳索,将它四条腿缚住。"李莫愁哼了一声,道:"我没空陪你玩儿。"转身欲走。杨过急道:"谁玩了?这豹子有奶啊!"李莫愁登时省悟,心中大喜,笑道:"亏你想得出。"当即撕下十余条树皮,匆匆搓成几条绳索,先将豹子的巨口牢牢缚住,再把它前腿后腿分别绑定。

杨过拍拍身上灰尘,微笑站起。那豹子动弹不得,目光中露出恐惧之色。杨过抚摸一下它头顶,笑道:"咱们请你做一会儿乳娘,不会伤害你性命。"李莫愁抱起婴儿,凑到花豹的乳房之上。婴儿早已饿得不堪,张开小口便吃。那母豹乳汁甚多,不多时婴儿便已吃饱,闭眼睡去。李莫愁与杨过望着她吃奶睡着,眼光始终没离开她娇美的小脸,只见她睡熟之后脸上微微露出笑容,两人心中喜悦,相顾一笑。

这一笑之下,两人本来存着的相互戒备之心登时去了大半。李莫愁脸上充满温柔之色,口中低声哼着歌儿,一手轻拍,抱起婴儿。杨过找些软草,在树荫下一块大石上做了个窝儿,说道:"你放她在这儿睡罢!"李莫愁忙做个手势,命他不可大声惊醒了孩子。杨过伸伸舌头，做个鬼脸，见孩子睡得宁静，不禁呼了一口长气，回头只见两头小豹正钻在母豹怀中吃奶。

四下里花香浮动，和风拂衣，杀气尽消，人兽相安。

杨过在这数日中经历了无数变故，直到此时才略感心情舒泰，但身边一旁是个杀人不眨眼的女魔头，一旁是只凶恶巨兽，也可算得奇异之极了。

李莫愁坐在婴儿身边，缓缓挥动拂尘，为她驱赶林中的蚊虫。这拂尘底下杀人无算，武林中人士见到无不惊心动魄，此时却是她生平第一次用来做件慈爱的善事。杨过见她凝望着婴儿，脸上有时微笑，有时愁苦，忽尔激动，忽尔平和，想是心中正自思潮起伏，念起生平之事。杨过不明她身世，只曾听程英和陆无双约略说过一些，想她行事如此狠毒偏激，必因经历过一番极大困苦，自己一直恨她恼她，此时不由得微生同情怜悯之意。

过了良久，李莫愁抬起头来，与杨过目光一接，心中微微一怔，轻声道："天快黑了，今晚怎么办？"杨过四下一望，道："咱们又不能带了这位大乳娘走路，且找个山洞住宿一宵，明日再定行止。"李莫愁点了点头。

杨过前后左右找寻，发见了一个勉可容身的山洞，当下找些软草，在洞中铺了一大一小两个床位，说道："李师伯，你歇一会儿，我去弄些吃的。"转过山坡去找寻野味。不到半个时辰，打了三只山兔，捧了十多个野果回来。他放开豹子嘴上绳索，喂它吃了一只山兔。再拾枯草残枝生了堆火，将余下两只山兔烤了与李莫愁分吃，说道："李师伯，你安睡罢，我在洞外给你守夜。"取出长绳缚在两株大树之间，凌空而卧。

这本是古墓派练功的心法，李莫愁看了自亦不以为意。她除了有时与弟子洪凌波同行之外，一生独往独来，今晚与杨过为伴，他竟服侍得自己舒舒服服，与昔日独处荒野的情景大不相同，不禁暗自又叹了口气。

那雕身形甚巨，形貌丑陋之极，全身钢羽疏疏落落，钩嘴坚利，头顶毛秃，却生着个血红的大肉瘤，双腿奇粗，世上禽鸟千万，从未见过如此古拙雄奇的猛禽。

第二十三回　手足情仇

　　杨过睡到中夜，忽听得西北方传来一阵阵雕鸣，声音微带嘶哑，但激越苍凉，气势甚豪。他好奇心起，轻轻从绳上跃下，循声寻去。但听那鸣声时作时歇，比之桃花岛上双雕的鸣声远为洪亮。他渐行渐低，走进了一个山谷，这时雕鸣声已在身前不远，他放轻脚步，悄悄拨开树丛一张，不由得大感诧异。

　　淡淡月光之下，眼前赫然是一头大雕，那雕身形甚巨，站着高逾常人，形貌丑陋之极，全身羽毛疏疏落落，似是给人拔去了一大半似的，毛色黄黑，显得颇脏，但锐挺若钢，显得十分坚硬，模样与桃花岛上的双雕倒也有五分相似，丑俊却天差地远。这丑雕钩嘴坚利，头顶毛秃，却生着个血红的大肉瘤，世上禽鸟千万，从未见过如此古拙雄奇的猛禽。但见这雕迈着大步转去，双腿奇粗，有时伸出羽翼，却又甚短，不知如何飞翔，高视阔步，自有一番威武雄骏气概。

　　那雕叫了一会，只听得左近簌簌声响，月光下五色斑斓，四条毒蛇一齐如箭般向丑雕飞射过去。那丑雕弯喙转头，连啄四下，将四条毒蛇一一啄死，出嘴部位之准，行动之疾，直如武林中一流高手。这连毙四蛇的神技，只将杨过瞧得目瞪口呆，挢舌不下，霎时之间，先前轻视好笑之心，变成了惊诧叹服之意。只见那丑雕张开大口，将一条毒蛇吞在腹中。杨过心想：“将这头丑雕捉去，跟郭芙的双雕比上一比，却也不输于她。”正转念如何捕捉，突然鼻端冲到一股腥臭之气，显有大蛇之类毒物来到邻近。

丑雕昂起头来,哇哇哇连叫三声,似向敌人挑战。只听得呼的一声巨响,对面大树上倒悬下一条碗口粗细的三角头巨蟒,猛向丑雕扑去。丑雕毫不退避,反而迎上前去,倏地弯嘴疾伸,已将毒蟒的右眼啄瞎。那雕头颈又短又粗,似乎转动不便,但电伸电缩,杨过眼光虽然敏锐,也没瞧清楚它如何啄瞎毒蟒的眼珠。

毒蟒失了右眼,剧痛难当,张开大口,啪的一声,咬住了丑雕头顶的血瘤。这一下杨过出其不意,不禁"啊"的一声叫了出来。毒蟒一击成功,一条两丈长的身子突从树顶跌落,在丑雕身上绕了几匝。

杨过不愿丑雕为毒蛇所害,纵身而出,拔剑往蛇身上斩去,突然间那雕右翅疾展,在杨过右臂上一拍,力道奇猛。杨过出其不意,君子剑脱手,飞出数丈。杨过正惊奇间,见那雕伸嘴在蟒身上连啄数下,每一啄下去便有蟒血激喷而出。杨过心想:"难道你有必胜把握,不愿我插手相助?"

毒蟒愈盘愈紧,丑雕毛羽贲张,竭力相抗。幸得那雕似不怕蛇毒,虽血瘤为毒蟒咬中,却未中毒,但在毒蟒盘缠下似乎不支,杨过拾起一块大石,往巨蟒身上不住砸打。巨蟒身子略松,丑雕头颈急伸,又将毒蟒的左眼啄瞎。毒蟒张开巨口,四下乱咬,这时它双眼已盲,哪里咬得中什么?

杨过又拾起一块石头,投入蟒口,毒蟒一时吐不出来,丑雕乘机双爪揿住蛇头七寸,按在土中,同时以尖喙在蟒头戳啄。这巨雕天生神力,毒蟒全身扭曲,翻腾挥舞,蛇头却始终难以动弹,过了良久,长身舒挺,终于僵直而死。

丑雕仰起头来,高鸣三声,接着转头向着杨过,柔声低呼。

杨过听它鸣声中甚有友善之意,慢慢走近,笑道:"雕兄,你神力惊人,佩服,佩服。"丑雕低声鸣叫,缓步走到杨过身边,伸翅在他肩头轻拍了几下,似乎谢他先前出手相助。杨过见这雕如此通灵,心中大喜,也伸手轻抚它背脊。

丑雕低鸣数声,咬住杨过的衣角扯了几扯,随即放开,大踏步便行。杨过知它必有用意，便跟随在后。丑雕足步迅捷异常，在山石草丛之中行走疾如奔马，杨过施展轻身功夫这才追上，暗自惊佩。那雕愈行愈低，直走入一个深谷之中。又行良久，来到一个大山洞前，丑雕在山洞前点了三下头，叫了三声，回头望着杨过。

杨过见它似是向洞中行礼，心想："洞中定是住着什么前辈高人，这巨雕自是他养驯了的，这却不可少了礼数。"在洞前跪倒，拜了几拜，说道："弟子杨过叩见前辈，请恕擅闯洞府之罪。"待了片刻，洞中并无回答。

那雕拉了他衣角，踏步便入。杨过见洞中黑黝黝地，不知住着的是武林奇士，还是什么山魈木怪，他心中惴惴，但生死早置度外，便跟随进洞。

这洞其实甚浅，行不到三丈，已抵尽头，洞中除了一张石桌、一张石凳之外更无别物。丑雕向洞角叫了几声，杨过见洞角有一堆乱石高起，极似个坟墓，心想："看来这是一位奇人的埋骨之所，只可惜雕儿不会说话，无法告我此人身世。"一抬头，见洞壁上似乎写得有字，尘封苔蔽，黑暗中瞧不清楚。打火点燃了一根枯枝，伸手抹去洞壁上的青苔，现出三行字来，字迹笔划甚细，入石甚深，显是用极锋利的兵刃划成。看那三行字道：

"纵横江湖三十余载，杀尽仇寇奸人，败尽英雄豪杰，天下更无抗手，无可奈何，惟隐居深谷，以雕为友。呜呼，生平求一敌手而不可得，诚寂寥难堪也。"

下面落款是："剑魔独孤求败。"

杨过将这三行字反来覆去的念了几遍，既惊且佩，亦体会到了其中寂寞难堪之意，心想这位前辈奇士只因世上无敌，只得在深谷隐居，则武功之深湛精妙，实不知到了何等地步。此人号称"剑魔"，自是运剑若神，名字叫作"求败"，想是走遍天下欲寻一胜己之人，始终未能如愿，终于在此处郁郁以没，缅怀前辈风烈，不禁神往。

低回良久，举着点燃的枯枝，在洞中察看了一周，再找不到另外遗迹,那个石堆的坟墓上也无其他标记,料是这位一代奇人死后,是神雕衔石堆在他尸身之上。

他出了一会神,对这位前辈异人越来越仰慕,不自禁的在石墓之前跪拜,拜了四拜。那神雕见他对石墓礼数甚恭,似乎心中欢喜,伸翅又在他肩头轻拍几下。

杨过心想:"这位独孤前辈的遗言之中称雕为友,然则此雕虽是畜生,却是我的前辈,我称它为雕兄,确不为过。"于是说道:"雕兄,咱们邂逅相逢,也算有缘,我这便要走。你愿在此陪伴独孤前辈的坟墓呢,还是与我同行?"神雕啼鸣几声,算是回答。杨过却不懂其意,眼见它站在石墓之旁不走,心想:"武林各位前辈从未提到过独孤求败其人,那么他至少也是六七十年之前的人物。这神雕在此久居,心恋故地,自是不能随我而去的了。"伸臂搂住神雕脖子,与它亲热了一阵,这才出洞。

他生平除与小龙女相互依恋之外,只与黄药师、程英、陆无双结交,此番又识了一个公孙绿萼,也算是红颜知己,此外并无友好,这时与神雕相遇,虽一人一禽,并肩诛蟒之后,竟十分投缘,出洞后颇为依依不舍,走几步便回头一望。他每一回头,神雕总是啼鸣一声相答,虽相隔十数丈外,在黑暗中神雕仍瞧得清清楚楚,见杨过一回头便答以一啼鸣,无一或爽。

杨过突然间胸间热血上涌,大声说道:"雕兄啊雕兄,小弟命不久长,待郭伯伯幼女之事了结,我和姑姑最后话别,便重来此处,得埋骨于独孤大侠之侧,也不枉此生了。"说着躬身一揖,大踏步便行。

他记挂郭靖幼女的安危,拾回君子剑后,急奔回向山洞。刚到洞口,只听得李莫愁道:"你到哪里去啦? 这儿有个孤魂野鬼,来来往往的哭个不停,惹厌得紧。"杨过道:"怎会有什么鬼怪?"语声未毕,便听远远传来号啕大哭之声。

杨过吃了一惊,低声道:"李师伯,你照料着孩子,让我来对付他。"只听得哭声渐近,有人边哭边叫:"我好惨啊,我好惨啊!妻子给人害死了,两个儿子却要互相拼个你死我活。"杨过探头张望,星光下见一个披头散发的大汉正自掩面大哭,打着圈子狂奔疾走,衣衫破烂,面目却瞧不清楚。

李莫愁啐了一口,道:"原来是个疯子,快赶走他,莫吵醒了孩子。"

但听得那汉子又哭叫起来:"这世上我就只两个儿子,两兄弟偏要你杀我、我杀你,我这老头儿还活着干么?"一面叫嚷,一面大放悲声。杨过心中一动:"莫非是他?"缓步出洞,朗声道:"这位可是武老前辈么?"

那人荒郊夜哭,为的是心中悲恸莫可抑制,想不到此处竟然有人,当即止住哭声,厉声喝道:"你是谁? 在这里鬼鬼祟祟的干么?"

杨过抱拳道:"晚辈杨过,前辈可是姓武,尊号上三下通么?"

这人正是武氏兄弟的父亲武三通,他在嘉兴府为李莫愁银针所伤,晕死过去,待得悠悠醒转,只见妻子武娘子伏在地下,正吮吸他左腿上伤口中的毒血。他吃了一惊,叫道:"娘子,针上剧毒厉害无比,如何吸得?"忙将她推开。武娘子往地上吐了一口毒血,微微一笑,说道:"黑血已经转红,不碍事了。"武三通见她两边脸颊尽成紫黑之色,不由得大惊,颤声道:"娘子,你……你……"武娘子舍身为丈夫吸毒,自知即死,抚着两个儿子的头,低声道:"你和我成亲后一直郁郁不乐,当初大错铸成,无可挽回。只求你抚养两个孩儿长大成人,要他们终身友爱和睦……"话未说完,已撒手长逝。武三通大恸之下,登时疯病又发,见两个儿子伏在母亲尸身上痛哭,他头脑中却空空洞洞地什么也不知道了,就此扬长自去。

如此疯疯颠颠的在江湖上混了数年,时日渐久,疯病倒也慢慢痊愈了。点苍渔隐参与大胜关英雄大会之后回山,与几个武林朋友结伴同行,闲谈中听他们说起有这样一个人物,模样似与师弟武三通相像,辗转寻访,终于和他相遇。

武三通听得两个爱子已然长成,大喜之下,便来襄阳探视,到达之时,适逢金轮国师大闹襄阳,郭靖负伤,黄蓉新产。他与朱子柳及郭芙晤面之后,得知两个儿子竟尔阋墙而斗,想起妻子临死时的遗言,伤心无已,急忙追出城来,经过一座破庙时听到庙中有兵刃相交之声,进去一看,正是武敦儒与武修文在持剑相斗。他与二子相别已久,二子长大成人,原已不识,但眼见二人右手使剑,左手各以一阳指指法互点,当即上前喝止。

　　武氏兄弟重逢父亲,喜极而泣,然一提到郭芙,兄弟俩却谁也不肯退让。武三通不论怒骂斥责,又或温言劝谕,要他二人息了对郭芙的爱念,却始终难以成功。武氏兄弟在父亲面前不敢相互露出敌意,但只要他走开数步,便又争吵起来。当晚两兄弟悄悄约定,半夜里到这荒山中来决一胜败。武三通偷听到了二人言语,悲愤无已,抢先赶到二人约定之处,要阻止二子相斗。他本来不自节制心情,越想越难过,不由得在荒野中放声悲号。

　　武三通正当心神激荡之际,突见一个少年从山洞中走了出来,登时大生敌意,喝道:“你是谁?怎知我的名字?”杨过听他自承,说道:“武老伯,小侄杨过,从前与敦儒、修文二兄曾同在桃花岛郭大侠府上寄居,对老伯威名一直仰慕得紧。”

　　武三通点了点头,道:“你在这儿干么?啊,是了,敦儒与修文要在此处比武,你是作公证人来着。哼哼,你既为他们知交,怎不设法劝阻?反而推波助澜,好瞧瞧热闹,那算得什么朋友?”说到后来,竟声色俱厉,将满腔怒火发泄在杨过身上,口中喝骂,脚下踏步上前,举起巨掌,便要教训这大亏友道的小子。

　　杨过见他虬髯戟张,神威凛凛,心想没来由的何必和他动手,退开两步,陪笑道:“小侄不知二位武兄要来比武,老伯莫错怪了人。”武三通喝道:“还要花言巧语?你若事先不知,何以到了这里?世界这么大,却偏偏来到这荒山穷谷?”杨过心想此人不可理喻,何况跟他在这荒僻之地相遇,确也凑巧,一时不知如何解释。

　　武三通见他迟疑,料定这小子不是好人,他年轻时情场失意,每见到俊秀的少年便觉厌憎,心念一动:"这小子未必便识得我两个孩儿,鬼鬼祟祟的躲在这儿,多半另有诡计。"狂怒下更不多想,提起右掌便往杨过肩头拍落。杨过闪身避开,武三通右掌落空,弯过左臂,一记肘锤撞去。杨过见他出招劲力沉厚,不敢怠慢,斜身移步,又避过一招。武三通叫道:"好小子,轻功倒了得,亮剑动手罢!"

就在此时,洞中婴儿忽然醒来,哭了几声。杨过心念一动:"他与李莫愁有杀妻大仇,只要一照面,非拼个你死我活不可。两人动上手便是绝招杀着,我未必能护得住婴儿。"笑道:"武老伯,小侄是晚辈,怎敢和你动手?你定要疑心我不是好人,那也无法。这样罢,我让你再发三招。你如打我不死,便请立时离开此地如何?"

武三通大怒,喝道:"小子狂妄,适才我掌底留情,未下杀手,你便敢轻视于我么?"右手食指倏地伸出,使的竟然便是"一阳指"。他数十年苦练,功力深厚。杨过只见他食指晃动,来势虽缓,自己上半身正面大穴却已全在他一指笼罩之下,竟不知他要点的是哪一处穴道,正因不知他点向何处,九处大穴皆有中指之虞,当即伸出中指往他食指上一弹,使的正是黄药师所授"弹指神通"功夫。

"弹指神通"与"一阳指"齐名数十年,原各擅胜场,但杨过功力既浅,所学为时短暂,学后又未尽心钻研苦练,怎及得上武三通数十年的专心一致?两指相触,杨过只觉右臂一震,全身发热,腾腾腾退出五六步,才勉强拿住桩子,不致摔倒。

武三通"咦"的一声,道:"小子果然在桃花岛住过。"一来碍着黄药师的面子,二来见他小小年纪,居然挡住了自己生平绝技,心起爱才之意,喝道:"第二指又来了,挡不住便不用挡,莫要震坏内脏,我不伤你性命便是。"说着抢上数步,又一指点出,这次却指向杨过小腹。

这一指所盖罩的要穴更广,肚腹间冲脉十二大穴,自幽门、通谷,下至中注、四满,直抵横骨、会阴,尽处于这一指威力之下。杨过见来势甚疾,如再以"弹指神通"功夫抵挡,只怕不但手指断折,还得如他所云内脏也得震伤,急使一招"琴心暗通",嗤的一声轻响,君子剑出鞘,护在肚腹之前二寸。武三通手指将及剑刃,急忙缩回,跟着第三指又出。这一指迅如闪电,直指杨过眉心,料想他决计不及抽剑回护。杨过见来指奇速,绝难化解,危急中使出小龙女所授"天罗地网势",飕的一声,倏地矮身从武三通胯下钻过,快速无伦。这一招虽然迅捷,毕竟姿式狼狈,抑且大失身分,好在他是小辈,在长辈胯下钻过也没什么。

武三通"啊哟"一声也来不及呼出,只觉对方手掌在自己左肩轻轻一拍,跟着听得杨过笑道:"武老伯,你第三指好厉害啊。"他一怔之下,垂手退开,惨然道:"嘿嘿,当真英雄出少年,老头儿不中用啦。"

杨过忙还剑入鞘,躬身道:"小侄这一招避得太也难看,倘若当真比武,小侄已然输了。"武三通心中略感舒畅,叹道:"那也不然,你刚才如在我背后一剑,我这条老命便不在了。你这招当真机伶,似我这种老粗,原斗不过聪明伶俐的娃儿们……"他话未说完,忽听远处足步声响,有两人并肩而来。杨过一拉武三通的袖子,隐身在一片树丛之后。只听脚步声渐近,来的果然是武敦儒、武修文两兄弟。

武修文停住脚步,四下一望,道:"大哥,此处地势空旷,便在这儿罢。"武敦儒道:"好!"他不喜多言,唰的一声,抽出了长剑。武修文却不抽剑,说道:"大哥,今日相斗,我若不敌,你便不杀我,做兄弟的也不能再活在世上。那为母报仇、奉养老父、爱护芙妹这三件大事,大哥你便得一肩儿挑了。"武三通听到此处,心中一酸,落下了两滴眼泪。

武敦儒道:"彼此心照,何必多言? 你如胜我,也是一样。"说着举剑立个门户。武修文仍不拔剑,走上几步,说道:"大哥,你我自幼丧母,老父远离,哥儿俩相依为命,从未争吵半句,今日到这地步,大哥你不怪兄弟罢?"武敦儒说道:"兄弟,这是天数使然,你我都做不了主。"武修文道:"不论谁死谁活,终身决不能泄漏半点风声,以免爹爹和芙妹难过。"武敦儒点点头,握住了武修文的左手。兄弟俩黯然相对,良久无语。

武三通见兄弟二人言语间友爱深笃,心下大慰,正要跃将出去,喝斥决不可做这胡涂蠢事,忽听两兄弟同时叫道:"好,来罢!"同时后跃。武修文一伸手,长剑亮出,唰唰唰连刺三剑,星光下白刃如飞,出手迅捷异常。武敦儒一一架开,第三招回挡反挑,跟着还了两剑,每一招都刺向武修文的要害。武三通心中突的一下大跳,却见武修文闪身斜跃,轻轻易易的避开。

荒谷之中,只听得双剑撞击,连绵不绝,两兄弟竟性命相扑,出手毫不容情,只将武三通瞧得又耽心,又难过,两个都是他爱若性命的亲儿,自幼来便没半分偏袒,见两兄弟出剑招招狠辣,纵然对付强仇亦不过如是,斗将下去,二人中必有一伤。此时他若现身喝止,二人自必立时罢手。但今日不斗,明日仍将拼个你死我活,总不能时时刻刻跟在二子身边,寸步不离的防范。他越瞧越痛心,想起自己身世之惨,不由得泪如雨下。

杨过幼时与二武兄弟有隙,其后重逢,相互间仍颇存芥蒂。他生性偏激,度量殊非宽宏,见二武相斗,初时颇存幸灾乐祸之念,但见武三通哭得伤心,想起自己命不久长,善念登起:"我一生没做过什么于人有益之事,死了以后,姑姑自然伤心,但此外念着我的,也不过是程英、陆无双、公孙绿萼等寥寥几个红颜知己而已。今日何不做桩好事,教这位老伯终身记着我的好处?"心念既决,将嘴唇凑到武三通耳边,低声说道:"武老伯,小侄已有一计,可令两位令郎罢斗。"

武三通心中一震,回过头来,脸上老泪纵横,眼中满是感激之色,但兀自将信将疑,实不知他有何妙法能解开这个死结。杨过低声道:"不过要得罪两位令郎,老伯可莫见怪。"

武三通紧紧抓住他双手,心意激动,说不出话来。他年轻时不知情爱滋味,娶妻是奉了父母之命,其后为情孽牵缠,难以排遣,自丧妻之后,感念妻子舍身救命的深恩,对何沅君的痴情已渐淡漠,老来爱子弥笃,只要两个儿子平安和睦,纵然送了自己性命,也所甘愿。此刻于绝境之中突然听到杨过这几句话,真如忽逢救苦救难的菩萨一般,大喜之下,感激无比。

　　杨过见了他的神色,心中不禁一酸:"我爹爹倘若尚在人世,亦必如此爱我。"低声道:"你千万不可给他们发觉,否则我的计策不灵。"

　　这时武氏兄弟越打越激烈,使的都是越女剑法。这是当年江南七怪中韩小莹一脉所传,两人自幼至大,也不知已一同练过几千百次,但这次性命相搏,却不能有半招差错,与平时拆招大不相同。武修文矫捷轻灵,纵前跃后,不住的找隙进击。武敦儒严守门户,偶然还刺一剑,却招式狠辣,劲力沉雄。

　　杨过瞧了一阵,心想:"郭伯伯武功之强,冠绝当时,但他传授徒儿似乎未得其法,武氏兄弟又资质平平,看来郭伯伯武功的一成也没学到。"突然纵声长笑,缓步而出。

　　武氏兄弟大吃一惊,分别向后跃开,按剑而视,待认清是杨过,齐声喝道:"你来这儿干什么?"杨过笑道:"你们又在这儿干什么?"武修文哈哈一笑,道:"我兄弟俩中夜无事,练练剑法。"杨过心道:"究竟小武机警,这当儿随口说谎,居然行若无事。"冷笑一声,说道:"练剑居然练到不顾性命,嘿嘿,用功啊,用功!"武敦儒怒道:"你走开些,我兄弟的事不用你管。"

　　杨过冷笑道:"倘若真是练武用功,我自然管不着。可是你们出招之际,心中尽想着我的芙妹,我不管谁管?"武氏兄弟听到"我的芙妹"四字,心中震动,不由自主的都长剑一颤。武修文厉声道:"你胡说八道什么?"杨过道:"芙妹是郭伯伯、郭伯母的亲生女儿不是?婚姻大事须凭父母之命是不是?郭伯伯早将芙妹的终身许配于我,你们又非不知,却私自在这里斗剑,争夺我未过门的妻子,你哥儿俩当我杨过是人不是?"

这番话说得声色俱厉,武氏兄弟登时语塞。他们确知郭靖一向有意招杨过为婿,但黄蓉与郭芙却对他不喜,这时突然给他说中心事,兄弟俩相顾互视一眼,不知如何对答。武修文较有急智,冷笑道:"哼,未过门的妻子?也亏你说得出口!这婚事有媒妁之言没有?你行过聘没有?下过文定没有?"

杨过冷笑道:"好啊,那么你哥儿俩倒是有父母之命、媒妁之言了?"宋时最重礼法,婚姻大事非有父母之命、媒妁之言不可。武氏兄弟本拟两人决了胜败之后,败者自尽,胜者向郭芙求婚,那时她无所选择,自必允可,然后再一同向郭靖夫妇求恳,不料竟有个杨过来横加插手。武修文微一沉吟,说道:"师父有意将芙妹许配于你,这话说不定也是有的。可是师母却有意许我兄弟之中一人。眼下咱们三人均是一般,谁都没名份,日后芙妹的终身属谁,却难说得很呢。"

杨过仰头向天,哈哈大笑。武修文怒道:"难道我的话错了?"杨过笑道:"错了,错了。郭伯伯固然喜欢我,郭伯母更加喜欢我。你两兄弟怎能跟我相比?"武修文道:"哼,你信口开河,有谁信了?"杨过笑道:"哈哈,郭伯母私下早就许了我啦,否则我怎肯如此出力的救我岳父岳母?这都是瞧在我那芙妹份上啊。你说,你师母亲口答允过你们没有?"

二武惶然相顾,心想师母当真从未有过确切言语,连言外之意也未露过半分,莫非真的许了这小子?两人本要拼个你死我活,此时斗然杀出一个强敌,兄弟俩敌忾同仇,不禁互相靠近了一步。

杨过曾偷听到郭芙和他兄弟俩的说话,有意要激得他二人对己生妒,笑吟吟的道:"芙妹曾对我言道:两位武家哥哥缠得她好紧,她无可推托,只好说两个都喜欢。哈哈,世上哪有一个好女子会同时爱上两个男人?我那芙妹端庄贞淑,更加决无此理。我跟你们实说了罢,两个都喜欢,便是一个都不喜欢。"学着郭芙那晚的语气,娇声嗲气的道:"小武哥哥,你体贴我,爱惜我,你便不知我心中可有多为难么？大武哥哥,你就是这么阴阳怪气的,你要跟我说什么?"

武氏兄弟勃然变色。这几句话是郭芙分别向两人所说,当时并无第三人在,若非她自己转述,杨过焉能得知？二人心中痛如刀绞,想起郭芙始终不肯许婚,原来竟是为此。

杨过见了二人神色,知道计已得售,正色说道:"总而言之,芙妹是我未过门的妻子,日后我和她百年好合,白头偕老,相敬如宾,子孙绵绵……"说到这里,忽听得身后发出幽幽一声长叹,竟是小龙女的声音。杨过脱口叫道:"姑姑!"却不闻应声,随即省悟是山洞中的李莫愁所发,此人决不可与武氏父子照面,便大声道:"你哥儿俩自作多情,枉自惹人耻笑。瞧在我岳父岳母脸上,此事我也不计较。你们好好回到襄阳,去助我岳父岳母守城,方是正事。"口口声声的竟将郭靖夫妇称作了"岳父、岳母"。

武氏兄弟神色沮丧,伸手互握。武修文惨然道:"好,杨大哥,祝你和郭师妹福……福寿无疆。我兄弟俩远走天涯,世上算是没我们两兄弟了。"说着两人一齐转身。

杨过暗暗欢喜,心想他二人已恨极了我,又必深恨郭芙,但两兄弟此后自然友爱深挚,终如其老父所愿。

武三通躲在树丛后,听杨过一番言语将两个爱儿说得不再相斗,心中大喜,见两子携手远去,忍不住叫道:"文儿,儒儿,咱们一块儿走。"

二武听到父亲呼喝,一怔之下,齐声叫道:"爹爹。"武三通向杨过深深一揖,说道:"杨兄弟,你的恩情厚意,老夫终身感念。"杨过不禁皱眉,心想这话怎能在二武之前吐露,待要乱以他语,武修文已然起疑,说道:"大哥,这小子所说,未必是真。"武敦儒不擅言辞,机敏却绝不亚于乃弟,朝父亲望了一眼,转向兄弟,点了点头。

武三通见事情要糟,忙道:"别错会了意,我可没叫杨兄弟来劝你们。"武氏兄弟本来不过略有疑心,听了父亲这几句欲盖弥彰的话,登时想起杨过素来与郭芙不睦,他与小龙女又情意深挚,适才所言多半不确。武修文道:"大哥,咱们一齐回襄阳去,亲口向芙妹问个明白。"武敦儒道:"好!旁人花言巧语,咱们须不能上当。"武修文道:"爹爹,你也去襄阳罢。师父师母是你旧交,你见见他们去。"武三通道:"我……我……"满脸胀得通红,不知如何是好,要待摆出为父尊严对二子呵斥责骂,又怕他们当面唯唯答应,背着自己却又去拼个你死我活。

杨过冷笑道:"武二哥,'芙妹'两字,岂是你叫得的?从今而后,这两字非但不许你出口,连心中也不许想。"武修文怒道:"好啊,天下竟有如此蛮不讲理之人?'芙妹'两字,我已叫了七八年,不但今天要叫,日后也要叫。芙妹,芙妹,我的芙妹……"突然啪的一下,左颊上给杨过结结实实打了一记耳光。

武修文跃开两步,横持长剑,低沉着嗓子道:"好,姓杨的,咱们有多年没打架了。"武三通喝道:"文儿,好端端的打什么架?"杨过转过头去,正色道:"武老伯,你到底帮谁?"按着常理,武三通自是相帮儿子,但杨过这番出头,明明是为了阻止他兄弟俩自相残杀,不由得张口结舌,说不出话来。杨过道:"这样罢,你安安稳稳的坐在这里。我不会伤他们性命,料他们也伤不了我,你只管瞧热闹便是。"他年纪比武三通小得多,但说出话来,武三通不由自主的听从,依言坐在石上。

杨过拔出君子剑,寒光挥动,嚓的一声响,将身旁一株大松树斩为两截,左掌推出,大松树上半截倒在一旁,切口之处,平整光滑。武氏兄弟见他宝剑如此锋锐,不禁相顾失色。杨过还剑入鞘,笑道:"此剑岂为对付两位而用?"顺手折了一根树枝,拉去枝叶,成为一根三尺来长的木棒,说道:"我说岳母对我偏心,你们两位定不肯信。这样罢,我只用这根木棒,你们两位用剑齐上。你们既可用我岳父、岳母所传武功,也可用你们朱师叔所传的一阳指,我却只用岳母所授的武功,只要我用错了一招别门别派的功夫,便算我输了。"

二武本来忌惮他武功了得,当日见他两次恶斗金轮国师,招数怪异,自己识都不识,但此时听他口口声声"岳父岳母",似乎郭芙已当真嫁了他一般,心中如何不气?何况他傲慢托大,既说以一敌二,用木棒对利剑,还说限使黄蓉私下传授的武艺,两兄弟心想自己连占三项便宜,若再不胜,也没脸再活在世上了。

武敦儒终觉如此胜之不武,摇了摇头,刚想说话,武修文已抢着道:"好,这是你自高自大,可不是我兄弟要叨你的光。若你错用了一招全真派或古墓派的武功,那便如何?"心想你这小子武功虽强,不过强在从全真派与古墓派学得了上乘功夫,当在桃花岛之际,你给我兄弟俩打得亡命而逃,又有什么了不起?是以用这番言语来挤兑于他。

杨过道:"咱们此刻比武,不为往时旧怨,也不为今日新恨,乃是为芙妹而斗。倘若我输了,我只要再向她瞧上一眼,再跟她说一句话,我便是猪狗不如的无耻之徒。但若你们输了呢?"这几句话自是逼得他兄弟俩非跟着说不可。

事当此际,武修文只得道:"咱们兄弟俩输了,也永不再见芙妹之面。"杨过向武敦儒道:"你呢?"武敦儒怒道:"咱兄弟同心一意,岂有异言?"杨过笑道:"好,你们今日输了,倘若不守信约,那便是猪狗不如的无耻之徒,是也不是?"武修文道:"不错。你也一样。看招罢!"说着长剑挺出,往杨过腿上刺去。武敦儒同时出剑,却挡在杨过左侧,只一招间,便成左右夹攻之势。

杨过径向前跃,叫道:"兄弟同心,其利断金。你两兄弟联手,果然厉害。"武敦儒提剑又上,杨过举着木棒,只东闪西避,并不还手,说道:"'妻子如衣服,兄弟如手足,衣服破,尚可缝,手足断,不可续!'这首诗你们听见过么?"武修文喝道:"你啰唆些什么?师母私下传你的功夫,怎地不施展出来?"武敦儒一声不响,只催动剑力。

杨过道:"好,小心着,我岳母亲手所授的精妙功夫这就来了!"说着木棒上翻下绊,使个打狗棒法中的"绊"字诀,左手手指伸出,虚点武敦儒穴道。武敦儒向后闪避,武修文"哎"的一声叫,已给木棒绊了一交。

杨过初时在华山绝顶得洪七公授以打狗棒法招数,再见到黄蓉传授鲁有脚棒法口诀,自行拼凑,约莫学得了三成,其后在石阵之中,黄蓉指点心法,杨过再问疑难而得明解,他于打狗棒法的要旨及运用,已学到了七八成,只未经熟练而已,这时使将出来,二武如何能挡?

武敦儒见兄弟失利,长剑疾刺,急攻杨过。杨过道:"不错,同胞手足,有难同当。"木棒晃动,霎眼间竟已转到他身后,啪的一声,在他臀上抽了一下。他这木棒似乎转动甚慢,但所出之处全是对方意料不及的部位,打狗棒法变幻无方,端的是鬼神莫测。武敦儒吃了这棒虽不疼痛,但显是输了一招,惧意暗生。

武修文跃起身来,叫道:"这是打狗棒法,哪里是师母暗中相授?明明是师母传授鲁长老之时,咱们一起在旁瞧见的,你偷学几招,算得什么?"杨过木棒伸出,啪的一下,又绊了他一交,这一次却教他向前直扑。武敦儒长剑横削,护住了兄弟。

杨过待武修文爬起身来,笑道:"咱们一齐瞧见,何以我会使,你却不会?我岳母跟鲁长老说的只是口诀,招数却是我岳母暗中传我的。连我的芙妹也不会,你们如何懂得?"

武修文不知他曾有异遇,当洪七公与欧阳锋比拼之时曾将招数说给他听,又不知后来在石阵中,黄蓉为了要杨过共御金轮国师,又再详加点拨,心想他这话多半不假,否则何以他一闻口诀即能使棒,自己却半点不解,万万不信此人的天资竟比自己高出了这许多,但兀自强辩:"这是因为各人品格不同了。这棒法唯丐帮帮主可使,咱们无意之中听见,未有师母之命,岂能偷学?只有卑鄙小人才牢牢记住了。你不知羞耻,徒惹旁人耻笑。"

杨过哈哈大笑,木棒虚晃,啪啪两声,在二人背上各抽一记。武氏兄弟急忙后跃,满脸胀得通红。杨过笑道:"此刻既无对证,我虽用打狗棒法胜了,你们仍然心服口不服。好罢,我另使一门我岳母暗中所授的功夫,给你们见识见识。"他瞧瞧大武,又瞧瞧小武,问道:"我岳母的武功,是何人所授?"

武修文怒道:"你再不要脸,岳母长岳母短的,咱们不跟你说话啦。"杨过一笑,道:"那又何必如此小气? 好,我问你,你师母拜洪老帮主为师之前,武功传自何人?"武修文道:"我师母乃桃花岛黄岛主之女,武功是黄岛主嫡传,天下谁不知闻?"杨过道:"不错。你们在桃花岛居住多年,可知黄岛主的绝技是什么功夫?"武修文道:"黄岛主文才武略,无所不通,无所谓绝技不绝技。"杨过道:"这话倒也不错,以剑而论,黄岛主使的是什么剑法?"武修文道:"你何必明知故问? 黄岛主玉箫剑法独步武林,名震天下,江湖上无人不知。"

杨过道:"你们见过黄岛主没有?"武修文道:"黄岛主当然见过。"杨过道:"那他老人家的玉箫剑法,你们见过没有?"武修文冷笑道:"黄岛主在我们小辈面前,从不轻易施展掌法剑法,但那一年黄岛主生日,师母设宴遥祝,宴后师母曾使过一次,展示岛主他老人家武功的神妙,咱兄弟俩与芙妹倒亲眼得见。那时杨兄已到全真教另投明师去了。"杨过笑道:"不错,后来我岳母……好好,后来你师母暗中却把玉箫剑法传了我了。"

武氏兄弟相顾一眼,都摇头不信,心想当年杨过虽曾拜黄蓉为师,但知师母只教他读书,并未传授武功,因之在桃花岛上相斗,他不是自己兄弟敌手,最后打伤武修文那一推,听柯公公说是西毒欧阳锋的蛤蟆功。想那玉箫剑法繁复奥妙,郭芙虽是师母的独生爱女,迄今亦未得传授。杨过终南山归来,每次与师母相见,均匆匆数面便即分手,就算师母有心传他剑法,也未必有此余暇。见他以木棒作剑,心想用剑削断他的木棒,便算是赢了。

杨过木棒轻摆,叫道:"瞧着,这是'萧史乘龙'!"以棒作剑,倏地伸出,噗的一声轻响,武敦儒右胸早着。木棒若是换作利剑,这一剑穿胸而过,他早性命不保了。

武修文见机得快,长剑疾出,攻向杨过右胁,终究还是慢了一步,杨过木棒回转,忽地刺向他的右腕。这一招后发而先至,武修文剑尖未及对方身体,手腕先得给棒端刺中,长剑便非脱手不可。他急忙收剑变招,缩腕回剑,左腿踢出,杨过的木棒却已刺向武敦儒肩头,身随棒去,寓守于攻,对武修文这一腿竟不避而避。武修文一脚踢空,武敦儒却已情势紧迫,疾挥长剑严守门户,才不让木棒刺中了身子。

数招之间,二武已手忙脚乱,拼命守御还有不及,哪有余暇挥剑去削他木棒?杨过口中叫出招数:"山外清音,金声玉振,凤曲长鸣,响隔楼台,棹歌中流……"木棒连刺,潇洒自如,着着都是攻势,一招不待二武化解开去,第二招第三招已连绵而至。他东刺一棒,西削一招,迫得二武并肩力抗,竟尔不敢相离半步。

二武当时看黄蓉使这剑法,瞧过便算,只道这些俊雅花俏的招数只求美观,仅为舞剑而用,怎想得到其中竟有如许妙用?听他所叫的招数,似乎当日黄蓉确也说过,二人剑上受制,固极窘迫,心中却更难过,深信杨过这门玉箫剑法确是黄蓉亲传。怎想得到杨过与黄药师曾相聚多日,得他亲自指点玉箫剑法与弹指神通两门绝技?

杨过见二人神色惨然,微感不忍,但想好事做到底,送佛送上西,今日若不将他二人打得服服贴贴,永不敢再见郭芙之面,两兄弟日后定要再为她而恶斗,直至二人中有一个送命为止。有道是药不瞑眩,厥疾不瘳,既要奏刀治病,非让病人吃些苦头不可,催动剑法,着着进迫,竟一招也不放松。二武愈斗愈惊,但见棒影晃动,自己周身要害似已全在他棒端笼罩之下,只得咬紧牙关,拼命抵御。

二武所学的越女剑本来也是一门极厉害的剑法,只二人火候未到,郭靖又口齿拙劣,不善将剑法中精微奥妙之处详加指点。因此他兄弟若与一般江湖好手较量,取胜固已有余,在杨过这大高手的木棒之下却破绽百出,不知其可。杨过的玉箫剑法本来也未学好,但他武功比二武高得太多,转折处用上一二招玉女剑法,二武也分辨不出,何况二武心中伤痛,急怒交加,不免出手更乱。

杨过不使杀着，却将内力慢慢传到棒上。二武斗了一阵，只觉对方手里这根树枝中竟有一股极强吸力，牵引得双剑歪歪斜斜，自己一剑明明是向对方刺出，然剑尖所指，不是偏左，便刺到了右边。木棒上牵引之力越来越强，到后来两兄弟几成互斗。武敦儒刺向杨过的一招往往险些中了兄弟，而武修文向杨过削去的一剑，也令兄长竭尽全力，方能化解。

　　杨过长笑一声，叫道："玉箫剑法精妙之处，尚不止此，小心了！"笃的一响，木棒与大武长剑相交，但碰到的是剑面，木棒丝毫无损。武敦儒立感一股极大的黏力向外拉扯，长剑几欲脱手，忙运力回夺。杨过木棒顺势斜推，连武修文的长剑也已黏住，跟着向下压落，双剑剑头一齐着地。武氏兄弟奋力回抽，刚有些微松动，杨过左脚跨前，已踏住了两柄长剑，木棒倏起，棒端在二武咽喉中分别轻轻一点，笑道："服了吗？"

　　这木棒如换作利刃，两人喉头早已割断，就算是这根木棒，只要他手上劲力稍大，两人也非受重伤不可。二武脸如死灰，黯然不语。杨过抬起左脚，向后退开三步，见两兄弟神情狼狈，想起幼时受他们殴打折辱，今日始得扬眉吐气，脸上不自禁现出得意神色。

　　二武此时更无丝毫怀疑，确信杨过果得黄蓉传了绝技，但自幼痴恋郭芙，若如此一战，即便永不再与她相见，终是心有不甘，又觉适才斗剑之时，一上来即让对方抢了先着，此后一路手忙脚乱的招架，师授武艺连一成也没使上，新练成的一阳指更无施展的机缘。武修文突然喝道："大哥，咱们倘若就此罢手，活在世上还有什么意味？不如跟他拼了！"武敦儒心中一凛，叫道："是！"两人挺剑抢攻，更不守御自身要害，招招舍身疾攻。

　　如此一变招，果然威力大盛，二人只攻不守，拼着性命丧在杨过棒下，也要与他斗个同归于尽。杨过木棒指向二人要害，二武竟全然不理，右手使剑，左手将一阳指的手法使将出来，各以平生绝学，要取敌人性命。杨过笑道："好，如此相斗，才有点味儿！"索性抛去木棒，空着双手在二人剑锋之间穿来插去，时时双掌互拍出声,显得行有余力。

武三通旁观三人动手,一时盼望杨过得胜,好让两个儿子息了对郭芙之心,然见二子迭遇险招,又不免盼他二人打败杨过,心情起伏,动荡无已。

猛听得杨过一声清啸,伸指各在二人剑上一弹,铮铮两声,两柄长剑向天飞出。杨过纵身而出,将双剑分别抄在手中,笑道:"这弹指神通功夫,也是我岳母传的!"

到此地步,武氏兄弟自知若再与他相斗,徒然自取其辱。杨过倒转双剑,轻掷过去,拱手道:"多有得罪。"武修文接过长剑,惨然道:"是了,我永不再见芙妹便是。"说着横过长剑,便往颈中刎去。武敦儒与兄弟的心意无异,同时横剑自刎。杨过一惊,飞纵而前,铮铮两响,又伸指弹上双剑。两柄长剑向外翻出,剑刃相交,当的一声,两剑同时断折。

就在此时,武三通也已急跃而前,一手一把,揪住二人的后颈,厉声喝道:"你二人为了一个女子,便要自残性命,真是枉为男子汉了。"

武修文抬起头来,惨然道:"爹,你……你不也是为了一个女子……而伤心一辈子么? 我……"话未说完,星光下只见父亲脸上泪痕斑斑,显是心中伤痛已极,猛想起兄弟互斗,实大伤老父之情,哇的一声,竟哭了出来。武三通手一松,将他搂在怀内,左手却抱住了武敦儒,父子三人搂作一团。武敦儒想起自己对郭芙一片真情,哪想到她暗中竟与杨过要好,连师母也瞒过自己兄弟,将生平绝技传了她心目中的快婿,看来旁人皆是假心假意,只有父子兄弟之情才是真的,伏在父亲怀内,不由得也哭了出来。

杨过生性飞扬跳脱,此举存心虽善,却也弄得武氏兄弟狼狈万状,眼见他父子三人互相爱怜,不禁心想:"他们父子兄弟,何等亲热,我却既无父亲,又没兄弟。"又想,我虽命不久长,总算临死之前做了桩好事。

只听武三通道:"傻孩子,大丈夫还怕没老婆吗? 姓郭的女孩子对你们既没真心，又何必牵挂于她？咱父子眼前的第一件大事，却是什么？"武修文抬起头来，说道："要报妈妈的大仇。"武三通厉声道："是啊！咱父子便走遍天涯海角，也要找到那赤练魔头李莫愁。"

杨过一惊，心道："快些引开他们三人，这话给李师伯听见了可大大不妙。"他心念甫动，只听得山洞中李莫愁冷笑道："又何必走遍天涯海角？李莫愁在此恭候多时。"说着从洞里走了出来，只见她左手抱婴儿，右手持拂尘，凉风拂衣，神情潇洒。

武氏父子万想不到这魔头竟会在此时此地现身，武三通大吼一声，扑了上去。武敦儒与武修文长剑已折，各自拾起半截断剑，上前左右夹击。杨过大叫："四位且莫动手，听在下一言。"武三通红了眼睛，叫道："杨兄弟，先杀了这魔头再说。"说话之时，左掌右指已连施三下杀着，武氏兄弟剑刃虽断，但近身而攻，半截断剑便如匕首相似，也是威力不小。

杨过知他们身有血仇，决不肯听自己片言劝解便此罢手，只是生怕误伤了婴儿，叫道："李师伯，你将孩子给我抱着。"

武三通一怔，退开两步，问道："你怎地叫她师伯？"李莫愁笑道："乖师侄，你攻这疯子的后路，孩子我自抱着。"她接了武三通三招，觉他功力大进，与当年在嘉兴府动手时已颇不相同，而武氏兄弟也非庸手，三人舍命抢攻，颇感不易对付，是以故意叫杨过"乖师侄"，好分三人之心。武三通果然中计，叫道："儒儿、文儿，你们提防那姓杨的，我独个儿跟这魔头拼了。"杨过垂手退开，说道："我两不相助，但你们千万不可伤了孩子。"武三通见他退开，心下稍宽，催动掌力，着着进逼。

李莫愁舞动拂尘抵御，说道："两位小武公子，适才见你们行事，也算得是多情种子，不似那些无情无义的薄幸男人可恶。瞧在这个份上，今日饶你们不死，给我快快去罢！"武修文怒道："贼贱人，你这狼心狗肺的恶婆娘，凭什么说多情不多情？"说着欺身直上，狠招连发。李莫愁怒道："臭小子不知好歹！"拂尘转动，自内向外，一个个圈子滚将出来。二武的断剑与她拂尘一碰，只觉胸口剧震，断剑险些脱手。武三通呼的一掌劈去，李莫愁回过拂尘抵挡，这才解了二武之围。

杨过慢慢走到李莫愁身后，只待她招数中稍有空隙，立即扑上抢她怀中婴儿。但武氏父子大呼酣斗，逼得李莫愁挥动拂尘护住了全身，竟丝毫找不到破绽，眼见武氏父子出手全无顾忌，招数中全无避开孩子之意，若有差失，如何对得住郭靖夫妇？他大声叫道："李师伯，孩子给我！"抢将上去，挥掌震开拂尘，便去抢夺婴儿。

这时李莫愁身处四人之间，前后左右全是敌人，已缓不出手来与他争夺，但若就此让他将孩子抢去，心有不甘，厉声喝道："你敢来抢？我手臂一紧，瞧孩子活是不活？"杨过一愕，哪敢上前？

李莫愁如此心神微分，武三通左掌猛拍，掌底夹指，右手食指已点中了她腰间。李莫愁登时半身酸麻，一个踉跄，几欲跌倒，乘势飞足踢去武敦儒手中断剑，拂尘猛向武修文挥落。武三通抓住武修文后心往后急扯，才令他避过了这追魂夺命的一拂。李莫愁受伤不轻，拂尘连挥，夺路进了山洞。

武三通大喜，叫道："贼贱人中了我一指，今日已难逃性命。"武氏兄弟手挺断剑，便要冲进洞去。武三通道："且慢，小心贱人的毒针，咱们在此守住，且想个妥善之策……"话未说完，忽听得山洞中一声大吼，扑出一头豹子。

这头猛兽突如其来，武三通父子三人都大吃一惊，只一怔之间，银光闪动，豹子肚腹之下蓦地里射出几枚银针。这一下更万万料想不到，总算武三通武功深湛，应变迅捷，危急中纵身跃起，银针从足底扫过，但听武氏兄弟齐呼"啊哟"，只吓得他一颗心怦怦乱跳，却见李莫愁从豹腹下翻将上来，骑在豹背，拂尘插在颈后衣领之中，左手抱着婴儿，右手揪住豹颈，纵声长笑。那豹子连蹿数下，已跃入了山洞。

这一着却也大出杨过意料之外,他眼见豹子远走,急步赶去,叫道:"李师伯……"武三通见两个爱儿倒地不起,忧心如焚,伸手抱住杨过,叫道:"今日我跟你拼了。"杨过毫没防备,给他抱个正着,急道:"快放手!我要抢孩子回来!"武三通道:"好好好,咱们大伙儿一块死了干净。"杨过急使小擒拿手想扳开他手指。武三通惶急之余,又有些疯了,武功却丝毫未失,左手牢牢抱住他腰,右手勾封扣锁,竟也以小擒拿手对拆。

　　杨过见李莫愁骑在豹上已走得影踪不见,再也追赶不上,叹道:"你抱住我干么?救他们的伤要紧啊。"武三通喜道:"是,是!这毒针之伤,你能救么?"说着放开了他腰。杨过俯身看武氏兄弟时,见两枚银针一中武敦儒左肩,一中武修文右腿,便在这片刻之间,毒性延展,二人已呼吸低沉,昏迷不醒。杨过在武敦儒袍子上撕下一块绸片,裹住针尾,分别将两枚银针拔出。武三通急问:"你有解药没有?有解药没有?"杨过眼见二武中毒难救,黯然摇头。

　　武三通父子情深,心如刀绞,想起妻子为自己吮毒而死,突然扑到武修文身上,伸嘴凑往他腿上伤口。杨过大惊,叫道:"使不得!"顺手一指,点中了他背上的"大椎穴"。武三通不防,登时摔倒,动弹不得,眼睁睁望着两个爱儿,脸颊上泪水滚滚而下。

　　杨过心念一动:"再过六日,我身上的情花剧毒便发,在这世上多活六日,少活六日,没太大分别。武氏兄弟人品平平,但这位武老伯却是至性至情之人,和我心意相合,他一生不幸,罢罢罢,我舍却六日之命,让他父子团圆,以慰他老怀便了。"伸嘴到武修文腿上给他吸出毒质,吐出几口毒水之后,又给武敦儒吮吸。

　　武三通在旁瞧着,想起妻子为自己吮吸毒质,救了自己性命,她却中毒身亡,此时杨过所做的,便是旧事重演,心中感激之极,苦于给点中穴道,没法与他一齐吮吸毒液。杨过在二武伤口上轮流吸了一阵,只觉苦味渐转咸味,头脑却越来越晕眩,知自己中毒已深,再用力吸了几口,吐出毒汁,眼前一黑,晕倒在地。

此后良久良久没知觉,渐渐的眼前晃来晃去似有许多模糊人影,要待瞧个明白,却越瞧越胡涂,也不知再过多少时候,这才睁开眼来,只见武三通满脸喜色的望着自己,叫道:"好啦,好啦!"突然跪倒在地,咚咚咚咚的磕了十几个响头,说道:"杨兄弟,你……你救了我……我两个孩儿,也救了我这条老命。"爬起身来,又扑到一个人跟前,向他磕头,叫道:"多谢师叔,多谢师叔。"

杨过向那人望去,见他颜面黝黑,高鼻深目,形貌与尼摩星有些相像,短发鬈曲,一片雪白,年纪已老。杨过只知武三通是一灯大师的弟子,却不知他尚有一个天竺国的师叔,待要坐起,却半点使不出力道,四下一看,原来已睡在床上,正是在襄阳自己住过的室中,才知自己未死,还可与小龙女再见一面,不禁出声而呼:"姑姑,姑姑!"

一人走到床边,伸手轻轻按在他的额上,说道:"过儿,好好休息,你姑姑有事出城去了。"却是郭靖。杨过见他伤势已好,心中大慰,随即想起:"郭伯伯伤势复原,须得七日七夜之功,难道我这番昏晕,竟已过了多日?可是我身上情花之毒却又如何不发?"一愕之下,脑中迷糊,又昏睡过去。

待得再次醒转,已是夜晚,床前点着一枝红烛,武三通仍坐在床头,目不转睛的望着自己。杨过淡淡一笑,说道:"武老伯,我没事了,你不用耽心。两位武兄都安好罢?"武三通热泪盈眶,不住点头,却说不出话来。

杨过生平从未受过别人如此感激,很觉不好意思,岔开话题,问道:"咱们怎地回襄阳来的?"武三通伸袖拭了拭眼泪,说道:"我朱师弟受你师父龙姑娘之托,送汗血宝马到荒谷中来给你,瞧见咱们四人都倒在地下,便救回城来。"杨过奇道:"我师父怎知我在那荒谷?她又有什么事分身不开,要请朱老伯送马给我?"武三通摇头道:"我回城之后,也没与龙姑娘遇着。朱师弟说她年纪轻轻,武功出神入化,可惜这次我无缘拜见。少年英雄如此了得,我跟朱师弟说,咱们的年纪都活在狗身上了。"

杨过听他夸奖小龙女，语意诚恳，甚是欢喜，按年纪而论，武三通便要做小龙女的父亲也绰绰有余，但话中竟用了"拜见"两字，自是因其徒而敬其师了。杨过微微一笑，又道："小侄之伤……"只说了四个字，武三通抢着道："杨兄弟，武林中有人遇到危难，互相援手虽是常事，但如你这般舍己救人，救的我这两个小儿，从前又大大得罪过你，这般大仁大义之事，除了我师父之外，再也无人做得……"杨过不住摇头，叫他别说下去了。

　　武三通不理，续道："我若叫恩公，谅你也不肯答应。但你如再称我老伯，那你分明是瞧我武三通不起了。"杨过性子爽快，向来不拘小节，他心中既以小龙女为妻，凡是不守礼俗、倒乱称呼之事，无不乐从，欣然道："好，我叫你作武大哥便是。不过见了两位令郎，倒不便称呼了。"武三通道："称呼什么？ 他们的小命是你所救，便给你做牛做马也是该的。"

　　杨过道："武大哥，你不用多谢我。我身上中了情花剧毒，本就难以活命，为两位令郎吮毒，丝毫没什么了不起。"武三通摇头道："杨兄弟，话不是这么说。别说你身上之毒未必真的难治，便算确实无药可救，凡人多活一时便好一时，纵是片刻之命，也决计难舍。世上并无不死之人，就算武功通天，到头来终究要死，然则何以人人仍是乐生恶死呢？"

　　杨过笑了笑，问道："咱们回到襄阳有几日啦?"武三通道："到今天已是第七天。"杨过脸现迷茫之色，道："按理我已该毒发而死，怎地尚活在世上，也真奇了。"武三通喜道："我那师叔是天竺国神僧，治伤疗毒，算得天下第一。昔年我师父误服了郭夫人送来的毒药，便是他给治好的。我这就请他去。"说着兴冲冲的出房。

　　杨过一喜："莫非当我昏晕之时，那位天竺神僧给我服了灵丹妙药，竟连情花剧毒也化解了。不知姑姑到了何处? 她如得悉我能不死，真不知该有多快活呢!"想到缠绵处，心头一荡，胸口突然如为大铁锤猛击一记，剧痛难当，忍不住大叫一声。自服了裘千尺所给的半枚丹药之后，迄未经历过如此难当大痛，想是半枚丹药药性已过,而身上毒性却未驱除,紧紧抓住胸口,牙齿咬得格格直响,片刻间满头大汗。

正痛得死去活来,忽听得门外有人口宣佛号:"南无阿弥陀佛!"天竺僧双手合什,走了进来。武三通跟在后面,见杨过神情狼狈,大吃一惊,问道:"杨兄弟,你怎么啦?"转头向天竺僧道:"师叔,他毒发了,快给他服解药!"天竺僧不懂他说话,走过去为杨过按脉。武三通道:"是了!"忙去请师弟朱子柳过来传译。朱子柳精通梵文内典,能与天竺僧交谈。

杨过凝神半响,疼痛渐消,将中毒的情由对天竺僧说了。天竺僧细细问了情花的形状,大感惊异,说道:"这情花是上古异卉,早已绝种。佛典中言道:当日情花害人无数,文殊师利菩萨以大智慧力化去,世间再无流传。岂知中土尚有留存。老衲从未见过此花,实不知其毒性如何化解。"说着脸上深有悲悯之色。武三通待朱子柳译完天竺僧的话,连叫:"师叔慈悲!师叔慈悲!"

天竺僧双手合什,念了声:"阿弥陀佛!"闭目垂眉,低头沉思。室中一片寂静,谁也不敢开口。过了良久,天竺僧睁眼来,说道:"杨居士为我两个师侄孙吮毒,依那冰魄银针上的毒性,只要吮得数口,立时毙命,但杨居士至今健在,而情花之毒到期发作,亦未致命。莫非以毒攻毒,两般剧毒相侵相克,杨居士反得善果么?"朱子柳连连点头,译了这番话,杨过也觉有理。

天竺僧又道:"常言道善有善报,杨居士舍身为人,真乃莫大慈悲,此毒必当有解。"武三通听了朱子柳传译,大喜跃起,叫道:"便请师叔赶快施救。"天竺僧道:"老衲须得往绝情谷走一遭。"杨过等三人都一呆,心想此去绝情谷路程不近,一去一回,耽搁时候不少。天竺僧道:"老衲须当亲眼见到情花,验其毒性,方能设法配制解药。老衲回返之前,杨居士务须不动丝毫情思绮念,否则疼痛一次比一次厉害。伤了真元,可就不能相救了。"

杨过尚未答应,武三通大声道:"师弟,咱们齐去绝情谷,逼那老乞婆交出解药。"朱子柳当日为霍都所伤,蒙杨过用计取得解药,早存相报之念,说道:"正是,咱们护送师叔同去,是咱哥儿俩强取也好,是师叔配制也好,总得把解药取来。"

师兄弟俩说得兴高采烈,天竺僧却呆呆望着杨过,眉间深有忧色。

郭芙见杨过坐倒在地，再无力气抗御，只举起右臂护在胸前，眼神中却殊无半分乞怜之色。她心中怒极，手上加劲，挥剑斩落。

第二十四回　惊心动魄

杨过见天竺僧淡碧色的眸子中发出异光,嘴角边颇有凄苦悲悯之意,料想自身剧毒难愈,以致这位疗毒圣手也为之束手,淡淡一笑,说道:"大师有何吩咐,请说不妨。"天竺僧道:"这情花的祸害与一般毒物全不相同。毒与情结,害与心通。我瞧居士情根深种,与那毒素牵缠纠结,极难解脱,纵使得了绝情谷的半枚丹药,也未必便能清除。但若居士挥慧剑,斩情丝,这毒不药自解。我们上绝情谷去,不过是各尽本力,十之八九,却须居士自为。"杨过心想:"要我绝了对姑姑情意,又何必活在世上?还不如让我毒发而死的干净。"口中只得称谢:"多谢大师指点。"他本想请武三通等不必到绝情谷去徒劳跋涉,但想这干人义气深重,决不肯听,说了也属枉然。

武三通笑道:"杨兄弟,你安心静养,决没错儿。咱们明日一早动身,尽快回来,待驱除了你的病根子,得痛痛快快喝你和郭姑娘的一杯喜酒。"杨过一怔,但想此事一时三刻也说不清楚,只得随口答应了,见三人辞出,掩上了门,便又闭目而卧。

这一睡又是几个时辰,醒转时但听得啼鸟鸣喧,已是黎明。杨过数日不食,腹中饥饿,见床头放着四碟美点,伸手便取过几块糕饼来吃,吃得两块,忽听门上有剥啄之声,接着呀的一声,房门轻轻推开。

这时床头红烛尚剩着一寸来长,兀自未灭,杨过见进来那人身穿淡红衫子,俏脸含怒,竟是郭芙。杨过一呆,说道:"郭姑娘,你好早。"郭芙哼了一声,却不答话,在床前的椅上一坐,秀眉微竖,睁着一双大眼怒视着他,隔了良久,仍一句话不说。

杨过给她瞧得心中不安,微笑道:"郭伯伯要你来吩咐我什么话么?"郭芙说道:"不是!"杨过连碰了两个钉子,若在往日,早已翻身向着里床,不再理睬,但此刻见她神色有异,猜不透她大清早到自己房中来为了何事,又问:"郭伯母产后平安,已大好了罢?"郭芙脸上更似罩了一层寒霜,冷冷的道:"我妈妈好不好,也用不着你关心。"

这世上除了小龙女外,杨过从不肯对人有丝毫退让,今日竟给她如此顶撞,不由得傲气渐生,心道:"你父亲是郭大侠,母亲是黄帮主,便了不起么?"当下也哼了一声。郭芙道:"你哼什么?"杨过不理,又哼了一声。郭芙大声道:"我问你哼什么?"杨过心中好笑:"毕竟女孩儿家沉不住气,我这么哼得两声,便自急了。"说道:"我身子不舒服,哼两声便好过些。"郭芙怒道:"口是心非,胡说八道,成天生安白造,当真是卑鄙小人。"

杨过给她夹头夹脑一顿臭骂,心念一动:"莫非我哄骗武氏兄弟的言语给她知道了?"见她虽然生气,但容颜娇美,不由得见之生怜。他性儿中生来带着三分风流,忍不住笑道:"郭姑娘,你是怪我跟武家兄弟说的这番话么?"郭芙低沉着声音道:"你跟他们说些什么了?亲口招认给我听听。"杨过笑道:"我是为了他们好,免得他们亲兄弟拼个你死我活,伤了老父之心。这些话是武老伯跟你说的,是不是?"

郭芙道:"武老伯一见我就跟我道喜,把你夸到了天上去啦。我……我……女孩儿家清清白白的名声,能任由你乱说得的么?"说到这里,语声哽咽,两道泪水从脸颊上流了下来。杨过低头不语,好生后悔,那晚逞一时口舌之快,对武氏兄弟越说越得意,却没想到已损害了郭芙的名声,总是自己不分轻重,闯出这场祸来,确也不易收拾。

郭芙见他低头不语,更加恼恨,哭道:"武老伯说道,大武哥哥、小武哥哥两人打你不过,给你逼得从此不敢再来见我,这话可是真的?"杨过暗暗叹气:"武三通这人也真不知好歹,这些话又何必说给她听?"无可隐瞒,只得点了点头,说道:"我胡说八道,确是不该,但我实无歹意,请你见谅。"郭芙擦了擦眼泪,怒道:"昨晚的话,那又为了什么?"杨过一怔,道:"昨晚什么话?"郭芙道:"武老伯说,待治好你病后,要喝你……你和我的喜酒,你干么仍不知羞耻的答应?"杨过暗叫:"糟糕,糟糕!原来昨晚这几句话也给她听去了。"只得辩道:"那时我昏昏沉沉的,没听清楚武老伯说些什么。"

郭芙瞧出他是撒谎,大声道:"你说我妈妈暗中教你武功,看中了你,要招你作女婿,有这等事么?"杨过给她问得满脸通红,大是狼狈,心想:"与郭姑娘说笑,不过给人说一声轻薄无赖,反正我本就不是正人君子,那也罢了。但我谎言郭伯母暗中授艺,却损及郭伯母名声,此事可大可小,万万不能让郭伯母知晓。"忙道:"这都怪我出言不慎,请你遮掩则个,别让你爹爹妈妈知道。"郭芙冷笑道:"你既还怕爹爹,怎敢捏造谎言,辱我母亲?"杨过忙道:"我对伯母决无丝毫不敬之意,当时武家兄弟决意要拼死活,情势凶险,我为了要他二人绝念死心,兄弟不再拼杀,以致说话不分轻重……"

郭芙自幼与武氏兄弟青梅竹马一齐长大,对两兄弟均有情意,得知杨过骗得二人对自己死了心,永远不再见面,这份怒气如何再能抑制?又大声道:"这些事慢慢再跟你算帐。我妹妹呢?你把她抱到哪里去啦?"

杨过道:"是啊,快请郭伯伯过来,我正要跟他说。"郭芙道:"我爹爹出城找妹妹去啦。你……你这无耻小人,竟想拿我妹妹去换解药。好啊,你的性命要紧,我妹妹的性命便不值钱。"杨过一直暗自惭愧,但听她说到婴儿之事,心中却无愧天地,朗声道:"我一心一意要夺回令妹,交于你爹娘之手,若说以她去换解药,杨过绝无此心。"郭芙道:"那么我妹妹呢?她到哪儿去啦?"杨过道:"是给李莫愁抢了去,我夺不回来,好生有愧。只要我气力回复,一时不死,立时便去找寻。"

郭芙冷笑道:"这李莫愁是你师伯,是不是? 你们本来一齐躲在山洞之中,是不是?"杨过道:"不错,她虽是我师伯,可是素来和我师父不睦。"郭芙道:"哼,不和不睦? 她怎地又会听你的话,抱了我妹妹去给你换解药?"杨过一跳坐起,怒道:"郭姑娘你可别瞎说,我杨过为人虽不足道,焉有此意?"郭芙道:"好个'焉有此意'! 是你师父亲口说的,难道会假?"杨过道:"我师父说什么了?"

郭芙站直身子,伸手指着他鼻子,怒容满面的道:"你师父亲口跟朱伯伯说,你与李莫愁同在那荒谷之中,她请朱伯伯将我爹爹的汗血宝马送去借给你,好让你抱我妹妹赶到绝情谷去换取解药……"杨过惊疑不定,插口道:"不错,我师父确有此意,要我将你妹妹先行送去,得到那半枚绝情丹服了再说,但这不过是一时的权宜之计,也决不致害了你妹妹。我并没赞同,也没去做……"

郭芙抢着道:"我妹妹生下来不到一天,你拿去交给一个杀人不眨眼的恶魔,还说不致害了我妹妹。你这狼心狗肺的恶贼! 你幼时孤苦伶仃,我爹妈如何待你? 若非收养你在桃花岛上,养你成人,你早饿也饿死了。哪知道你恩将仇报,勾引外敌,乘着我爹爹妈妈身子不好,竟将我妹妹抢了去……"她越骂越凶,杨过一时之间哪能辩白? 中毒后身子尚弱,又气又急,咕咚一声,晕倒在床。

过了好一阵子,他才悠悠醒转。郭芙冷冷的凝目而视,说道:"想不到你竟还有一丝羞耻之心,自己也知如此居心,难容于天地之间了罢?"当真是颜若冰寒,辞如刀利。杨过长叹一声,说道:"我倘真有此心,何不抱了你妹妹,便上绝情谷去?"郭芙道:"你身上毒发,行走不得,这才请你师伯去啊。嘿嘿,我听你师父跟朱伯伯一说,便将汗血宝马藏了起来,叫你师徒俩的奸计难以得逞……"杨过道:"好好,你爱怎么说便怎么说,我也不必多辩。我师父呢? 她到哪里去啦?"

郭芙脸上微微一红,道:"这才叫有其师必有其徒,你师父也不是好人。"杨过大怒,坐起身来,说道:"你骂我辱我,瞧在你爹娘脸上,我也不来跟你计较。何况我出言不分轻重,确有不是,该向你赔罪,你却怎敢说我师父?"郭芙道:"呸!你师父便怎么了?谁教她不正不经的瞎说。"杨过心道:"姑姑清澹雅致,身上便似没半分人间烟火气息,如何能口出俗言?"也呸了一声,道:"多半是你自己心邪,将我师父好好一句话听歪了。"

郭芙本来不想转述小龙女之言,这时给他一激,忍不住怒火又冲上心口,说道:"她说:'郭姑娘,过儿心地纯善,他一生孤苦,你要好好待他。'又说:'你们原是天生……天生……一对!你叫他忘了我罢,我一点也不怪他。'她又将一柄宝剑给了我,说什么那是淑女剑,和你的君子剑正是……正是一对儿。这不是胡说八道是什么?"她又羞又怒,将小龙女那几句情意深挚、凄然欲绝的话转述出来,语气却已迥然不同。

杨过每听一句,心中就如猛中大铁椎一击,一片迷惘,不知小龙女何以有此番言语,过了一会,听郭芙话已说完,缓缓抬头,眼中忽发异光,喝道:"你撒谎骗人,我师父怎会说这些话?那淑女剑呢?你拿不出来,便是骗人!"郭芙冷笑一声,手腕一翻,从背后取出一柄长剑,剑身乌黑,正是那柄从绝情谷中得来的淑女剑。

杨过满腔失望,叫道:"谁要与你配成一对儿?这剑明明是我师父的,你偷了她的,你偷了她的!"

郭芙自幼生性骄纵,连父母也容让她三分,武氏兄弟更千依百顺,趋奉唯谨,哪里受得这样重话?她转述小龙女的说话,只因杨过言语相激,才不得不委屈说出,岂知他竟如此回答,听这言中含意,竟似自己设成了圈套,硬要嫁他,而他偏生不要。她大怒之下,手按剑柄,便待拔剑斩去,转念一想:"他对他师父如此敬重,我偏说一件事情出来,教他听了气个半死不活。"

这时她气恼已极,浑不想这番话说将出来有何恶果,唰的一响,将拔出了半尺的淑女剑往剑鞘中一送,笑嘻嘻的坐在椅上,说道:"你师父相貌美丽,武功高强,果然是人间罕有,就只一件事不妥。"杨过道:"什么不妥?"郭芙道:"只可惜行止不端,跟全真教的道士们鬼鬼祟祟,暗中来往。"杨过怒道:"我师父跟全真教有仇,怎会跟他们暗中来往?"郭芙冷笑道:"'暗中来往'这四个字,我还是说得文雅了的。有些话儿,我女孩儿家不便出口。"杨过越听越怒,大声道:"我师父冰清玉洁,你再瞎说一言半句,我扭烂了你的嘴。"郭芙眉间如聚霜雪,冷然道:"不错,她做得出,我说不出。好一个冰清玉洁的姑娘,却去跟一个臭道士相好。"

杨过铁青了脸,喝道:"你说什么?"郭芙道:"我亲耳听见的,难道还错得了?全真教的七名道士来拜访我爹爹,城中正自大乱,我爹妈身子不好,不能相见,就由朱伯伯和我去招待宾客……"杨过怒喝:"那便怎地?"郭芙见他气得额头青筋暴现,双眼血红,自喜得计,说道:"七名道士中一个叫赵志敬,一个叫甄志丙,可是有的?"杨过道:"有便怎地?"郭芙淡淡一笑,说道:"朱伯伯给他们安排了歇宿之处,也没再理会。哪知道半夜之中,一名丐帮弟子悄悄来报我知晓,说这两位道爷竟在房中拔剑相斗……"杨过哼了一声,心想甄赵二人自来不和,房中斗剑亦非奇事。

郭芙续道:"我好奇心起,悄悄到窗外张望,见两人已收剑不斗,但还在斗口。姓赵的说那姓甄的抱住你师父,怎样怎样,姓甄的并不抵赖,只怪他不该大声叫嚷……"

杨过霍地揭开身上棉被,翻身坐在床沿,喝道:"什么怎样怎样?"郭芙脸上微微一红,神色颇为尴尬,道:"我怎知道? 难道还会是好事了? 你宝贝师父自己做的事,她自己才知道。"语气之中,充满了轻蔑。杨过又气又急,心神大乱,反手一记,啪的一声,郭芙脸上中了一掌。他愤激之下,出手甚重,只打得郭芙眼前金星乱冒,半边面颊登时红肿,若非杨过病后力气不足,这一掌连牙齿也得打下几枚。

郭芙一生之中哪里受过此等羞辱? 狂怒之下,顺手拔出腰间淑女剑,便向杨过颈中刺去。

杨过打了她一掌,心想:"我得罪了郭伯伯与郭伯母的爱女,这位姑娘是襄阳城中的公主,郭伯伯郭伯母纵不见怪,此处我焉能再留?"伸脚下床穿了鞋子,见郭芙一剑刺到,他冷笑一声,左手回引,右手倏地伸出,虚点轻带,已将她淑女剑夺过。

郭芙连败两招,怒气更增,见床头又有一剑,正是君子剑,抢过去一把抓起,拔剑出鞘,便往杨过头上斩落。杨过见寒光闪动,举淑女剑在身前一封,哪知他昏晕七日之后出手无力,淑女剑举到胸前,手臂便软软的提不起来。郭芙剑身一斜,当的一声轻响,双剑相交,淑女剑脱手落地,杨过跟着坐倒在地。

郭芙愤恨那一掌之辱,心想:"你害我妹妹性命,卑鄙恶毒已极,今日便杀了你为我妹妹报仇,爹爹妈妈也不会见怪。"见他再无力气抗御,只举起右臂护在胸前,眼神中却殊无半分乞怜之色,心中怒极,手上加劲,挥剑斩落。

当日李莫愁乘金轮国师与杨过激斗之际,抢了黄蓉初生的女儿郭襄,跃出襄阳城墙,金轮国师与杨过先后追出。待得小龙女随后赶到时,已不见三人影踪。小龙女从丐帮弟子手中借得汗血宝马,又得鲁有脚下令开启城门,她纵马出城,见到城墙外死了两名军士、一匹战马,她不知三人分别以二兵一马垫脚,缓去从城墙高处跃下的猛烈冲势。但三人早已远去,她只得任由红马纵蹄疾驰,追赶杨过。

鲁有脚正要下令关闭城门,马蹄声响,东北方有六七人乘马驰来,当先一人叫道:"我们是全真教弟子,奉全真教刘真人、丘真人之命,前来谒见襄阳郭大侠、黄帮主,有要事奉商。"鲁有脚手执竹棒,出城看时,见来者是七名中年道人,认得其中二人是全真教弟子甄志丙与赵志敬,当即迎进城来。甄志丙说起来意,说道师伯刘真人及师父丘真人得知蒙古大军又来进攻襄阳,派他和赵志敬等七人前来探明讯息回报,全真教便可在蒙古军之后斩兵杀将,焚劫粮草,为大宋应援,以牵制蒙军南下。鲁有脚郑重道谢,说道郭靖今日负伤,黄蓉恰正生育,敌军中有硬手进城偷袭,自己正要去郭府应援。

甄志丙听了,忙道:"咱们恰好赶上,正可稍尽微力。"便与赵志敬、李志常等六道随着鲁有脚赶去郭府。众人一到,只见大火烧得正旺,朱子柳正督率军士救火。鲁有脚一问,得知郭靖、黄蓉已避至稳妥处,便即放心。丐帮众弟子加入救火,众人身手矫捷,不久便救熄了火头。忙乱之中,潇湘子又率同达尔巴、霍都二人来攻。甄志丙发令结起天罡北斗阵,七道习练有素,此上彼落,互相应援,潇湘子、达尔巴、霍都三人武功虽高,在朱子柳及天罡北斗阵下也讨不到便宜,眼见城中丐帮弟子及宋军愈来愈多,偷袭无功,便即退去。

朱子柳谢了七道,甄志丙等问知郭靖伤势并无大碍,约定次日相见。朱子柳分送七道入客舍安歇。甄志丙与赵志敬、李志常等商议了,李志常等五道连夜先行赶回重阳宫,向师尊禀报襄阳军情,甄赵二道则留待与郭靖夫妇会见后,商定双方配合攻守之策后再回。当晚甄赵二道与五位师弟分手后,同宿一房。

那日小龙女骑了汗血宝马追寻杨过与金轮国师,却走错了方向。那红马一奔出便十余里,待得勒转马头回来再找,杨过等人更不知去向。她心中忧急,眼见时候过去一刻,杨过的性命便多一分危险,在襄阳周围三四十里内兜圈子找寻。红马虽快,但荒谷隐僻,不近大路,直至过了半夜,她才远远听到武三通号啕大哭之声。循声寻去,不久便听到武氏兄弟抢剑相斗,跟着又听到杨过说话。她心中大喜,生怕杨过遇上劲敌,欲待暗中相助,下马将红马系在树上,悄悄隐身在山石之后,观看杨过对敌。

这一偷看不打紧,只听得杨过口口声声说与郭芙早订终身,将郭芙叫作"我那未过门的妻子"、"我的芙妹",而把郭靖夫妇叫作"岳父岳母"。小龙女越听越惊心动魄,听他说郭靖、黄蓉夫妇已招他为婿,暗中传他武艺,又见他对武氏兄弟发怒,不许他们再见郭芙。他每说一句,小龙女便如经受一次雷轰电击,满心混乱,似乎宇宙万物于霎时之间全都变了。若换作旁人,见杨过言行与过去大不相同,定然起疑,自会待事情过后向他问个明白,最多发作一顿,打他两个耳光出气;但小龙女心如水晶,澄清空明,不染片尘,于人间欺诈虚假的伎俩丝毫不知。杨过对旁人油嘴滑舌,胡说八道,对她却一向正经,从不说半句戏言,因此她对杨过的言语向来无不深信。她自伤自怜,不禁深深叹了一口气。当时杨过听到叹息,脱口叫了声"姑姑",小龙女并不答应,掩面远去。杨过还道是李莫愁所发,自己听错,也没深究。

小龙女牵了汗血宝马,独自在荒野乱走,思前想后,不知如何是好。她年纪已过二十,但一生居于古墓,于世事半点不明,识见便与一个天真无邪的孩童无异,心想:"过儿既与郭姑娘定亲,自然不能再娶我了。怪不得郭大侠夫妇一再不许他和我结亲。过儿从来不跟我说,自是为了怕我伤心,唉,他待我总是很好的。"又想:"他迟迟不肯下手杀郭大侠,为父报仇,当时我一点不懂,原来他全是为了郭姑娘之故,如此看来,他对郭姑娘也情义深重之极了。我此时若牵宝马去给他,他说不定又要想起我的好处来,日后与郭姑娘的婚事再起变故。我还是独自一人回到古墓去罢,这花花世界只教我意乱心烦。"想了一阵,意念已决,虽心如刀割,但想还是救杨过性命要紧,连夜驰回襄阳,要托朱子柳送红马到荒谷中去交给杨过。

这时襄阳城中刺客虽去,郭靖、黄蓉未曾康复,兀自乱成一团。朱子柳与鲁有脚齐心合力,负起了城防重任。正当忙乱之际,小龙女却牵了红马过来,要他去交给杨过,说要杨过快到绝情谷去,以郭靖初生的幼女去换取解毒灵丹,只把朱子柳听得莫名其妙,不知所云。他追问几句,小龙女心神烦乱,不愿多讲,只说快去快去,迟得片刻,杨过性命便有重大危险。

她也不理郭芙正在朱子柳身畔,只想:"让你妹妹在绝情谷去耽上几日,并无大碍,这是为了救你未婚夫婿的性命。"她提到杨过的名字,不由得悲从中来,话未说得清楚,泪珠已滚滚而下,语音呜咽,当即奔向卧室,倒在床上凄然痛哭。

朱子柳于前因丝毫不知,听了小龙女没头没脑的这几句话,怎明白她说些什么?见她神色有异,不便细问,但"迟得片刻,杨过性命便有重大危险"这句话却非同小可,心想只有到那荒谷走一遭,见机行事便了。出得门来,汗血宝马已然不见,一问亲兵,说道郭姑娘已牵了去,待要找郭芙时,她却躲得人影不见。朱子柳暗暗叹气,心想这些年轻姑娘们个个难缠,不是说话不明不白,便行事神出鬼没。

他挂念杨过安危,另骑快马,带了几名丐帮弟子,依着小龙女所指点的途径到那荒谷察看,见杨过与武氏兄弟一齐倒在地下,武三通正自运气冲穴,其余三人已奄奄一息,心想"迟得片刻,杨过性命便有重大危险"这话果然不错,忙救回襄阳,适逢师叔天竺僧自大理到来,当即施药救治。

小龙女在床上哭了一阵,越想越伤心,眼泪竟不能止歇。她这一哭,衣襟全湿,伸手到腰间去取汗巾来擦眼泪,手指碰到了淑女剑,心想:"我把这剑拿去给了郭姑娘,让他们配成一对儿,也是一件美事。"她痴爱杨过,任何对他有益之事尽皆甘为,翻身坐起,也不拭去泪痕,径自来找郭芙。

这时早过午夜,郭芙已然安寝,小龙女也不待人通报,掀开窗户,跃进她房中,将郭芙叫醒,便说"你们原是一对"云云,那就是郭芙对杨过转述的一番话了。她将淑女剑交给了郭芙,回头便走。郭芙听得摸不到头脑,连问:"你说什么?我半点儿也不懂。"小龙女凄然不答,一跃出窗。郭芙探首窗外,忙叫:"龙姑娘你回来。"却见她头也不回的走了。

小龙女低着头走进花园,一大丛玫瑰发出淡淡幽香,想起在终南山与杨过共练玉女心经时隔花接掌的情景,今日欲再如往时般师徒相处,却已不可得了。

正自发痴,忽听左首屋中传出一人喝道:"这是在人家府上,你又提小龙女干什么?"小龙女吃了一惊:"是谁在说我?"停步倾听,却听得另一个声音道:"为什么不能提? 你又想去抱住了她苗条可爱的身体,用块黑布蒙住了她眼睛,乘她给人点了穴道,动弹不得,便又跟她亲亲热热的销魂一番吗? 这终南山玫瑰花旁的销魂滋味,尝了一回,又想第二回再尝吗?"

小龙女大吃一惊,全身冷汗直冒,疑心大起:"难道那晚过儿跟我亲热,竟不是过儿,而是这个臭道士? 不可能,决不可能!"从两人语音之中,已知说话的是甄志丙与赵志敬,于是悄悄走到那屋窗下,蹲着身子暗听。这时两人话声转低,但小龙女与他们相隔甚近,仍听得清清楚楚。

只听甄志丙道:"我做了这件事,当真错尽错绝,我听从师尊教诲,一生研求清静无为,清心寡欲,但那龙姑娘实在是天仙下凡,我一见之下,便日思夜想,再也管不住自己。那晚上她躺在地下玫瑰花旁,一动不动,不管我如何亲她疼她,吻她的小嘴脸颊,她半点也不抗拒,反而顺着我,主动就我……"说到后来,语音温柔,便似梦呓一般。

小龙女听着这些话,一颗心慢慢沉了下去,脑中便似轰轰乱响:"难道真的是他,不是我心爱的过儿? 不,不会的,决不会,他说谎,一定是过儿。"

甄志丙又道:"在我心中,她是藐姑射山的仙子,是王母娘娘的女儿媚兰。我只要瞧了她一眼,便是毕生大幸。我怎么可以在她不知不觉之中,玷污了她高贵的身子? 我不管做什么,都赎不了我的罪过。那位朱先生说她便在此间,我这就要去见她,求她一剑杀了我! 我只求她杀我,我决不说为了什么,只有我自己的鲜血,才能用来洗我的穷凶极恶。这罪过是洗不净的,我来世要做狗做马,做牛做羊,再来服侍她千年万年……"说到这里,声音呜咽,显是在痛哭流涕。忽听得墙上发出砰砰几声,小龙女凑眼窗缝,见甄志丙以头撞墙,说道:"我该死,受什么罪都应当! 只求你别再提她的名字。"

小龙女一晚之间,接连听到两件心为之碎、肠为之断的大事,迷迷糊糊的站在窗下，虽听着甄、赵二人说话，但于他们言中之意竟似懂非懂，知道总之是令她摧心落魄的祸事。

只听赵志敬冷笑几声，说道："咱们修道之士，一个把持不定，堕入了魔障，那便须以无上定力，斩毒龙，返空明。我不住提那小龙女的名字，是要你习听而厌，由厌而憎。这是助你修练的一番美意啊。"甄志丙低声道："她是天仙化身，我五体投地的敬她拜她，怎能厌她憎她？求你别提她名字，提她一次，我们凡夫俗子，便是亵渎了仙子一次。"提高声音道："哼，你的恶毒心肠，难道我不知？你一来对我妒忌，二来心恨杨过，要揭穿这件事情，教他师徒二人终身遗恨。"

小龙女听到"杨过"两字，心中突的一跳，低低的道："杨过，杨过。"说到这名字的时候，不自禁的感到一阵柔情密意，她盼望甄赵二人不住的谈论杨过，只要有人说着他的名字，她就说不出的欢喜。

赵志敬也提高了声音，恨恨的道："我若不教这小杂种好好吃番伤心呕血的大苦头，难消心头之恨，哼哼，不过……"甄志丙道："不过他武功太强，你我不是他敌手，是不是？"赵志敬道："那也未必，他一手旁门左道的邪派武功，何足为奇？但教撞在我手里，哼哼！咱们全真派玄门武功是天下武术正宗，还会怕这小子？甄师弟，你好好瞧着，我不会让他舒舒服服的送命，不是坏了他两个招子，便是断了他双手，教他求生不得，求死不能。那时让你的小龙女姑娘在旁瞧着，那也有趣得紧啊。"

小龙女打了个寒噤，若在平时，她早已破窗而入，一剑一个的送了二人性命，但此时懊闷欲绝，只觉全身酸软无力，四肢难动。

又听甄志丙冷笑道："你这叫做一厢情愿。咱们的玄门正宗，未必就及得上人家的旁门左道。"赵志敬怒骂："狗东西，全真教的叛徒！你与那小龙女有了苟且之事，连人家的武功也赞到天上去啦！"甄志丙连日受辱，此时再也忍耐不住，喝道："你骂我什么？做人不可赶尽杀绝！"

赵志敬自恃对方的把柄落在自己手里，只要在重阳宫中宣扬出来，前任掌教刘师伯、现任掌教丘师伯非将他处死不可，向着这第三代首座弟子之位，自己便大大的走近了一步，是以一直对他侮辱百端，而甄志丙确也始终不敢反抗。这时听他竟出言不逊，心想若不将他制得服服贴贴，自己便大计难成，踏上一步，反手出掌。

　　甄志丙没料他竟会动手，急忙低头，啪的一响，这一掌重重的打在他后颈之中，身子一晃，险些跌倒。他狂怒之下，抽出长剑，挺剑刺出。赵志敬侧身避过，冷笑道：“好啊，你竟有胆子跟我动手！”说着便拔剑还击。甄志丙低沉着嗓子道：“给你这般日夜折磨，左右也是个死，我今日本来是要去求人家杀了，赎我罪孽。”说着催动剑招，着着进逼。他是丘处机亲授的高徒，武功与赵志敬各有所长。两人所学招数全然相同，一动上手原不易分出高下，但他郁积在心，此时只求拼个同归于尽，赵志敬却另有重大图谋，决不肯伤他性命，是以二三十招一过，赵志敬已给逼到了屋角之中，大处下风。

　　他二人在屋中乒乒乓乓的斗剑，早有丐帮弟子去报知了郭芙。她忙披衣赶来，见小龙女站在窗下，叫了她一声：“龙姑娘！”小龙女呆呆出神，竟听而不闻。郭芙好奇心起，不即进屋，也在窗下一站，只听得赵志敬伸剑左拦右架，口中却在不干不净的讥嘲笑骂，语语都侵到小龙女身上：“你把小龙女上上下下脱得白羊似的，抱在怀里，这可开心舒服吧？”

　　郭芙听得屋内两人越说越不成话，不便再站在窗下，一扭头待要走开，见小龙女仍呆呆的站着，似对二人的污言秽语不以为意，大为奇怪，低声问道：“他们的话可是真的？”小龙女茫然点了点头，道：“我不知道，也许……也许是真的。”郭芙顿起轻蔑之心，哼了一声，头也不回的走了。

　　甄赵二道在激斗之际，也已听到房外有人说话，当的一响，两柄长剑一交，便即分开，齐声问道：“是谁？”小龙女缓缓的道：“是我。”甄志丙全身打个寒战，颤声道：“你是谁？”小龙女道：“小龙女!"

这三字一出口,不但甄志丙呆若木鸡,连赵志敬也如同身入冰窟。那日大胜关英雄宴上,只一招便给她掌按前胸,受了重伤,此后将养数月方愈,跟她动手,实无丝毫招架余地。他万料不到小龙女竟会在他门口,适才自己这番言语十九均已给她听见,一时之间吓得魂飞魄散,只想:"怎生逃命才好?"

甄志丙正要去求小龙女杀了自己,伸手推开窗子。只见窗外花丛之旁,俏生生、凄冷冷的站着个白衣少女,正是自己日思夜想、魂牵梦萦,当世艳极无双的小龙女!

甄志丙痴痴的道:"是你?"小龙女道:"不错,是我。你们适才说的话,句句都是真的?"甄志丙点头道:"是真的!你杀了我罢!"说着倒转长剑,从窗中递了出去。小龙女目发异光,心中凄苦到了极处,悲愤到了极处,只觉便是杀一千个、杀一万个人,自己也已不是个清白的姑娘,永不能再像从前那样深爱杨过,见长剑递来,却不伸手去接,只茫然向甄赵二人望了一眼,实不知如何是好。

赵志敬瞧出了便宜,心想这女子神智失常,只怕疯了,此时不走,更待何时? 伸手挽住了甄志丙的胳臂,狞笑道:"快走,快走,她舍不得杀你呢!"用力一拉,抢步出门。甄志丙早魂不守舍,全身没了力气,给他一拉,踉踉跄跄的跟了出去。赵志敬展开轻功,提气急奔。甄志丙起初由他拉着,奔出数丈后,自身的轻功也施展出来。两人投师学艺已久,全真派功夫练过不少,这一发力,顷刻间便奔到东城城门边。

城门旁有十多名丐帮弟子随着两队官兵巡逻。领头的丐帮弟子认得甄赵二人,知他们是全真高士,仗义前来相助守城的,听赵志敬说有要事急欲出城,好在此时城外并无敌军来攻,当即下令开城。城门开得刚可容身,甄赵二人一跃便到了城外。领头的丐帮弟子赞道:"好俊的轻身功夫!"待要闭城,眼前突然白影一闪,似有什么人出了城。他大吃一惊,问道:"什么人?"那人影早已不见。他纵到城门口向外望时,此时天甫黎明,六七丈外便朦朦胧胧的瞧不清楚,哪里瞧到有人? 他回身询问,旁人均说没瞧见什么。他揉了揉双眼,暗骂:"见鬼!"料得是连日辛劳,眼睛花了。

甄赵二人不敢停步,直奔出数里才放慢脚步。赵志敬伸袖抹去额头淋漓大汗,叫道:"好险,好险!"回头向来路一看,不由得双膝酸软,险些摔倒,原来身后十余丈外,一个白衣少女站定了脚步,呆呆的望着自己,却不是小龙女是谁? 赵志敬这一惊非同小可,"啊"的一声,脱口大呼,只道早已将她抛得无影无踪,哪知她始终跟随在后,只是她足下无声,自己竟毫没知觉,只得再拉住甄志丙的手臂又提气狂奔。

他一口气奔出十余丈,回头再望,见小龙女仍不即不离的跟随在后,相距三四丈远近。赵志敬六神无主,掉头又奔,他却不敢时时向后返视,因每一回顾,心中多一次惊恐,双腿渐渐无力,说道:"甄师弟,她此时要杀死咱二人,可说易如反掌,她定然另有奸恶阴谋。"甄志丙惘然道:"什么另有奸恶阴谋?"赵志敬道:"我猜想她是要擒住咱们,在天下英雄之前指斥你的丑行,打得我全真派从此抬不起头来。"甄志丙心中一凛,他此时对自己生死早已置之度外,原要跪在小龙女面前,盼她一剑杀了,以赎己罪,但他自幼投在丘处机门下,师恩深重,威震天下的全真派若由己而败,却万万不可,想到此处,不由得背脊上全都凉了,腿下加劲,与赵志敬并肩飞奔。

两人只拣荒野无路之处奔去,有时忍不住回头一瞧,总见小龙女跟在数丈之外。古墓派轻功天下无双,小龙女追踪二人可说毫不费力,但她遇上了这等大事,实不知如何处置才是,只得跟随在后,不容二人远离。

甄赵二人本就心慌意乱,见小龙女如影随形的跟着,不免将她的用意越猜越恶,惊惧与时俱增,从清晨奔到中午,又自中午奔到午后未刻,四五个时辰急奔下来,饶是二人内力深厚,也已支持不住,气喘吁吁,脚步踉跄,比先前慢了一倍尚且不止。此时烈日当空,两人自里至外全身都已汗湿。又跑一阵,两人又饥又渴,见前面有条小溪，不禁都横了心："就算给她擒住，那也无法。"扑到溪边，张口狂饮溪水。

小龙女缓缓走到溪水上游，也掬上几口清水喝了。临流映照，清澈如晶的水中映出一个白衣少女，云鬟花颜，真似凌波仙子一般。小龙女心中只觉空荡荡地，伤心到了极处，反而漠然，顺手在溪边摘了一朵小花插在鬓边，望着水中倒影，痴痴出神。

甄赵二人一面喝水，一面不住偷眼瞧她，见她似乎神游物外，已浑然忘了眼前之事，两人互相使个眼色，悄悄站起，蹑步走到小龙女背后，一步步的渐渐走远，数次回首，见她始终望着溪水，于是加快脚步，向前急走，不久便又到了大路。

两人只道这次真正脱险，哪知甄志丙偶一返顾，见小龙女又已跟在身后。甄志丙自那晚玷污了小龙女后，初时自庆艳福，但后来良心自责，半夜抚心自问，越来越觉罪孽深重，几次想要向师父长春子自忏罪过，求师父重罚，但觉这么一来，不免损了小龙女冰清玉洁的名声。在他心中，小龙女犹似天上人一般高不可攀，只想求她一剑将自己杀了，再将自己罪过夸大一番，写成一信，呈给师父，说自己去偷看小龙女更衣洗浴，偷看不成，却给小龙女擒获处死，如此则全真派也不会怨怪小龙女杀了自己，同时不损小龙女丝毫清名。他此刻怀中藏了此信，只盼有机会将信交给小龙女，再请她一剑杀死。

自那晚之后，他心中苦受熬煎，赵志敬在旁看出端倪，又拿到了他先前在小龙女生日送礼的亲笔礼单，不断冷嘲热讽，要逼他向掌教师长自认败坏全真教名声的大罪。若非如此，甄志丙遭斥革之后，第三代弟子首座之位，仍将落入最人多势盛的长春子门下，例如李志常、尹志平等人，只有让丘处机自愧，首座之位才有可能落入其手。甄志丙内受良心煎熬，外遭赵志敬逼迫，犹似身在地狱，苦不堪言，这时身心疲惫浑不想再逃，叫道："罢了，罢了！赵师哥，咱们反正逃不了，我去请她杀了我罢！"说着停住了脚步。

赵志敬大怒，喝道："你是死有应得，我干么要陪着你送终？"

拉着他手臂要走。甄志丙心灰意懒,不想再逃。赵志敬又害怕又愤怒,陡地一掌,反手打了他一记耳光。甄志丙怒道:"你又打我!"回手出掌。小龙女见两人忽又动手,大是奇怪。

　　就在此时,迎面驰来两骑马,马上是两名传达军令的蒙古信差。赵志敬心念一动,低声道:"抢马!咱们假装打架,别引起小龙女疑心。"当即挥掌劈去。甄志丙举手挡开,还了一掌,赵志敬退了几步,两人渐渐打到大路中心。两名蒙古兵去路受阻,勒马呼叱。甄赵二人突然跃起,分别将两名蒙古兵拉下马背,掷在地下,跟着翻身上马,向北急驰。

　　两匹马都是良马,奔跑迅速。两人回头望时,见小龙女并未跟来,赵志敬这才放心。向北驰出十余里,到了一处三岔路口。赵志敬道:"她见二马向北,咱们偏偏改道往东。"缰绳向右一带,两骑马上了向东的岔道。傍晚时分,到了一个小市镇上。

　　二人整日奔驰,惊疲交集,粒米未曾入口,饥火难熬,找到一家饭铺,命伙计切盘牛肉,拿三斤薄饼。赵志敬坐下后惊魂略定,想起今日之险,犹有余悸,只不知小龙女何以总是在后跟随,却不动手。甄志丙脸如死灰,垂下了头,兀自魂不守舍。不久牛肉与薄饼送了上来,二人举筷便吃,忽听得饭铺外人喧马嘶,吵嚷起来,有人大声喝道:"这两匹马是谁的?怎地在此处?"呼叫声中带有蒙古口音。

　　赵志敬站起身来,走到门口,只见一个蒙古军官带着七八名兵卒,指着甄赵二人的坐骑正自喝问。饭铺的伙计惊呆了,不住打躬作揖,连称:"军爷,大人!"

　　赵志敬给小龙女追逼了一日,满腔怒火正无处发泄,见有人惹上头来,当即挺身上前,大声道:"牲口是我的!干什么?"那军官道:"哪里来的?"赵志敬道:"是我自己的!关你什么事?"此时襄阳以北全已沦入蒙古军手中,大宋百姓惨遭屠戮欺压,哪有人敢对蒙古官兵如此无礼?那蒙古军官见赵志敬身形魁梧,腰间悬剑,心中存了三分疑忌："你是买来的还是偷来的？"

赵志敬怒道："什么买来偷来？是道爷观中养大的。"那军官手一挥，喝道："拿下了！"七八名兵卒各挺兵刃，围了上来。赵志敬手按剑柄，喝道："凭什么拿人？"那军官冷笑道："偷马贼！当真是吃了豹子心肝，动起大营的军马来啦，你认不认？"说着披开马匹后腿的马毛，露出两个蒙古字的烙印。原来蒙古军马均有烙印，注明属于某营某部，以便辨认。赵志敬顺手从蒙古军士手中抢来，哪里知晓？此时一见，登时语塞，强辩道："谁说是蒙古军马？我们道观中的马匹便爱烙上几个记，难道犯法了么？"

那军官大怒，心想自南下以来，从未见过如此强横的狂徒，抢上来伸手便抓。赵志敬左手一勾，反掌抓住了他手腕，跟着右掌挥出，拿住了他背心，将他身子高高举起，在空中打了三个旋子，跟着向外一送。那军官身不由主的飞了出去，刚好摔进了一家磁器铺子，只听乒乒、呛啷之声不绝，一座座磁器架子倒将下来，碗碟器皿纷纷跌落，那军官全身给磁器碎片割得鲜血淋漓，压在磁器堆中，又怎爬得起身？众兵卒抢上来救护。

赵志敬哈哈大笑，回入饭铺，拿起筷子又吃。这乱子一闯，镇上家家店铺关上了门板，饭铺的顾客霎时间走得干干净净，均想蒙古军暴虐无比，此番竟有汉人殴打蒙古军官，只怕血洗全镇也是有的。赵志敬吃了几口，忽见饭铺掌柜走上前来，噗的一声，跪倒在地，连连磕头。赵志敬知他怕受牵连，一笑站起，说道："我们也吃饱了，你不用害怕，我们马上就走。"掌柜的吓得脸如土色，更不住的磕头。

甄志丙道："他怕咱们一走，蒙古兵问饭铺子要人。"他素来精明强干，只是对小龙女痴心狂恋，这才作事荒谬乖张，日常处事其实远胜于赵志敬，因此马钰、丘处机等均有意命他接任掌教，此时心念一转，说道："快拿上好的酒馔来，道爷自己作事自己当，你们怕什么了？"掌柜的喏喏连声，爬起身来，忙吩咐赶送酒馔。

那军官受伤不轻，挣扎着上了马背。赵志敬笑道："甄师弟，今日受了一天恶气，待会须得打他们个落花流水。"甄志丙哼了一声，眼见那蒙古军官带领士兵骑马走了。饭铺中众人慌成一团，精美酒食纷纷送上，堆满了一桌。

甄赵二人吃了一阵，甄志丙突然站起，反手一掌，将在旁侍候的伙计打倒在地。掌柜的大惊，三脚两步的赶了过来，陪笑道："这该死的小子不会侍候，道爷息怒……"话未说完，甄志丙飞起左腿，轻轻将他踢倒在地。赵志敬还道他神智兀自错乱，叫道："甄师弟……你……"甄志丙掀起旁边一张桌子，碗碟倒了一地，随即又将两名伙计打倒，顺手点了各人穴道，双手一拍，道："待会蒙古官兵到来，见你们店中给打得这般模样，就不会迁怒你们了，懂不懂？你们自己不妨再打个头破血流。"

众人恍然大悟，连称妙计。众店伴当即动手，你打我，我打你，个个衣衫撕烂，目青鼻肿。过不多时，忽听得青石板街道上马蹄声响，数乘马急驰而至。众店伴纷纷倒地，大呼小叫："啊哟，打死人啦！""痛啊，痛啊！""道爷饶命！"

马蹄声到了饭铺门前果然止息，进来四名蒙古军官，后面跟着一个身材高瘦的僧人、一个又黑又矮的胡人，那胡人双腿已断，双手各撑着拐杖。蒙古军官见饭铺中乱成这等模样，皱起眉来，大声呼喝："快拿酒饭上来，老爷们吃了便要赶路。"

掌柜的一楞，心想："原来这几个军爷是另一路的。待那挨了打的军爷领了人来，却又怎地？"正自迟疑，几名军官已挥马鞭夹头夹脑劈将过来。那掌柜的忍着痛连声答应，苦于爬不起身，当下另有伙计上前招呼，安排席位。

那僧人便是金轮国师，黑矮胡人自是尼摩星了。他二人那日踏中冰魄银针，在山洞外纠缠厮打，双双跌落山崖。幸好崖边生有一株大树，国师于千钧一发之际伸出左手牢牢抓住。尼摩星其时已半昏半醒，却仍紧抱国师不放。国师看清了周遭情势，左手运劲一推，两人齐往崖下草丛中跌落，顺着斜坡骨碌碌的滚了十余丈，直到深谷之底方始停住。两人四肢头脸给山坡上的沙石荆棘擦得到处都是伤痕。

国师右手反将过来,施小擒拿手拗过尼摩星手臂,喝道:"你到底放是不放?"尼摩星昏昏沉沉中无力反抗,给他一拗之下,左臂松开,右手却仍抓住他后心。国师冷笑道:"你双足中了剧毒,不快想法子救命,胡闹些什么?"

尼摩星低头看时,见一双小腿已肿得碗口粗细,知道若不急救,转眼性命难保,一咬牙,拔出腰间铁蛇,喀喀两响,将两条小腿一齐砍下,登时鲜血狂喷,人也晕了过去。国师见他如此勇决,倒也好生佩服,又想他双足残废,从此不足为患,伸手点了他双腿膝弯处的"曲泉穴"及大腿上的"五里穴",先止血流,然后取出金创药敷上创口,撕下他外衣包扎了断腿。

天竺武士大都练过瑜伽,又练过睡钉板、坐刀山等等忍痛之术,尼摩星更是此中能手,他一等血止,便坐起身来,说道:"好,你救了我的,咱们怨仇便不算。"国师微微苦笑,心想:"你双脚虽失,身上剧毒倒已除了,我的处境反不如你。"盘膝坐下运功,强将足底的毒气缓缓逼出,一个多时辰之中只逼出一小撮黑水,但已累得心跳气喘。

两人在荒谷之中将养了一日一晚,国师以上乘内功逼出了毒质,尼摩星的伤口也不再流血,折了两段树枝作拐杖,这才出得谷来。不久与几个蒙古军官相遇,同返忽必烈大营,却在这市镇上与甄赵二人相遇。

甄志丙与赵志敬见到国师,相顾失色。二人在大胜关英雄大会之中曾见他显示武功,委实惊世骇俗,此刻狭路相逢,心中都栗栗危惧。二人使个眼色,便欲脱身走路。

那日英雄大会,中原豪杰与会的以千百数,甄赵识得国师,国师却不识二道。他虽见饭铺中打得人伤物碎,但此刻兵荒马乱,处处残破,也不以为意。他这次前赴襄阳,闹了个大败而归,见到忽必烈时不免脸上无光,心中只在筹思如何遮掩,见两个道士坐着吃饭,自毫不理会。

就在此时,饭铺外突然一阵大乱,一群蒙古官兵冲了进来,一见甄赵二人,呼叱叫嚷,便来擒拿。甄志丙见国师座位近门,若向外夺路,经过他身畔,只怕他出手干预,低声说道:"从后门逃走!"伸手将一张方桌一推,忽朗朗一声响,碗碟汤水打成一地,两人跃起身来,奔向后门。

甄志丙将要冲到后堂,回头一瞥,见国师拿着酒杯,低眉沉吟,对店中这番大乱似乎视而不见,心中一喜:"他不出手便好。"突然眼前黄影闪动,金轮国师纵到身前,双手外分,搭在甄赵二人肩头,笑道:"两位请坐下谈谈如何?"他出手并无凌厉之态,但双手这么一搭,二道竟闪避不了,只觉登时有千斤之力压在肩头,沉重无比,惟有急运内力相抗,哪里还敢答话? 只怕张口后内息松了,自肩至腰的骨骼都要为他压断。

这时冲进来的蒙古官兵已在四周围住,领头的将官是个千户,识得国师是蒙古护国法师,四大王忽必烈对他极为倚重,上前行礼,说道:"国师爷,这两个贼道偷盗军马,殴打官兵,多蒙国师爷出手……"他话未说完,向甄志丙连看数眼,突然问道:"这位可是甄志丙甄道爷?"甄志丙点了点头,却不认得那人是谁。国师将搭在他肩头的手略略一松,稍减下压之力,心想:"这两个道士不过四十岁左右,内功竟如此精纯,倒也不易。"那蒙古千户笑道:"甄道爷不认识我了么? 十九年前,咱们曾一同在花剌子模沙漠中烤黄羊吃,我叫萨多。"

甄志丙仔细一瞧,喜道:"啊,不错,不错! 你留了大胡子,我不认得你啦!"萨多笑道:"小人东西南北奔驰了几万里,头发胡子都花白了,道爷的相貌可没大变啊。怪不得成吉思汗说你们修道之士都是神仙。"转头向国师道:"国师爷,这位道爷从前到过西域,是成吉思汗请了去的,说起来都是自己人。"国师点了点头,收手离开二人肩头。

当年成吉思汗邀请丘处机前赴西域相见,谘以长生延寿之术。

丘处机万里西游,带了一十八名弟子随侍,甄志丙是门下弟子,也在其内。成吉思汗派了二百军马供奉卫护丘处机诸人。那时萨多只是一名小卒,也在这二百人之内,是以识得甄志丙。他转战四方二十年,积功升为千户,不意忽然在此与他相遇,极是欢喜,命饭铺中伙计快做酒饭,自己末座相陪,对甄志丙好生相敬,那盗马殴官之事自一笑而罢。萨多询问丘处机与其余十七弟子安好,说起少年时的旧事,不由得虬髯戟张,豪态横生。

国师也曾听过丘处机的名头,知他是全真派第一高手,试出甄赵二人内力不弱,心想全真派内功果然名不虚传,自己此番幸得一出手便制了先机,否则当真动手,却也须二三十招之后方能取胜。

突然间门口人影一闪,进来一个白衣少女。国师、尼摩星、甄赵二道心中都是一凛,进来的正是小龙女。这中间只尼摩星心无芥蒂,大声道:"绝情谷的新娘子,你好啊!"小龙女微微颔首,在角落里一张小桌旁坐了,对众人不再理睬,向店伴低声吩咐了几句,命他做一份口蘑素面。

甄赵二人脸上一阵青、一阵白,大是惴惴不安。国师也怕杨过随后而来,他生平无所畏惧,就只怕杨龙二人双剑合璧的"玉女素心剑法"。三人各怀心事,不再说话,只大嚼饭菜。甄赵二人此时早已吃饱,但如突然默不作声,不免惹人疑心,只得吃个不停,好使嘴巴不空。

萨多却兴高采烈,问道:"甄道长,你见过我们四王子么?"甄志丙摇了摇头。萨多道:"忽必烈王爷是拖雷四王爷的第四位公子,英明仁厚,军中人人拥戴。小将正要去禀报军情,两位道爷若无要事在身,便请同去一见如何?"甄志丙心不在焉,又摇了摇头。赵志敬心念一动,问国师道:"大师也是去拜见四王子么?"国师道:"是啊!四王子真乃当今人杰,两位不可不见。"赵志敬喜道:"好,我们随大师与萨多将军同去便是。"伸手桌下在甄志丙腿上一拍,向他使个眼色。萨多大喜,连说:"好极,好极!"

甄志丙的机智才干本来远在赵志敬之上,但一见了小龙女,登时迷迷糊糊,神不守舍,只想如何求她杀了自己,又将怀中写给师尊丘处机的信交给她,过了好一阵子才明白赵志敬的用意,他是要借国师相护,以便逃过小龙女的追杀。

　　各人匆匆用罢饭菜,相偕出店,上马而行。国师见杨过并未现身,放下了心,暗想:"全真教是中原武林的一大宗派,若能笼络上了以为蒙古之助,实是奇功一件。明日见了王爷,也有个交代。"言语中对甄赵二人着意接纳。

　　此时天色渐黑,众人驰了一阵,只听背后蹄声得得,回过头来,见小龙女骑了一匹枣骝马遥遥跟随在后。国师心中发毛,暗想:"单她一人决不是我对手,何以竟敢如此大胆,跟随不舍?莫非杨过那小子在暗中埋伏么?"他与甄赵二道初次相交,唯恐稍有挫折,堕了威风,当下只作不知。

　　众人驰了半夜,到了一座林中。萨多命随行军士下鞍歇马,各人坐在树底休息。只见小龙女下了马鞍,与众人相隔十余丈,坐在林边。她行动越诡秘,国师越持重,不敢贸然出手。赵志敬见尼摩星曾与小龙女招呼,不知她与国师有何瓜葛,不敢向她多望一眼。歇了半个时辰,众人上马再行,出得林后,只听蹄声隐隐,小龙女又自后跟来。

　　直至天明,小龙女始终隔开数十丈,跟随在后。

　　这时来到一处空旷平原,国师纵目眺望,四下里并无人影,毒念陡起:"我生平纵横无敌,来到中原,却接连败在小龙女和杨过那小子双剑合璧之下。今日她对我紧追不舍,定无善意,我何不出其不意的骤下杀手,将她毙了?她便有帮手赶到,也已不及救援。此女一死,世间无人再能制我。"正要勒马停步,忽听得前面玎玲、玎玲的传来几下驼铃声,数里后尘头大起,一彪人马迎头奔来。

　　国师好生懊悔:"若知她的后援此刻方到,我早就该下手了。"忽听萨多"咦"的一声,叫道:"奇怪!"国师见对面奔来的是四头骆驼,右首第一头骆驼背上竖着一面大旗,旗杆上七丛白毛迎风飘扬,正是忽必烈的帅纛,但远远望去,骆驼背上却无人乘坐。萨多道:"王爷来了!"纵马迎上,驰到离骆驼相隔半里之外,滚鞍下马,恭恭敬敬的站在道旁。

国师心想:"王爷来此,可不便杀这女子了。"他自重身分,若让忽必烈见他下手杀一孤身少女,不免受其轻视,缓缓驰近,见四头骆驼之间悬空坐着一人。那人白须白眉,笑容可掬,竟是周伯通。

只听他远远说道:"好啊,好啊,大和尚、黑矮子,咱们又在这里相会,还有这个娇娇滴滴的小姑娘也来啦。"国师心中奇怪,此人花样百出,又怎能悬空而坐? 待得双方又近了些,这才看清,原来四头骆驼之间有几条绳子结成一网,周伯通便坐在绳网之上。

周伯通少去重阳宫,与马钰、丘处机诸人也极少往来,因此甄志丙与赵志敬跟他并不相识。他们虽曾听师父说起过有这么一位独往独来、游戏人间的师叔祖,但久未听到他的消息,多半已不在人世,此刻相见,均未想到是他。

国师双眉微皱,心想此人武功奇妙,极不好惹,问道:"王爷在后面么?"周伯通向后一指,笑道:"过去三四十里,便是他的王帐。大和尚,我劝你此刻还是别去为妙。"国师道:"为什么?"周伯通道:"他正在大发脾气,你这一去,只怕他要砍掉你的光头。"国师愠道:"胡说八道! 王爷为什么发脾气?"周伯通指着竖在骆驼背上的王旗,笑道:"王爷的王旗给我偷了来,他干么不发脾气?"国师一怔,问道:"你偷了王旗来干什么?"周伯通道:"你识得郭靖么?"国师点点头道:"怎么?"周伯通笑道:"他是我的结义兄弟。咱哥儿俩有十多年不见啦,我牵记得紧,这便要瞧瞧去。他在襄阳城跟蒙古人打仗,我就偷了蒙古王爷的王旗,给他送一份大礼。"

国师猛吃一惊,暗想此事可十分糟糕,襄阳城攻打不下,连王旗也给敌人抢了去,这脸可丢得大了,非得想个法儿将旗子夺回不可。

只见周伯通一声呼喝,四头骆驼十六只蹄子翻腾而起,一阵风般向西驰去，远远绕了个圈子，这才奔回。王旗在风中张开，猎猎作响。周伯通站直身子，手握四缰，平野奔驰，大旗翻卷，宛然大将军八面威风。

但见他得意非凡，奔到临近，"得儿"一声，四头骆驼登时站定，想是他手劲厉害，勒得四驼不得不听指挥。周伯通笑道："大和尚，我这些骆驼好不好？"国师大拇指一竖，赞道："好得很，佩服之至！"心中却在寻思如何夺回王旗。

周伯通左手一挥，笑道："大和尚、小姑娘，老顽童去也！"

甄志丙与赵志敬听到"老顽童"三字，脱口呼道："师叔祖？"一齐翻鞍下马。甄志丙道："这位是全真派的周老前辈么？"

周伯通双眼骨碌碌的乱转，道："哼，怎么？小道士快磕头罢。"

甄赵二人本要行礼，听他说话古里古怪，却不由得一怔，生怕拜错了人。周伯通问道："你们是哪个牛鼻子的门下？"甄志丙恭恭敬敬的答道："赵志敬是玉阳子王道长门下，弟子甄志丙是长春子丘道长门下。"

周伯通道："哼，全真教的小道士一代不如一代，瞧你们也不是什么好脚色。"突然双脚一踢，两只鞋子分向二人面门飞去。

甄志丙见鞋子飞下来的力道并不劲急，便在脸上打中一下，也不碍事，不敢失了礼数，仍躬身行礼，赵志敬却伸手去接。哪知两只鞋子飞到二人面前三尺之处突然折回。赵志敬一手抓空，眼见左鞋飞向右边，右鞋飞向左边，绕了一个圈子，在空中交叉而过，回到周伯通身前。周伯通伸出双脚，套进鞋中。

这一下虽是游戏行径，但若非内力深厚，决不能将两只鞋子踢得如此恰到好处。金轮国师与尼摩星曾在忽必烈营帐中见过他飞矛掷人、半途而堕的把戏，这飞鞋倒回的功夫其理相同，只踢出时足尖上加了一点回劲，见了也不怎么惊异。赵志敬伸手抓了个空，却不禁大为骇服，凭他武功，便有极厉害的暗器射来，也能随手接过，岂知一只缓缓飞来的破烂鞋子竟抓不到手，再无怀疑，跟着甄志丙拜倒，说道："弟子赵志敬叩见师叔祖。"

周伯通哈哈大笑，说道："丘处机与王处一眼界太低，尽收些不成器的弟子！罢了，罢了，谁要你们磕头？"大叫一声："冲锋！"四头骆驼竖耳扬尾，发足便奔。

国师飞身下马，身形晃处，已挡在骆驼前面，叫道："且慢！"双掌分别按在一头骆驼前额。四头骆驼正自向前急冲，给他这么一按，竟倒退两步。

周伯通大怒，喝道："大和尚，你要打架不成？老顽童十多年没逢对手，拳头发痒，来来来，咱们便来斗几个回合。"他生平好武，近年来武功越练越强，要找对手艰难无比，他见国师身手了得，正可陪自己过招，说着便要下驼动手。

国师摇手道："我生平不跟无耻之徒动手。你只管打，我决不还手。"周伯通大怒，道："你怎敢说我是无耻之徒？"国师道："你明知我不在军营，便去偷盗王旗，这不是无耻么？你自知非我敌手，觑准我走开了，这才偷偷去下手。嘿嘿，周伯通，你太不要脸了。"周伯通道："好，我是不是你敌手，咱们打一架便知。"国师摇头说道："我说过不跟无耻之徒动手，你勉强我不来。我的拳头很有骨气，打在无耻之徒身上，拳头要发臭的，三年另六个月中，臭气不会褪去。"周伯通怒道："依你说便怎地？"国师道："你将王旗让我带去，今晚你再来盗，我在营中守着。不论你明抢暗偷，只要取得到手，我便佩服你是个大大的英雄好汉。"

周伯通最不能受人之激，事情越难，越要做到，拔下王旗，向他掷去，叫道："接着了，今晚我来盗便是。"国师伸手接住，旗杆入手，才知这一掷之力大得异乎寻常，忙运内劲相抗，还是退了两步，这才拿桩站住。倘若内力稍差，立时便给王旗撞得仰天一交。

四头骆驼本来发劲前冲，但给国师掌力抵住了，他掌力陡松，四头骆驼忽地同时跳起，跃出二丈有余，向前急奔。众人遥望周伯通的背影，见四头骆驼越跑越远，渐渐缩成四个小黑点。

国师呆了半晌，将王旗交给萨多，说道："走罢！"

国师心想这老顽童行事神出鬼没,人所难测,须当用何计谋,方能制胜? 在马上凝神思索,一时却无善策,偶然回顾,见甄赵二人交头接耳,低声说话,不住回头去望小龙女,却又不敢多看,脸上大有惧色。他心念一转:"这姑娘莫非是为两个道士而来?"出言试探:"甄道兄,你和龙姑娘素来相识么?"甄志丙脸色陡变,答应了声:"嗯。"国师更知其中大有缘故,问道:"你们得罪了她,她要寻你们晦气,是不是? 这小姑娘厉害得紧,你们和她作对,那可凶多吉少啊。"他于甄龙二人之间的纠葛半点不知,只是见二道神色惊惶,设词探问,竟一问便中。

　　赵志敬乘机道:"她也得罪过大师啊,当日英雄会上,大师曾输在她的手下,此仇不可不报。"国师哼了一声,道:"你也知道?"赵志敬道:"此事传扬天下,武林豪杰,谁不知闻。"国师心道:"这道士倒也厉害。我欲以他制敌,他却想激得我出手助他脱困。"又想:"这两人也非平庸之辈,跟他们坦率言明,事情反而易办。"说道:"这龙姑娘要取你们性命,你们敌她不过,便想要我保护,是也不是?"

　　甄志丙怒道:"甄某死就死了,何须托庇于旁人? 何况大师未必便能胜她。"国师见他凛然而言,绝非作伪,不禁一愕,心道:"难道我所料不对?"一时摸不准二人心意,淡淡一笑,说道:"她与杨过双剑合璧,自有其厉害之处。此时她孤身落单,我取她性命可说易如反掌。"赵志敬摇头道:"只怕未必。江湖上人人都说,大胜关英雄大会,金轮国师败于小龙女手下。"

　　国师笑道:"老衲养气数十年,你用言语激我,又有何用?"他听赵志敬如此说法,知他切盼自己与小龙女动手。当周伯通现身之前,他本想出手杀了小龙女,但此时已与周伯通订约盗旗,颇有需用甄赵二人之处,倘若杀了小龙女,便不能挟制二道了,意示闲暇,双手合什,说道:"既然如此,老衲先行一步。二位了断了龙姑娘之事,请来王爷大营过访便是。"说着一提缰绳,纵马便行。

　　赵志敬大急,心想只要他一走开,小龙女赶上前来,自己师兄弟二人不知要受如何的苦刑荼毒,想起当日终南山上玉蜂螫身之痛,不由得心胆俱裂,看来这和尚不但武功高强,智谋也远在自己之上,见他径自前行,拍马追上,叫道:"大师且慢!小道路径不熟,相烦指引,永感大德。"

国师听了"永感大德"四字,微微一笑,心想:"多半是这姓赵的得罪了龙姑娘,才怕成这样,那姓甄的却是事不关己。"说道:"那也好,待会老衲说不定也有相烦之处。"赵志敬忙道:"大师有何差遣,小道无不从命。"国师和他并骑而行,随口问起全真教情况,赵志敬毫不隐瞒,一一实说。甄志丙迷迷糊糊的跟随在后,毫没留心二人说些什么。

国师道:"原来马道长已不幸谢世,可惜之至。听说现任掌教丘道长年纪也不小了?"赵志敬道:"是,丘师伯也已年近古稀。"国师道:"那么丘道长交卸掌教之后,该当由尊师王道长接充了。"这一言触中了赵志敬心事,脸色微转,道:"家师也已年迈。全真六子近年来精研性命之学,掌教的俗务,多半是要交给我这个甄师弟接手。"

国师见他脸上微有悻悻之色,低声道:"我瞧这位甄道兄武功虽强,却还不及道兄,至于精明干练,更与道兄差得远了。掌教大任,该当由道兄接充才是。"这几句话赵志敬在心中已蕴藏了七八年之久,但从未宣之于口,今日给国师说了出来,不由得怨恨之情更见于颜色。

全真六子本来命丘处机的三徒尹志平任三代弟子首座,隐然为他日掌教的接班人。但尹志平近年来勤研炼丹修仙之道,恬退自修,不愿多理俗务。全真七子中长春一派独大,弟子最多,六子商议之后,议定由丘处机的次徒甄志丙任三代弟子首座,日后可望接任掌教。初时赵志敬不过心中不服,暗存妒忌,但自抓到了甄志丙的把柄后,即便处心积虑的要设法夺取他这职位。甄志丙污辱小龙女,实犯教中大戒,如为掌教师尊所知,势必性命难保。赵志敬自知以武功而论,第三代弟子中无出己右,但因生性鲁莽暴躁,不为全真六子所喜,师兄弟也多半和他不睦,纵然甄志丙身败名裂,这掌教的位子还是落不到自己身上,他一直隐忍不发,便是为此。

国师鉴貌辨色,猜中了他心思,暗想:"我若助他争得掌教,他便死心塌地的为我所用。全真教势力庞大,信士如云,能得该教相助,于王爷南征大有好处,大功更胜于刺杀郭靖。"暗自筹思,不再与赵志敬交谈。

午牌时分,一行人来到忽必烈大营。国师回头望去,见小龙女骑着枣骝马停在里许之外,不再近前,心想:"有她在外,不怕这两个道士不上钩。"

众人进了王帐,忽必烈正为失旗之事大为烦恼。王旗是三军表率,征战之际,千军万马全随王旗进退,实是军中头等重要的物事,突然神不知鬼不觉的给人盗去,直如打了一个大大败仗。他见国师携了王旗回来,心下大喜,忙起座相迎。

忽必烈雄才大略,直追乃祖成吉思汗,听国师引见甄赵二人,说是全真教的高士,当即大加接纳,显得爱才若渴,对王旗的失而复得竟似没放在心上,吩咐设宴接风。甄志丙心神不定,全副心思只想着小龙女。赵志敬却是个极重名位之人,见这位蒙古王爷竟对自己如此礼遇,不禁喜出望外。

忽必烈绝口不提国师等行刺郭靖不成之事,只不住推崇尼摩星忠于所事,以致双腿残废,酒筵上请他坐了首位,接连与他把盏,尼摩星感激知遇,心想只要他再有差遣,赴汤蹈火在所不辞的,旁人瞧着也都大为心折。

酒筵过后,忽必烈对国师道:"国师,大汗派我南征,受阻于襄阳,出师不顺,这次竟连王旗也给敌人盗了去,大折锐气,亏得国师夺回,功劳不小。今后行止,还请国师多加指点,咱们这就到后帐商议军情。"当下金轮国师随同忽必烈来到后帐,尼摩星自与尹克西、潇湘子、赵甄二道等人在大帐喝酒谈天。

忽必烈坐定后,命人请谋臣子聪过来商议。子聪和尚原名刘秉忠,虽出家为僧,但足智多谋,精通韬略,忽必烈甚为倚重。子聪对金轮国师说道:"国师,令贤徒霍都王子身世不凡,他一直不肯吐露,晚辈后来跟他长谈,才得知他的来历,咱们请他来一起谈谈可好?"金轮国师点点头。子聪派人去请霍都来到后帐,忽必烈问起来历,才知他是成吉思汗义兄札木合的孙子。

札木合和成吉思汗失和交战,为义弟所擒,成吉思汗顾念结义之情,欲饶了札木合性命。札木合却甘愿就死,只求不流鲜血。成吉思汗为防札木合庞大部族作乱反叛,只得下令将札木合压死,不流一滴鲜血。依蒙古人习俗,不流血而死,灵魂可以升天。成吉思汗念旧,下令札木合的子孙世世代代封为王子。霍都的王子之称便由此而来。他心高气傲,不愿坐享尊荣,拜了金轮大喇嘛为师,苦练武功,居然也有小成。他在朝里做官,很会谄谀奉承,得到大汗窝阔台的欢心,窝阔台逝世后,皇后尼玛察临朝当权,对霍都仍相当宠信。霍都自知因出身关系,在蒙古军政中并无重大前途,仗着师父之力,在江湖武人以及蒙古喇嘛教中努力。

忽必烈查阅部族发给他的羊皮身世书后,得知是实,问起朝中情形。霍都禀告说,尼玛察皇后临朝后,信任权臣温都尔哈玛尔,对老臣耶律楚材多方贬斥,后来将其下毒害死,又杀了其子耶律铸,下令追杀其家属,得悉耶律铸的弟妹等人逃到了南朝,命霍都禀报忽必烈后逮捕斩杀,以绝后患。

忽必烈把子聪拉到一旁,低声问道:"大师,你瞧怎样?"子聪道:"启禀王爷,先耶律相爷有功于国,英明公正,实有大功,该当保护他的子孙。"忽必烈点头,低声道:"皇后信用奸邪,咱们须得事事小心。"回转身来,对霍都道:"耶律宰相是大大的忠臣,一时受冤,日后必可平反,他的家属逃到南朝,咱们暂且不理吧!"

跟着商议进攻宋朝之事。子聪说道,眼下蒙军后方多受汉人骚扰,进军不顺,不如暂且退兵,肃清后方之后进兵,可策万全。忽必烈攻打襄阳失利,也有点灰心,点头称是,问起后方情状,得知主要大患一是全真教,二是丐帮,这两个教帮都忠于大宋,蒙古军南攻,他们不住在蒙军后方斩兵杀将,牵制得很厉害。

忽必烈长长叹了口气,说道:"我祖父成吉思汗当年教导子孙和大将,用兵之道:'势利则进,顺势猛打,不利则止,待时再举。用兵者势也,不可逆时逆势。顺势则胜,逆势即亡。'咱们下令暂且退兵,再定进退。"对金轮国师道:"国师,诛灭北方全真教和丐帮这两件事,小王就奉托国师全权处理了,那也须乘势而行,并不急在一时,他们汉人说:欲速则不达,也是挺有道理的。霍都,丐帮的事,你就多用一点心吧!"国师和霍都站起身来,躬身遵命。

国师回到大帐,与甄赵二道相会,陪着二人到旁帐休息。甄志丙心神交疲,倒头便睡。国师道:"赵兄,左右无事,咱们出去走走。"两人并肩走出帐来。

赵志敬举目见小龙女坐在远处一株大树下,那枣骝马系在树上,不禁脸上变色。国师只作不见,再详询全真教中诸般情状,态度甚为客气亲厚。

北宋道教本只正乙一派,由江西龙虎山张天师统率。自金人侵华,宋室南渡,河北道教新创三派,是为全真、大道、太乙三教,其中全真尤盛,教中道士行侠仗义,救苦恤贫,多行善举。是时北方沦于异族,百姓痛苦不堪,眼见朝廷规复无望,黎民往往把全真教视作救星。当时有人撰文称:"中原板荡,南宋屡弱,天下豪杰之士,无所适从……重阳宗师、长春真人,超然万物之表,独以无为之教,化有为之士,靖安东华,以待明主,而为天下式"云云。当其时大河以北,全真教与丐帮的势力有时还胜过官府。蒙古军南侵,后方常受牵制,国师受忽必烈之命予以诛灭,便欲详细知其内情。赵志敬见国师待己亲厚,心下感激,有问必答,于本教势力分布、诸处重镇所在等情,皆举实以告。

两人边说边行,渐渐走到无人之处。国师叹了口气,说道:"赵道长,贵教得有今日规模,实在不易。老衲无礼,却要说刘、丘、王诸位道长见识太也胡涂,怎能将掌教的大任传之于甄道兄呢?"赵志敬这些日来一直便在筹算,要待甄志丙接任掌教之后,全真五子逐一凋逝,便逼他将掌教之位让给自己。但他性子急躁,想起此事究属渺茫,便算成功,也不知要在多少年之后,听国师提及,不禁叹了口气,又向小龙女望了一眼。

国师道:"那龙姑娘是小事,老衲举手间便即了结,实不用烦心。倒是掌教大位不可落在无能之辈手中,这方是当务之急。"赵志敬怦然心动,说道:"大师若能指点明途,小道终身全凭所命。"国师双眉一扬,朗声道:"君子一言,那可不能反悔。"赵志敬道:"这个当然。"国师道:"好,我叫你在半年之内,便当上全真教的掌教。"

赵志敬大喜,然而此事实在太难,不由得有些将信将疑。国师道:"你不信么?"赵志敬道:"我信,我信。大师妙法通神,必有善策。"国师道:"贵教和我素无瓜葛,本来谁当掌教都是一样。但不知怎的,老衲和道长一见如故,忍不住要出手相助。"赵志敬心痒难搔,不知如何称谢才好。

国师道:"咱们第一步,是要令你在教中得一强援。贵教眼下辈份最尊的是谁?"赵志敬道:"那便是今日途中遇见的周师叔祖。"国师道:"不错,他若肯出力助你,甄道长多半便不是你的对手了。"赵志敬喜道:"是啊,刘师伯、丘师伯、我师父都要称他为师叔。他说出来的话,自是份量极重。但不知大师有何妙计,能令周师叔祖相助小道。"

国师道:"今日我和他打了赌,要他再来盗取王旗。你说他来是不来?"赵志敬道:"那自然是要来的。"国师道:"这面王旗,今晚却不悬在旗杆之上,咱们去藏在一个秘密安稳处所。蒙古大营中千帐万幕,周伯通便有通天彻地的能为,也没法在一夜之间寻找出来。"赵志敬道:"是啊!"心中却想:"这般打赌,未免胜之不武。"国师道:"你一定想,如此打赌,不免胜之不武。但这全是为了你啊。"赵志敬呆呆的望着他,不明其故。

国师伸手在他肩头轻轻一拍,说道:"我把藏旗的所在跟你说了,你再去悄悄告诉周伯通,让他找到王旗,他自必大大承你的情。"赵志敬大喜,道:"不错,不错,这定能讨得周师叔祖的欢心。"但转念一想,说道:"然则大师的打赌岂非输了?"国师道:"咱们血性汉子结交朋友,只全心全意为人,一己的胜负荣辱,又何足道哉?"赵志敬感激莫名,连称:"大师恩德,不知何以为报。"国师微微一笑,道:"你在教中先得周伯通之援,我再帮你筹划计议,那时你便要推辞掌教之位,也不可得了。"说着向左首一指,道:"咱们到那边山上去瞧瞧。"离大营里许之处有几座小山,两人片刻间已到了山前。

国师道:"咱们找个山洞,把王旗藏在里面。"前两座小山光秃秃的无甚洞穴,二人接连翻了两个山头,到了第三座小山之上。这山树木茂密,洞穴一个接着一个。国师道:"此山最好。"见两株大榆树间有一山洞,洞口隐蔽,乍视之下不易见到,便道:"你记住此处,待会我将王旗藏在洞内。晚间周伯通一到,你将他引来便了。"赵志敬喏喏连声,喜悦无限,向两株大榆树狠狠瞧了几眼,心想有此为记,决不会弄错。两人回到大营,一路上不再谈论此事。

晚饭过后,赵志敬不住逗甄志丙说话。甄志丙两眼发直,偶而说上几句,也全是答非所问。天色渐黑,营中打起初更,赵志敬溜出营去,坐在一个沙丘之旁,但见骑卫来去巡视,防守严密,心想:"以这般声势,便要闯入大营一步也极不易,周师叔祖居然来去自如,将王旗盗去,本领之高实所难测。"

只见头顶天作深蓝,宛似一座蒙古人的大帐般覆罩茫茫平野,群星闪烁,北斗七星更闪闪生光,心想:"倘若果如国师所言,不久后我得任掌教,那时声名扬于宇内,天下三千道观、八万弟子尽听我号令,哼哼,要取杨过那小子的性命,自然易如反掌。"越想越得意,站起身来,凝目眺望,隐约见小龙女仍坐在那大树之下,又想:"本来,任由甄志丙死在她剑下,倒也干净利落,去了个对手,但甄志丙一死,丘师伯他们还是要立长春门人李志常、宋德方等为三代首座,仍轮不到我,那就更加无隙可乘了。"

　　正想得诸事顺利之际,忽见一条黑影自西疾驰而至,在营帐间东穿西插,倏忽间已奔到了王旗的旗杆之下。那人宽袍大袖,白须飘荡,正是周伯通到了。

毒蛛东垂西挂，织结蛛网，不到半个时辰，洞口已为十余张蛛网布满。小龙女和周伯通初时看得有趣，均未出手干预，后来见红红绿绿的毒蛛在蛛网上爬来爬去，只瞧得心烦意乱。

第二十五回　内忧外患

　　周伯通抬头见杆顶无旗,不禁一怔,他只道金轮国师必在四周伏下高手拦截,便可乘机打个落花流水,大畅心怀,万料不到王旗竟然不升,心想晚间旗帜不升,也是常事,放眼四顾,千营万帐,重重叠叠,却到哪里找去?

　　赵志敬迎上前去,正要招呼,转念一想:"此时即行上前告知,他见好不深。要先让他遍寻不获,无可奈何,沮丧万状,那时我再说出王旗所在,他才会大大的承我之情。"隐身一座营帐之后,注视周伯通动静。只见他纵身而起,扑上旗杆,一手在旗杆上一撑,又已跃上数尺,双手交互连撑,迅即攀上旗杆之顶。赵志敬暗暗骇异:"周师叔祖此时年纪就算未及九十,也已八十,虽是修道之士,总也不免筋骨衰迈,步履维艰,但他身手如此矫捷,尤胜少年,真乃武林异事。"

　　周伯通跃上旗杆,游目眺望,见旌旗招展,不下数千百面,却就是没那面王旗。他恼起上来,大声叫道:"金轮国师,你把王旗藏到哪里去了?"这一声叫喊中气充沛,在旷野间远远传了出去,连左首丛山中也隐隐有回声传来。国师早已向忽必烈禀明此事,通传全军,因此军中虽听到他呼喝,竟寂无动静。

　　周伯通又叫:"国师,你再不回答,我可要骂了。"隔了半晌,仍无人理睬。周伯通骂道:"烂臭金轮,狗头国师,你这算什么英雄好汉?这是缩在乌龟洞里不敢出头的秃头乌龟大国师啊!"

　　突然东边有人叫道:"老顽童,王旗在这里,有本事便来盗去。"周伯通扑下旗杆,急奔过去,喝问:"在哪里?"那人一声叫喊之后,不再出声。周伯通望着无数营帐,竟不知从何处下手才好。

猛听得西首远远有人杀猪般地大叫:"王旗在这里啊,王旗在这里啊!"周伯通一溜烟般奔去。那人叫声不绝,但声音越来越低,周伯通只奔了一半路程,叫声便断断续续,声若游丝,终于止歇,实不知叫声发自哪一座营帐。周伯通哈哈大笑,叫道:"臭国师,你跟我捉迷藏吗? 待我一把火烧了蒙古兵的大营,瞧你出不出来?"

赵志敬心想:"他倘若当真放火烧营,那可不妙?"忙纵身而出,低声道:"周师叔祖,放不得火。"周伯通道:"啊,小道士,是你!干么放不得火?"赵志敬信口胡言:"他们要故意引你放火啊。这些营帐中放满了地雷炸药,你一点火,乒乒乓乓,把你炸得尸骨无存。"周伯通吓了一跳,骂道:"这诡计倒也歹毒。"

赵志敬见他信了,心下大喜,又道:"徒孙探知他们的诡计,生怕师叔祖不察,心里急得不得了,因此守在这里。"周伯通道:"嗯,你倒好心。要不是你跟我说,老顽童岂不便炸死在这儿了?"赵志敬低声道:"徒孙还冒了大险,探得了王旗的所在,师叔祖随我来就是。"不料周伯通摇头道:"说不得,千万说不得! 我若找不到,认输便是。"打赌盗旗,于他是件好玩之极的游戏,如由赵志敬指引,纵然成功,也已索然无味,这种赌赛务须光明磊落,鬼鬼祟祟实乃大忌。

赵志敬碰了个钉子,心中大急,突然想起:"他号称老顽童,脾气自然与众不同,只能诱他上钩。"便道:"师叔祖,既是如此,我可要去盗旗了,瞧是你先得手,还是我先得手。"说着展开轻身功夫,向左首群山中奔去,奔出数丈,回头果见周伯通跟在后面。他径自奔入第三座小山,自言自语:"他们说藏在两株大榆树之间的山洞中,哪里又有两株大榆树了?"故意东张西望的找寻,却不走近国师所说的山洞。

忽听得周伯通一声欢呼:"我先找到了!"向那两株大榆树之

间钻了进去。赵志敬微微一笑，心想："他盗得王旗，我这指引之功仍然少不了，何况我阻他放火，他还道真的于他有救命之恩。这比之国师的安排尤胜一筹。"心下得意，拔足走向洞去。

猛听得周伯通一声大叫，声音惨厉，接着听他叫道："毒蛇！毒蛇！"赵志敬大吃一惊，已经踏进了洞口的右足急忙缩回，大声问道："师叔祖！洞里有毒蛇么?"周伯通道："不是蛇……不是蛇……"声音已大为微弱。

这一着大出赵志敬意料之外，忙在地下拾了根枯柴，取火折点燃了向洞里照去，只见周伯通躺在地下，左手抓着一块布旗，不住挥舞招展，似是挡架什么怪物。赵志敬惊问："师叔祖，怎么啦?"周伯通道："我给……给毒物……毒物……咬中了……"说到这里，左手渐渐垂下，已无力挥动旗帜。

赵志敬见他进洞受伤，还只顷刻之前，心想以他武功，便伤中要害，也不致立时不支，那是什么毒物，竟如此厉害？又见周伯通手中所执布旗只是一面寻常军旗，实非王旗，更加心寒："原来那国师叫我骗他进洞，却在洞里伏下毒物害他性命。"这时只求自己逃命，哪里还顾得周伯通死活，也不敢察看他伤势如何、是何毒物，反手抛出火把，转身便逃。

火把没落到地，突在半途停住，有人伸手接住，只听那人说道："连尊长竟也不顾了吗?"声音清柔，如击玉磬，白衣姗姗，正是小龙女。火把照出一团亮光，映得她玉颜娇丽，脸上却无喜怒之色。这一下吓得赵志敬脚也软了，张口结舌，哪里还说得出话来？万料不到她竟在自己身后如此之近，满心想逃，偏是腿软不能举步。

小龙女远远监视，赵志敬一举一动全没离开她目光。他引周伯通上山，小龙女便跟随其后。周伯通自然知道，并不理会，赵志敬却茫然未觉。

小龙女举起火把，向周伯通身上照去，见他脸上隐隐现出绿气。她取出金丝手套戴上，提起他手臂一看，不禁心中突的一跳，只见三只酒杯口大小的蜘蛛，分别咬住了他左手三根手指。蜘蛛模样怪异，全身条纹红绿相间，鲜艳之极，令人一见便觉惊心动魄。她知任何毒物颜色越鲜丽，毒性越厉害。三只蜘蛛牢牢咬住周伯通手指，她拾起一根枯枝去挑，连挑几下均没挑脱，右手一扬，三枚玉蜂针射出，登时将三只蜘蛛刺死。她发针劲力恰到好处，刺死蜘蛛，却没伤到周伯通皮肉。

原来这种蜘蛛叫作"彩雪蛛"，产于蒙古、回鹘与吐蕃间的雪山之顶，乃天下三绝毒之一。金轮国师携之东来，有意与中原的使毒名家一较高下。那日他到襄阳行刺郭靖，没想到使毒，并未携带彩雪蛛。中了李莫愁的冰魄银针后回到大营，恨怒之余，便取出藏放彩雪蛛的金盒放在身边，只盼再与李莫愁相遇，便请她一尝蒙古毒物的滋味。也是机缘巧合，既与周伯通打赌盗旗，又遇上了这个一心想当掌教的赵志敬，便在山洞中放了一面布旗，旗中裹上三只毒蜘蛛。这彩雪蛛一遇血肉之躯，立即扑上咬啮，非吸饱鲜血，决不放脱，毒性猛烈，无药可治，便国师自己也解救不了。他不肯贴身携带，便怕万一给蜘蛛逸出，为祸非浅。

小龙女这玉蜂针上染有终南山上玉蜂针尾的剧毒，毒性虽不及彩雪蛛险恶，却也着实厉害，尖针入体，彩雪蛛身上自然而然的便产出了抗毒的质素。毒蛛捕食诸般剧毒虫豸，全凭身有这等抗毒体液，才不致中毒。毒蛛的抗毒体液从口中喷出，注入周伯通血中，只喷得几下，已自毙命跌落。幸而小龙女急于救人，又见毒蛛模样难看，不敢相近，便发射暗器，歪打正着，恰好解救了这天下无药可解的剧毒。

小龙女见三只彩雪蛛毛茸茸的死在地下，红绿斑斓，仍不禁心中发毛；又见周伯通僵卧不动，显已毙命。她对周伯通心存感激，常想当日若不是他将杨过引入绝情谷，自己便已与公孙止成婚，事后念及，往往全身冷汗淋漓。不料他竟毕命于此，甚是伤感。突然之间，只见周伯通左手舞了几下，低声道："什么东西咬我，这么……这么厉害？"想要撑持起身，上身只仰起尺许，复又跌倒。

小龙女见他未死，心中大喜，举火把四下察看，不再见有蜘蛛踪迹,这才放心,问道:"你没死么?"周伯通笑道:"好像还没死透,死了一大半,活了一小半……哈哈……"他想纵声大笑,但立时手脚抽搐,笑不下去。

却听得洞外一人纵声长笑,声音刚猛,轰耳欲聋,跟着说道:"老顽童,你王旗盗到了么?今日的打赌是你胜了呢,还是我胜了?"说话的正是金轮国师。

小龙女左手在火把上一捏,火把登时熄灭,她戴有金丝手套,兵刃烈火,皆不能伤。周伯通低声道:"这场玩耍老顽童输定了,只怕性命也输了给你。臭国师,你这毒蜘蛛是什么家伙,这等歹毒?"这几句话悄声细语,有气没力,但国师隆隆的笑声竟自掩它不下。国师暗自骇然:"他给我的彩雪蛛咬了,居然还不死,这几句话内力深厚,非我所及。幸好中我之计,去了一个强敌。他此刻虽还不死,总之也挨不到一时三刻了。"

周伯通又道:"赵志敬小道士,你骗我来上了这个大当,吃里扒外,太不成话。你快去跟丘处机说,叫他杀了你罢!"赵志敬站在洞外,躲在国师身后,心下惊惶,暗想:"这事我岂能去跟丘师伯说?"国师笑道:"这赵道士很好啊。咱们王爷要启禀大汗,封他作全真教掌教真人呢。"暗想:"周伯通之死,这赵道士脱不了干系,从此终身受我挟制。此人才识平庸,也不想想周伯通这样一个疯疯颠颠的人物,辈份虽尊,丘处机等岂能把他的言语当真?怎能凭老顽童几句话就让你当全真教掌教?"

周伯通大怒,呸的一声吐了口唾沫。他体内毒性虽已消去大半,但彩雪蛛的剧毒绝非人所能抗,一丝一忽的微量即足以屠灭多人。周伯通真气略松,又晕了过去。

小龙女道:"金轮国师,你打不过人家,便用这种毒物害人,像不像一派宗主?快拿解药出来救治周老爷子!"

国师隔洞望见周伯通晕去,只道他毒发而毙,大是得意,暗想凭你这小小女子怎奈何得我?想起赵志敬日间言语相激,说自己曾败在她手下,决意亲手将她擒住示众,显显威风,当即冲向山洞,左掌一扬，右手探出，向小龙女抓去，说道："解药来了，好好拿着。"小龙女右手挥处，玎玲玲一阵轻响，金铃软索飞出，疾往他"期门穴"点去。

国师心想："今日我如再擒你不到，岂不教那姓赵的道士笑话。"晃身避开金铃，探手入怀，双轮在手，相互撞击，当的一声巨响。小龙女一点不中，兜转软索，倏地点他后心"大椎穴"，这一下变招极快极狠。国师跃起数尺，赞道："如你这等功夫，女中罕见！"

两人夹洞相斗，瞬息间拆了十余招。国师倘真恃力强攻，小龙女原难抵挡，但他数日前攻进山洞，足底为冰魄银针刺伤，险些送命，小龙女武功与李莫愁全是一路，而招数巧妙尤在李莫愁之上，他怎敢重蹈覆辙？何况洞中尚有毒蛛，若给咬上了，非立时送命不可，是以虽然焦躁，却不冒险抢攻。黑夜之中，但听得铅轮橐橐，银轮铮铮，夹着金铃玲玲之声，宛似敲奏乐器。

赵志敬远远站着，听着两人的兵刃声响，心中怦怦乱跳，想起师叔祖之死虽非自己有意加害，总卸不了罪责，这等弑杀尊长之事，武林任何门派均罪不容诛，倘若给小龙女脱身逃走，消息自然传出，那便如何是好？他一步步后退，手持剑柄，身子禁不住发颤，听着双轮与金铃之声越来越密，不由得汗流浃背，湿透道袍。

国师武功虽远胜小龙女，但轮短索长，不入山洞，终难取胜，转眼间已拆到六七十招，兀自制不住对方。小龙女见周伯通躺在地下一动不动，多半是没命的了，想要设法救助，却哪里缓得出手来？二人暗中相斗，她目能视物，比国师多占了便宜，见国师挥轮向左斜砸，右方露出空隙，当即回转金铃软索，点向他右胁，同时左手扬动，十余枚玉蜂针向他上中下三盘射去。

这一下相距既近，玉蜂针射出时又无声无息，国师待得发觉，玉蜂针距身已不逾尺，也亏他武功委实了得，危急中翻转银轮，卷住了金铃软索，同时双足力撑，呼的一响，身子拔起丈余，十余枚玉蜂针尽数在脚底飞过。仓卒间使力过巨，身子拔高，双臂上扬，银铅双轮连着金铃软索一齐脱手飞上半空。轮声呜呜，铃声玎玎，直响上半空十余丈处。星光下但见一团灰光、一团银光，夹着一条长索激飞而上。小龙女不待他落地，又一把玉蜂针射出。国师身在半空，纵使武功再强，也无法闪避，此时相距虽远，情势却更凶险。

国师跃起之时，早料到对方必会跟着进袭，双手抓住胸口衣襟向外力分，嗤的一响，长袍撕为两片，恰好玉蜂针于此时射到，他舞动两片破衣，数十枚细针尽数刺入衣中。他哈哈一笑，双足着地，抛去破衣，伸手接住了空中落下的双轮。这两次脱险，都仗着绝顶武功再加聪明机变，于千钧一发之际逃得性命，更夺得了小龙女的兵刃。

他脚一落地，立即抢到洞口，笑道："龙姑娘，你还不投降？"他生怕小龙女在洞中设伏，不敢便此走进。小龙女却不知他有所顾忌，自己兵刃既失，玉蜂针也已十去其九，只得手心里扣着一把仅余的金针，躲在洞口一旁，默不作响。

国师等了片刻，不见动静，心生一计，双轮交在右手，左手拾起两片破衣，突然双轮着地掷出，一前一后，抛进了山洞之内数尺，身子一晃，双足已踏在轮上，以防地下插有毒针，跟着破衣飞舞，挥成一道布障挡在身前。他两片破衣上钉了数十枚玉蜂针，已成为一件厉害兵刃，笑道："别人有狼牙棒，龙姑娘，你试试我狼牙布的本事。"一言甫毕，突然手上一紧，半截长袍竟已给小龙女抓住。她戴着金丝手套，莫说狼牙布，便真是狼牙棒也敢赤手来夺。

国师这一下出其不意，忙运劲回夺，就这么微微一顿之间，小龙女满手金针已激射而出。国师暗叫不好，情急智生，随手抓起躺在地下的周伯通在身前一挡，跟着"倒踩七星步"，急窜出洞。饶是他一生数经大敌，但这一次生死系于一线，也不禁吓得满手都是冷汗，远远站在洞外喘息。

那二十余枚玉蜂针尽数钉在周伯通身上。小龙女微微叹息，心想你身死之后，尸身还要受罪，不料忽听得周伯通叫道："好痛，好痛，什么东西又来咬我？"小龙女又惊又喜，问道："周伯通，你还没死么?"她不懂礼法,出口便呼名道姓。

周伯通道:"好像已经死了,可又活了转来。不知没死得透呢,还是没活得够。"小龙女道:"你没死便好了,那国师好凶恶,我打他不过。"取出吸铁石,将他身上所中的玉蜂针一枚枚的吸出。周伯通骂道:"国师这狗贼真不讲道理,乘我死了还没还魂,便用这些瞧不见的细针来扎我。"小龙女不住手的跟他取针,他便不停口的骂人。

小龙女微微一笑,道:"周伯通,这些针是我扎你的。"将适才激斗的经过简略说了,又问:"我这玉蜂针上喂有蜂毒,你身上难不难过?"周伯通道:"舒服得很,你再扎我几下。"小龙女还道他是说笑,从怀中取出一个小小玉瓶,说道:"这瓶玉蜂蜜可解我这金针之毒,你喝一点便好啦。"周伯通连连摇手,说道:"不,不! 你这些针扎在身上很舒服,似乎正是那毒蛛的克星。"

小龙女想那老顽童又在胡说八道,但见他坚不肯服,也就不加勉强,看来这怪老头儿内功深不可测,连毒蛛也害他不死,中了玉蜂针自然也是无碍。其实蜜蜂刺上之毒虽毒性厉害,却能治疗多种疾病,于风湿等症更有神效,是以天下养蜂之人,决无风湿。但小龙女与周伯通均不明医理,不知玉蜂针以毒攻毒,竟使彩雪蛛的毒性又解了不少。

国师在洞外听得周伯通说话,竟然神完气足,宛若平时,更觉骇然,暗想此人难道是半个神仙? 乘着他元气未复,当须痛下杀手,否则日后岂能再有这等良机。适才进洞不成,连银铅双轮也失陷在内,挥动小龙女的金铃软索,叫道:"龙姑娘,我借你的兵刃使使。"用力一抖,将软索挥进洞来。他武功已臻化境,任何兵刃均能运转自如,小龙女这软索虽然怪异,但他当作软鞭来用,居然也使得虎虎生风。

小龙女童心忽起,拾起地下的银铅双轮,铮的一声互击,叫道:"好,咱们便掉换了兵刃打一架。"右臂平伸推出,手臂突感酸软,竟推不到尽头。这铅轮圆径不大,份量却着实不轻,小龙女一推出,手力便感不支,当即缩回,将双轮护在胸前。

国师瞧出便宜,突然欺上,长臂倏伸,便来抢夺双轮。小龙女退了一步,左手银轮掷出。她掷轮只是虚招,乘着那一掷之势,数十枚玉蜂针又已射出。这些玉蜂针均是从周伯通身上起出,毒性已消了大半,便射在身上也无大碍。国师这次早有防备,不接银轮,向旁跃开,数十枚玉蜂针尽数打空。

周伯通哈哈大笑,道:"好,这贼秃过来,你便用小针扎他。再过一会,我元气一复,这就出去抓他来打屁股。"小龙女道:"唉,我的玉蜂针都打完啦,一枚也不剩了。"周伯通一愕,搔头道:"这可有点儿难对付了。"他二人一老一小均全无机心,想到什么,便说了出来。

金轮国师满腹智谋,但不知周伯通和小龙女的性情,不信天下竟有人会自暴其弱,心想:"你说玉蜂针打完了,我怎会上这个当?定是想诱我近前,另使古怪法道射我。"小龙女坦然直说,反使国师不敢贸然抢攻,加之他日前在山洞内中了杨过之计,想起自己误踹银针之祸、尼摩星自断双足之惨,竟加意郑重起来。

一耗两耗,天色渐明。周伯通盘膝端坐,要以上乘内功逼出体内余毒。可是那彩雪蛛的毒性猛恶绝伦,他每一运气,胸口便烦恶欲呕,自顶至踵,每一处都麻痒难忍,不运气倒反无事,连试三次都如此,废然叹道:"唉,老顽童这一次可不好玩了!"

国师在外偷窥,却不知他有这等难处,暗想:"不好,这老头儿在运内功了!"心念一动,从怀中取出那只盛放彩雪蛛的金盒来,掀开盒盖,盒中十余只彩雪蛛蠕蠕而动,其时朝阳初升,照得盒中红绿斑斓,鲜艳夺目。国师从金盒旁的圆孔中拔出一根犀牛角做的夹子,夹起一根蛛丝,轻轻一甩,蛛丝上带着一只彩雪蛛,黏在山洞口左首。他连夹连甩,将盒中毒蛛尽数放出,每只毒蛛带着一根蛛丝,黏满了洞口四周。盒中毒蛛久未喂食,饥饿已久,登时东垂西挂,结起一张张蛛网,不到半个时辰,洞口已为十余张蛛网布满。

当毒蛛结网之时，小龙女和周伯通看得有趣，均未出手干预，到得后来，一个直径丈余的洞口已满是蛛网，红红绿绿的毒蛛在蛛网上来往爬动，只瞧得心烦意乱。

小龙女低声道："可惜我玉蜂针打完了，不然一针一个，省得这些毒蜘蛛在眼前爬来爬去的讨厌。"周伯通拾起一枝枯枝，便想去揽蛛网，忽见一只大蝴蝶飞近洞口，登时给蛛网黏住。本来昆虫落入蛛网，定须挣扎良久，力大的还能毁网逃去，这只蝴蝶躯体虽大，一碰到蛛丝立即昏迷，动也不动。小龙女心细，叫道："别动，蛛丝有毒。"周伯通吓了一跳，忙抛下枯枝。原来国师放毒蛛封洞，并非想以这些纤细的蛛网阻住二人，倒盼望他们出手毁网，游丝飞舞，免不了身上沾到一二根，剧毒便即入体。

小龙女蓦地里想起，那日在古墓中教杨过轻功，杨过以"天罗地网势"捉到了一对白蝴蝶，当晚他做梦，梦到捉白蝴蝶，牢牢抓住了自己一对赤足，想着这些缠绵温馨的情景，不由得长长叹了口气，心中伤痛，珠泪双垂。

周伯通观看毒蛛吃蝴蝶，大感兴趣，却觉得有点肚饿，又盘膝坐下，心想："反正我玄功一时不易恢复，多坐一会倒也不错。"小龙女却想："这僵持之局不知何时方了？又不知道老顽童身上的毒性去尽没有？"问道："你运功去毒，再有一天一晚可够了么？"周伯通叹道："别说一天一晚，再有一百天一百晚也不管用。"小龙女惊道："那怎生是好？"周伯通笑道："那贼秃若肯送饭给咱们吃，在这山洞中住上几年，也没什么不好。"

小龙女道："他不肯送饭的。"叹了口气，道："倘若杨过在这儿，我便在这山洞中住一辈子也没什么。"周伯通怒道："我什么地方及不上杨过了？他还能比我强么？我陪着你又有什么不好？"他这两句话不伦不类，小龙女却也不以为忤，只淡淡一笑，道："杨过会使全真剑法，我和他双剑合璧，便能将这和尚杀得落荒而逃。"周伯通道："哼，全真剑法有什么了不起？我是全真派大长老，我难道不会使？杨过能胜得我么？"小龙女道："我们这双剑合璧,叫作玉女素心剑法,要我心中爱他,他心中爱我,两心相通,方能克敌制胜。"

周伯通一听到男女之爱,立时心惊肉跳,连连摇手,说道:"休提,休提。我不来爱你,你也千万别来爱我。我跟你说,在山洞中住了几年也没什么大不了。当年我在桃花岛山洞中孤另另的住了十多年,没人相伴,只得自己跟自己打架,现今跟你在一起,有说有笑,那就大不相同了。"他自得其乐,竟想在洞中作久居之计。

小龙女奇道:"自己跟自己打架,怎生打法?"周伯通大是得意,将分心二用、左右互搏之术简略说了。小龙女心中一动:"若我学会此术,左手使全真剑法,右手使玉女剑法,那岂不是双剑合璧,成了玉女素心剑法? 就只怕这功夫非一朝一夕所能学会。"说道:"这功夫很难学罢?"周伯通道:"说难是难到极处,说容易也容易之至。有的人一辈子都学不会,有的人只须几天便会了。你识得郭靖与黄蓉两个娃娃么?"小龙女点点头。周伯通道:"你说他两人是谁聪明些?"

小龙女道:"郭夫人聪明之极,我听过儿说道,当世只怕无人能及。郭大侠的资质却平常得紧。"周伯通笑道:"什么'平常得紧'? 简直蠢笨无比。你说我是聪明呢还是傻?"小龙女笑道:"我瞧你年纪虽然不小,仍然傻不里几的,说话行事,有点儿疯疯颠颠。"

周伯通拍手道:"是啊,你这话一点儿也不错。这左右互搏之术是我想出来的,后来我教了郭靖兄弟,他只用几天功夫便学会了。但他转教他婆娘,你别瞧黄蓉这女孩儿玲珑剔透,一颗心儿上生了十七八个窍,可是这门功夫她便始终学不会。我还道郭靖傻小子教得不对,后来老顽童亲自教她,哪知道她第一课'左手画方,右手画圆'便画来画去不像。所以啊,有的人一学便会,有的人一辈子学不了。好像越聪明,便越加不成。"

小龙女道:"难道蠢人学功夫,反而会胜过聪明人? 我可不信。"周伯通笑嘻嘻的道:"我瞧你品貌才智,和小黄蓉不相上下,武功也跟她差不离。或许相貌武功,都比她高这么一点儿。你既不信,那你便用左手食指在地下画个方块,右手食指同时画个圆圈。"小龙女依言伸出两根食指在地下画画,但画出来的方块有点像圆圈,圆圈却又有点像方块。周伯通哈哈大笑,道:"是么?你这一下便办不到。"

小龙女微微一笑,凝神守一,心地空明,随随便便的伸出双手手指,在地下泥沙里左手画了一个方块,右手画了一个圆圈,方者正方,圆者浑圆。

周伯通大吃一惊,道:"你……你……"过了半晌,才道:"你从前学过的么?"小龙女道:"没有啊,这又有什么难了?"周伯通搔着满头白发,道:"那你是怎么画的?"小龙女道:"我也不知道。心里什么也不想,一伸手指便画成了。"随即左手写了"老顽童"三字,右手写了"小龙女"三字,双手同时作书,字迹整整齐齐,便如一手所写一般。周伯通大喜,说道:"这定是你从娘胎里学来的本领,那便易办了。"于是教她如何左攻右守,怎生右击左拒,将他在桃花岛上领悟出来的这门天下无比的奇功,一古脑儿说了给她听。

其实这左右互搏之技,关键诀窍全在"分心二用"四字。凡聪明智慧之人,心思繁复,一件事没想完,第二件事又涌上了心头。三国时曹子建七步成诗;五代间刘鄩用兵,一步百计;这等人要他学那左右互搏的功夫,便杀他的头也学不会的。小龙女自幼便练摒除七情六欲的扎根基功夫,八九岁时已练得心如止水,后来虽痴恋杨过,这功夫大有损耗,但此刻心灵痛受创伤,心灰意懒之下,旧日的玄功竟又回复了八九成。她所修习的古墓派内功乃当年林朝英情场失意之后所创,与她此时心境大同小异,感应一起,顿生妙悟,周伯通一加指拨,她立时便即领会。只因周伯通、郭靖、小龙女均是淳厚质朴、心无渣滓之人,如黄蓉、杨过、朱子柳辈,那就说什么也学不会了。

周伯通身上毒性未除,但口讲指划,说得津津有味。小龙女不住点头,暗自默想如何右手使玉女剑法、左手使全真剑法,只几个时辰,心中已豁然贯通,说道:"我全懂啦。"双手试演数招,竟圆转如意。周伯通张大了口合不拢来,只叫:"奇怪! 奇怪!"

国师和赵志敬守在洞外,听两人说个不停,有讲有笑,侧耳倾听,只断断续续的听到几句,全不明其意。

小龙女一抬头,见两人正自探头探脑的窥望,站起身来,说道:"咱们走罢!"周伯通一呆,问道:"哪里去?"小龙女道:"出去把贼秃抓来,逼他给你解药。"周伯通拉了拉自己大胡子,问道:"你准打赢他了?"

说到此处,忽听得嗡嗡声响,一只蜜蜂黏上了蛛网,不住出力挣扎。先前一只大蝴蝶一触蛛丝便即昏晕,这蜜蜂身躯甚小,却似不怕彩雪蛛毒性,蛛网竟给撕出了一个破洞。一只面目狰狞的毒蛛在旁虎视眈眈,却不敢上前放丝缠绕,过了良久,蜜蜂才不支晕去,那毒蛛扑上便咬。

小龙女在古墓中饲养成群玉蜂,和蜜蜂终年为伴,驱蜂之术固然甚精,且把蜂儿视作朋友一般,眼见蜜蜂有难,心中不忍,突然转念:"毒蛛形貌虽恶,我的蜂儿未必便怕它们了。"从怀中取出玉瓶,右手伸掌握住,拔开瓶塞,潜运掌力,热气从掌心传入瓶中,过不多时,一股芬芳馥郁的蜜香透过蛛网送了出去。周伯通奇问:"你干什么?"小龙女道:"这是个顶好玩的把戏,你爱不爱瞧?"周伯通大喜,连叫:"妙极!"又问:"那是什么把戏?"小龙女微笑不答,只催动掌力。

此时山谷间野花盛开,四下里采蜜的野蜂极多,闻到这股甜蜜的芳香,登时从各处飞拥而至。一只只野蜂不住的冲向山洞,一黏上蛛网,便都挣扎撕扯,有的给毒蛛咬死,有的却在毒蛛身上刺了一针。彩雪蛛虽是天下至毒,但蜂毒中得多了,即便渐渐僵硬而死。周伯通只瞧得手舞足蹈,心花怒放。洞外金轮国师和赵志敬却目瞪口呆,不知所措。

初时彩雪蛛尚占上风,毒蛛只死了三只,蜜蜂却有四十余只毙命,但野蜂越聚越多,起初还只三四只、五六只零零落落的赶来,到后来竟成群结队，数十只、数百只一窝一窝的拥到，片刻之间，洞口的蛛网冲烂无余，十余只毒蛛也尽数中刺僵毙。赵志敬吃过蜜蜂的大苦头，见情势不妙，忙悄悄溜入树丛，远远避开。国师却可惜彩雪蛛难得，这一役莫名其妙的全军覆没，还道野蜂有合群之心，同仇敌忾，和毒蛛相斗，却不知乃小龙女召来，兀自寻思如何逼周伯通和小龙女出洞，结果二人性命。

小龙女将小指指甲伸入玉瓶，挑了一点蜂蜜向国师弹去，左手食指向他左边一点，右边一点，口中呼啸吆喝。几千只野蜂转身出洞，向他冲去。国师一惊非同小可，急忙向前飞窜。他轻身功夫了得，野蜂飞得虽快，他身法更快，霎时间已窜出十余丈外。但见他犹似一溜黑烟，越奔越远，野蜂追赶不上，便各自散了。

小龙女连连顿足，不住口的叫道："可惜，可惜！"周伯通道："可惜什么？"小龙女道："给他逃走啦，没抢到解药。"原来她驱赶蜜蜂分从左右包抄，要将国师围住，可没想到这些野蜂乃乌合之众，东一窝西一窝的聚在一起，决不能和她古墓中养驯的玉蜂相比，要它们一时追刺敌人，倒还可以，至于左右包抄、前后合围这些精微的阵势，野蜂便无能为力了。但周伯通已佩服得五体投地，深觉这玩意儿比他生平所见所玩任何戏耍都强得多，鼓掌大赞，浑忘了身上中毒未解。

小龙女见洞口蛛丝已除，窜出洞去，招手道："出来罢！"周伯通跟着跃出，但身在半空，突然重重跌落，叹道："不成，不成！力气使不出来。"猛地里全身打战，牙齿互击，格格作响，这一跌之下，引动彩雪蛛的余毒发作出来，犹似身堕万年冰窖，酷寒难当，嘴唇和脸孔渐渐发紫，一丛白胡子连连摇晃。小龙女惊问："周伯通，你怎么啦？"周伯通不住发抖，颤声道："你……你快用那针儿扎我……扎我几下。"小龙女道："我的针上有毒啊。"周伯通道："便……便是……有毒的好。"

小龙女想起适才野蜂与毒蛛的恶战，心道："莫非蜂毒正是蛛毒的克星？"从地下拾起一枚玉蜂针，试着在他手臂上刺了一下。

周伯通叫道："妙啊！快再刺。"小龙女连刺几下，听他不住的叫好，见针上毒性已失，于是换过一枚。一共刺了十余针，周伯通不再打战，舒了一口气，笑道："以毒攻毒，众妙之门。"试着一运气，尚觉体内余毒仍未去尽，猛地一拍膝盖，叫道："龙姑娘，你针上的蜂毒不够，而且不大新鲜。"小龙女笑道："那我便叫野蜂来叮你。"周伯通道："多谢之至，快快叫罢！"

小龙女揭开玉瓶，先在周伯通身上弹了些蜜浆，再召来野蜂，叮在周伯通身上。老顽童笑逐颜开，全身脱得赤条条的，让野蜂针刺全身，潜运神功将蜂毒吸入丹田，再随真气流遍全身。不多时，遍体都是野蜂尾针所刺的小孔，蛛毒尽解，再刺下去便越来越痛，大声叫道："够啦，够啦！再刺下去便搅出人命来啦！"拾起衣裤穿起。

小龙女微微一笑，将野蜂驱走，见金铃软索掉在一旁，顺手拾起，问道："我要上终南山去，你去不去？"周伯通摇摇头，道："我另有要紧事情要办，你一个人去罢！"小龙女道："啊！是了，你要到襄阳城去相助郭大侠。"她一提到"郭大侠"三字，便想到郭芙，跟着想到了杨过，黯然道："周伯通，你若见到杨过，别提起曾遇见我。"却见他喃喃自语，不理自己，但完全听不到他在说什么，脸上神色诡异，不知在捣什么鬼。过了半晌，周伯通突然抬头问道："你说什么？"小龙女道："没什么了，咱们再见啦。"周伯通心不在焉，只点头挥手。

小龙女转身走开，过了一个山坳，忽听得周伯通大声吆喝呼啸，宛似在指挥蜜蜂。小龙女好生奇怪，悄悄又走了回来，躲在一株树后张望，只见周伯通手中拿着玉瓶，正在指手划脚的呼叫。她伸手怀中一探，玉瓶果已不翼而飞，不知如何给他偷了去，但他吆喝的声音，似是而非，虽有几只野蜂闻到蜜香赶来，却全不理睬他的指挥，只绕着玉瓶嗡嗡打转。

小龙女忍不住噗哧一笑，从树后探身出来，叫道："我来教你罢！"周伯通见把戏拆穿，贼赃给事主当场拿住，只羞得满脸通红，白须一挥,斗地窜出数丈,急奔下山,飞也似的逃走了。

小龙女忍不住好笑,心想这怪老头儿当真有趣得紧。她笑了数声,空山隐隐,传来几响回声,蓦地里只觉寂寞凄凉,难以自遣,忍不住流下两行清泪。这一晚和金轮国师斗智斗力,有老顽童陪着胡闹,倒也热闹了半天,此刻敌人走了,朋友也走了,情郎却要去娶别的姑娘,全世界便似孤另另的只剩下了她一个人。

她一路跟随甄志丙和赵志敬,只觉这两人可恶之极,虽将之碎尸万段,也难解心头之恨。她只消一出手,便能将两人杀了,但总觉得杀了他们那又如何?在大榆树下呆了半晌,自言自语:"我还是找他们去!"走下山来,跨上放在山下吃草的枣骝马。

上得大路行了一程,忽见前面烟尘冲天,旌旗招展,蹄声雷震,大队军马向南开拔。小龙女心中踌躇:"在这千军万马之中,却如何去寻那两个道士?"忽见三乘马从山坡旁掠过,马上乘者黄衫星冠,正是三个道人。小龙女心道:"怎地多了一个?"遥遥望去,最后一人正是甄志丙,赵志敬和另一个年轻道士并骑在前。小龙女一提缰绳,纵马跟了下去。

甄志丙和赵志敬听得蹄声,回头望去,又见到了小龙女,都不禁脸上变色。那年轻道人问道:"赵师兄,这女子是谁?"赵志敬道:"那是咱们教中的大敌,你别出声。"那道人吓了一跳,颤声道:"是赤练仙子李莫愁?"赵志敬道:"不是,是她的师妹。"那年轻道人名叫祁志诚,也是丘处机的弟子。他只知李莫愁曾多次与师伯、师父、师叔们相斗,全真诸子曾在她手下吃过不少亏,来者既是李莫愁的师妹,自然也非善类。

赵志敬举鞭狂抽马臀,一阵急奔,甄祁二人也纵马快跑,片刻间已将小龙女远抛在后。但小龙女那马匹后劲极长,脚步并不加快,只不疾不徐的小跑。三匹马奔出四五里,气喘吁吁,渐渐慢了下来,枣骝马又逐步赶上。赵志敬举鞭击马,但坐骑没了力气,不论他如何抽打,只奔出数十丈,便又自急奔而小跑,自小跑而缓步。

祁志诚道:"赵师兄,我和你回头阻挡敌人,让甄师兄脱身。"赵志敬铁青着脸道:"话倒说得容易,你不要命了吗?"祁志诚道:"甄师兄身负掌教重任,咱们好歹也得护他平安。"原来他此番是奉师父丘处机之命前来,召甄志丙回重阳宫权摄代掌教。

赵志敬哼了一声,不加理睬,心想:"也不知天多高、地多厚,凭你这点儿微末道行就想挡住她?"祁志诚见他脸色不善,不敢多说,勒住马缰,待甄志丙上前,低声道:"甄师兄,你千金之躯,非同小可,还是你先走一步。"甄志丙摇头道:"由得他去!"

祁志诚见他镇静如恒,好生佩服,暗道:"怪不得师父要他权摄代掌教,单是这份气度,第三代弟子中就无人能及。"他却不知甄志丙此时心情特异,只盼小龙女能一剑杀了他,以解他心中无穷无尽的自责自悔。赵志敬见二人不急,究也不便独自逃窜,好在见小龙女一时也无动手之意,走一段路便回头望一眼,心中惴惴不安。

四人三前一后,默默无言的向北而行。这时蒙古大军南冲蹄声已渐渐隐没,偶而随风飘来一些金鼓号角之声,风势转向,便即消失。百姓躲避敌军,大道附近别说十室九空,简直是鸡犬不留,绝无人迹。那日甄志丙与赵志敬慌不择路的逃到了偏僻之处,还可找到一家小小饭店,这时沿大路行来,连完好的空屋也寻不着一所。

当晚甄志丙等三人便在一所门窗全无的破屋中歇宿。赵志敬和祁志诚偷偷向外张望,见小龙女在两株大树间悬了一根绳子,横卧绳上。祁志诚见她如此功夫,暗暗心惊。甄志丙几次想要走向大树间,求小龙女杀己,总是给赵志敬拔剑拦住,自思虽然自刎极易,但远不如死在小龙女手下。

次晨四人又行。赵志敬连晚未睡,全神阻拦甄志丙接近小龙女,自知甄志丙一死,自己图谋全盘成空,加之受惊过甚,骑在马上迷迷糊糊的打瞌睡。祁志诚和甄志丙并骑而行,落后了七八丈,祁志诚忍不住说道:"甄师兄,你和赵师兄的武功,每年大较小较,我都见识过的,两位可说各有所长,难分高下。但说到胸中器度,那是不可同日而语了。"甄志丙苦笑了一下,问道:"师父和各位师伯叔这次闭关,你可知要有多少时日?"祁志诚道:"师父说快则三月,慢则一年,因此要急召甄师兄去权摄代掌教之职。"甄志丙呆呆出神,自言自语:"他老人家功夫到了这等田地,不知还须修练什么?"祁志诚低声道:"听说五位真人要潜心钻研,创制一门高强武功,重振全真派声威。"甄志丙"哦"了一声,忍不住回头向小龙女望了一眼。

当年小龙女生日,江湖群邪聚集终南山,达尔巴与霍都两人轻易攻入重阳宫,霍都数招之间就将郝大通打得重伤,若非郭靖适时到援,全真教非吃大亏不可。饶是如此,全真教总坛重阳宫,仍让霍都等人烧成一片瓦砾。全真教自重阳真人威震天下以来,一直号称武学正宗,全真七子修为深湛,也确不堕祖业,但蒙古密宗武功如此高深,金轮国师一出手便震动中原,郝大通与孙不二回观说起,兀自心有余悸,使得丘处机等人深感忧虑。大胜关英雄大会之中,小龙女与杨过出手气走金轮国师师徒,武功精绝,郝大通、孙不二和甄赵二道都亲眼得见。杨过在郭靖书房中,手不动、足不抬,便制得赵志敬狼狈不堪,后来小龙女只一招之间,更将赵志敬震得重伤。他二人使何手法,孙不二虽在近旁,竟便看不明白,倒似全真派的武功在古墓派手下全然不堪一击,思之实足心惊。后来又听说小龙女和杨过双剑合璧,将金轮国师杀得大败亏输,全真派上下更大为震动。

全真七子之中,谭处端早死,马钰也已谢世,只剩下了五人。刘处玄任了半年掌教,交由丘处机接任。五子均已年高,精力就衰,第三、四代弟子之中并无杰出人才,眼下蒙古南侵,国难深重,日后金轮国师率弟子重来,古墓派再上山寻仇,倘若全真五子尚在人间,还可抵挡得一阵,但如大敌十年后再来,外患内忧齐临,那时号称天下武学正宗的全真派非一败涂地不可。因此五人决定闭关静修,要钻研一门厉害武功出来,以保天下武功正宗的令誉,不仅兴教,抑且保国卫民。教中俗务,暂且置之度外,是以赶召甄志丙回山权摄代掌教之位。

甄志丙等朝行晚宿,一路向西北而行。小龙女总是相隔里许,不即不离的在后相随。这日到了陕西境内,祁志诚向甄志丙道:"甄师兄,咱们是回重阳宫去。难道这龙姑娘孤身一人,竟也敢涉险追来么?"

甄志丙"嗯"了一声,实猜不透她用意。这一路之上,日日夜夜,只翻来覆去的寻思:"她要向五位真人揭发我的恶行么?要仗剑大杀全真教,以出心中恶气么?或许,她只不过要回到古墓故居,正好和我同路?又难道……又难道……她怜我一片痴心,终究对我有了情意?"想到最后一节,总不由得面红耳赤,暗自惭愧,这自是痴心妄想,比之长生升仙,尤为渺茫,反正此时生死荣辱全已置之度外,既求死不得,恐惧之心倒也淡了。

又过数日,到了终南山脚下。祁志诚取出一枝响箭,使手劲甩出,呜的一声响,冲天而起。过不多时,四名黄冠道人从山上急奔而下,向甄志丙躬身行礼,说道:"冲和真人,您回来啦,大家等候多时了。"甄志丙道号"冲和",但除了他的亲传弟子之外,向来无人如此称呼。这四名道人都是全真教的第三代弟子,和他一直师兄弟相称,其中一人年纪比他还大得多。

这四人突然改口,甄志丙极感过意不去,忙下马还礼,谦道:"四位师兄如此相称,小弟何以克当。"那年纪最长的道人是马钰的弟子,说道:"五位师叔法旨,只待冲和真人一到,即便权摄代掌教,处理教中一应大小事务。"甄志丙道:"师父和四位师伯叔已经闭关了么?"那道人道:"已闭了二十多天。"

说话之间,只听山上乐声响亮,十六名道士吹笙击磬,排列在道旁迎接,另有十六名道士拿着木剑、铁钵等法器,见甄志丙来到,一齐躬身行礼,前后护拥,向山上而去,竟把赵志敬冷落在后。赵志敬又气恼,又羡妒,内心却又不禁暗暗得意:"待掌教之位落入我手中,再瞧你们的嘴脸却又如何?"

　　傍晚时分,一行人已到了重阳宫外。宫中五百多名道人从大殿直排到山门外十余丈处,只听得铜钟镗镗,皮鼓隆隆,数百名道士躬身肃候。见到这般隆重端严的情景,甄志丙本来委靡颓唐,不禁精神为之一振,在十六名大弟子左右拥卫下,先到三清殿叩拜元始天尊、太上道君、太上老君三清,再到后殿叩拜创教祖师王重阳的遗像,又到第三殿全真七子集议之所,向七张空椅叩拜,然后回到正殿三清殿。

　　丘处机的大弟子李志常取出掌教真人法旨宣读,命甄志丙权摄代掌教。甄志丙下拜听训,感愧交集,瞥眼见赵志敬站在一旁,脸上似笑非笑的满是讥嘲之色,心中蓦地大震。

　　甄志丙听训已毕,站起身来,待要向群道谦逊几句,忽见外面一名道士进来,朗声说道:"启禀代掌教真人,有客到。"甄志丙一呆,想不到小龙女竟会这般大模大样的正式拜会,实不知如何应付才是,事到临头,要逃也逃不过,只得硬着头皮道:"请罢!"

　　那道士回身出去,引了两个人进来。群道一见,均大感诧异,甄志丙更是奇怪。进来的两人一个蒙古官员打扮,另一个却是在忽必烈营中会见过的潇湘子。

　　那蒙古贵官阿不花朗声说道:"大汗陛下圣旨到,敕封全真教掌教。"说着在大殿上居中一站,取出一卷黄缎,双手展开,宣读道:"敕封全真教掌教为:特授神仙演道大宗师,玄门掌教,文粹开玄宏仁广义大真人,掌管诸路道教所……"宣读到这里,见没人跪下听旨,大声道:"全真教掌教接旨。"

　　甄志丙上前躬身行礼,说道:"敝教掌教丘真人坐关,现由小道权摄代掌教,蒙古大汗的敕封,非对小道而授,小道不敢拜领。"

　　阿不花笑道:"大汗陛下玉音,丘真人为我成吉思汗所敬,年事已高,不知是否尚在人世。这敕封原本不是定须授给丘真人的,谁是全真教掌教,便荣受敕封。"甄志丙道:"敝教掌教仍为丘真人,现坐关修炼,未克迎接大人听旨。小道并非掌教,谨为权代掌教,无德无能,不敢拜领荣封。"阿不花笑道:"不用客气啦,快快领旨罢。"甄志丙道:"荣宠忽降,仓卒不意。请大人后殿休息片刻,小道和诸位师兄商议商议。"

阿不花神色不快,卷起了圣旨道:"也罢!却不知要商量什么?"教中职司接待宾客的四名道人陪着贵官和潇湘子到后殿用茶。

甄志丙邀了十六名大弟子到别院坐下,说道:"此事体大,小弟不敢擅自作主,要聆听各位师兄的高见。"

赵志敬抢先道:"蒙古大汗既有这等美意,自当领旨。可见本教日益兴旺,连蒙古大汗也不敢小视咱们。"说着神情甚是得意,呵呵而笑。李志常摇头道:"不然,不然!蒙古侵我国土,残害百姓,咱们怎能受他敕封?"赵志敬道:"丘师伯当年领受成吉思汗诏书,万里迢迢的前赴西域,代掌教和李师兄均曾随行,有此先例,何以受不得蒙古大汗的敕封?"李志常道:"那时蒙古和大金为敌,既未侵我国土,且与大宋结盟,此一时彼一时,如何能相提并论?"赵志敬道:"终南山受蒙古管辖,咱们各处道观也均在蒙古境内,倘若不领受敕封,眼见全真教便是一场大祸。"

李志常道:"赵师兄这话不对。"赵志敬提高声音,道:"什么不对,要请李师兄指点。"李志常道:"指点是不敢。请问赵师兄,咱们的创教祖师重阳真人是什么人?你我的师父全真七子又是什么人?"赵志敬愕然道:"祖师爷和师父辈宏道护法,乃三清教中的高人。"李志常道:"他们都是顶天立地的大丈夫,爱国忧民,每人出生入死,都是曾和金兵血战过来的。"赵志敬道:"是啊。重阳真人和全真七子名震江湖,武林中谁不钦仰?"

李志常道:"想我教上代的真人,个个不畏强御,立志要救民于水火之中,全真教便算真的大祸临头,咱们又怕什么了?要知头可断,志不可辱!"这几句话大义凛然,甄志丙和十多名大弟子都耸然动容。

赵志敬冷笑道:"便只李师兄不怕死,旁人都是贪生畏死之徒？祖师爷创业艰难，本教能有今日的规模，祖师爷和七位师长花了多少心血？这时交付下来，咱们如处置不善，将轰轰烈烈的全真教毁于一旦，咱们有何面目见祖师爷于地下？五位师长开关出来之时，又怎生交代？"这番话言之成理，登时有几名道人随声附和。赵志敬又道："金人是我教的死仇，蒙古灭了金国，正好为我教出了口恶气。当年祖师爷举义不成，气得在活死人墓中隐居不出，他老人家在天之灵知道金人败军覆国，正不知有多欢喜呢。"

丘处机的另一名弟子王志坦道："蒙古人灭金之后，倘若与我大宋和好，约为兄弟之邦，咱们自然待以上国之礼，倘若敕封，咱们自可领受。但今日蒙古军大举南下，急攻襄阳，大宋江山危在旦夕，你我都是大宋之民，岂能受敌国敕封？"转头向甄志丙道："代掌教师兄，你若受了敕封，便是卖国求荣的汉奸，便是本教的千古罪人。我王志坦纵然颈血溅地，也决不能跟你干休。"说到此处，已声色俱厉。

赵志敬倏地站起，伸掌在桌上一拍，喝道："王师弟，你想动武不成？对代掌教真人竟敢如此无礼？"王志坦厉声道："咱们自己师兄弟，便只说理。若要动武，又岂怕你来？"眼见双方各执一词，互不为下，气势汹汹的便要大挥老拳，拔剑相斗。

一名须发花白的道人连连摇手，说道："各位师弟，有话好好说，不用恁地气急。"王志坦道："依师兄说该当如何？"那道人道："依我说啊，唔，唔……出家人慈悲为怀，能多救得一个百姓，便助长一分上天的好生之德……唔，唔……咱们如受了蒙古大汗的敕封，便能尽力劝阻蒙古君臣兵将，不可滥施杀戮。当年丘师叔，岂非便因此而救了不少百姓的性命么？"有几名道人附和道："是啊！是啊！"

一名短小精悍的道人摇头道："今日情势非昔可比。小弟随师父西游，亲眼见到蒙古兵将屠城掠地的惨酷。咱们若受敕封，降了蒙古，那便是助纣为虐，纵然救得十条八条性命，但蒙古势力一大，不知将有几千几万百姓因此而死。"这矮小道人名叫宋德方，是当年随丘处机西游的十八弟子之一。

赵志敬冷笑道："你见过成吉思汗，那又怎地？我此番便见了蒙古四王子忽必烈，这位王爷礼贤下士，豁达大度，又哪里残暴了？"王志坦叫道："好啊，原来你是奉了忽必烈之命，做奸细来着！"赵志敬大怒，喝道："你说什么？"王志坦道："谁帮蒙古人说话，便是汉奸。"赵志敬突然跃起，呼的一掌便往王志坦头顶击落。斜刺里双掌穿出，同时架开他这一击，出掌的却是丘处机的另外两名弟子，其中一人便是祁志诚。赵志敬怒火更炽，大叫："好哇！丘师伯门下弟子众多，要仗势欺人么？"

正闹得不可开交，甄志丙双掌一拍，说道："各位师兄且请安坐，听小弟一言。"全真教的掌教向来威权极大，他任代掌教，全教须得奉命。众道人当即坐下，不敢再争。

赵志敬道："是了，咱们听代掌教真人吩咐，他说受封便受封，不受便不受。大汗封的是他，又不是你我，吵些什么？"他想甄志丙有把柄给自己拿在手里，决不敢违拗自己之意。李志常、王志坦等素知甄志丙秉性忠义，心想凭他一言而决，的确不必多事争闹，各人望着甄志丙，听他裁决。

甄志丙缓缓道："小弟无德无能，权摄代掌教的重任，想不到第一天便遇上这件大事。"说着抬起头来，呆呆出神。十六名大弟子的目光一齐注视着他，道院中静得没半点声息。过了良久，甄志丙缓缓的道："本教乃重阳祖师所创，至马真人、刘真人、丘真人而发扬光大。小弟暂摄代掌教，只不过暂代此位，怎敢稍违王马刘丘四真人的教训？五位真人出关之后，大事便由五真人决策。诸位师兄，眼下蒙古大军南攻襄阳，侵我疆土，杀我百姓。倘若这四位前辈掌教在此，他们是受这敕封呢，还是不受？"

群道听了此言，默想王重阳、马钰、刘处玄、丘处机平素行事：王重阳去世已久，第三代弟子均未见过；马钰谦和敦厚，处事旨在清静无为；刘处玄城府甚深，众弟子不易猜测他的心意；但丘处机却性如烈火、忠义过人。众人一想到他，不约而同的叫道："丘掌教定然不受!"赵志敬却大声道:"现下掌教是你代任,可不是丘师伯。"

甄志丙道:"小弟才识庸下,不敢违背师训。又何况我罪孽深重,死有余辜。"说到这里,垂首不语。群道不知他话中含意,除赵志敬外,都以为不过是自谦之辞,只觉得"罪孽深重、死有余辜"八字,未免太重,有点儿不伦不类。赵志敬"哼"的一声,站起身来,说道:"如此说来,你是决定不受的了?"

甄志丙凄然道:"小弟微命实不足惜,但我教令誉,却不能稍有损毁。"他声调渐渐慷慨激昂,又道:"方今豪杰之士,正结义以抗外侮。全真派号称武学正宗,倘若降了蒙古,咱们有何面目再见天下英雄?"群道轰然喝采,李志常、宋德方、王志坦、祁志诚等大声道:"代掌教师兄言之有理。"

赵志敬袍袖一拂,怒冲冲的走出道院,在门边回过头来,冷笑道:"代掌教师兄,你说话倒好听得紧啊,嘿嘿! 此事后果如何,你也料想得到。"说着大踏步便行。

群道纷纷议论,都赞甄志丙决断英明。四五个附和赵志敬的道人觉得不是味儿,讪讪的走了。

甄志丙黯然无语,回到自己丹房,知道赵志敬受此挫折,决不干休,定要当众揭发自己的丑行。他宣称不受敕封之时便已决意一死,数月来担惊受怕,受尽折磨,这时想到死后一了百了,心中反而坦然,既不能死于小龙女之手,自尽便了,闩上丹房房门,冷然一笑,抽出长剑便往颈中刎去。

突然书架后转出一人,伸手一钩一带,甄志丙毫没防备,长剑竟给他夹手夺去,一惊之下回过头来,见夺剑的正是赵志敬,只听他冷冷的道:"你败坏我教清誉,便想一死了事,什么都不理了?龙姑娘守在宫门之外,待会她进来理论,教咱们如何对答?"甄志丙道:"好! 那么我出去在她面前自刎谢罪。"赵志敬道:"你便算自刎,此事还是不了。五位师长开关出来,定要追问。全真教令誉扫地,你便是千古罪人。"

甄志丙再也支持不住，突然坐倒在地，抱着脑袋喃喃道："你叫我怎么办？怎么办？就算死了，也是不成。"适才他在众道之前侃侃而谈，这时和赵志敬单独相处，却竟无半点自主之力。赵志敬道："好，你只须依我一件事，龙姑娘之事我就全力跟你弥缝，本教和你的声名均可保全，决无半点后患。"甄志丙道："你要我受蒙古大汗的敕封？"赵志敬说道："不，不！我决不要你受蒙古大汗的敕封。"甄志丙心头一松，喜道："什么事呢？快说，我一定依你。"

半个时辰之后，大殿上钟鼓齐鸣，召集全宫道众。李志常吩咐丘处机一系门下众师弟与再传弟子道袍内暗藏兵刃，生怕甄志丙拒受敕封，赵志敬一派人或有异图。大殿上黑压压的挤满了道人，各人神色均极紧张。

只见甄志丙从后殿缓步而出，脸上全无血色，居中一站，说道："各位道兄，小道奉丘掌教之命，权摄代掌教，岂知突患急病，无法可治……"这句话来得太过突兀，群道中有十余人忍不住"啊、啊"的叫出声来。甄志丙续道："代掌教重任，小弟已不克负荷，现下我命玉阳子座下大弟子清肃真人赵志敬，权摄代掌教！"

这句话一出，大殿上登时寂然无声。但这肃静只是一瞬间的事，接着李志常、王志坦、宋德方等人争着大声反对："丘真人要甄师兄任代掌教，这重任岂能传给旁人？""代掌教师兄好好的，怎会患上不治之症？""这中间定有重大阴谋，代掌教师兄可莫上了奸人的当。"第四代的众弟子不敢大声说话，但也交头接耳，议论纷纭，大殿上乱成一片。李志常等怒目瞪视赵志敬，只见他不动声色，双手负在背后，对各人的言语便似全然没听见。

甄志丙双手虚按，待人声静了下来，说道："此事来得突兀，难怪各位不明其中之理。我教眼前面临大祸，小道又做了一件极大的错事，此刻追悔莫及，纵然杀身以谢，也已难以挽救。"说到这里，神色极是惨痛，顿了一顿，又道："我反覆思量，只有赵志敬师兄才识高超，能带领本教渡过难关。各位师兄弟务须捐弃成见，出力辅佐赵师兄光大本教。"

李志常慨然道："人孰无过？代掌教师兄当真有甚差失，待五位师长开关之后，禀明领责便是。代掌教让位之举，我们万万不能奉命。"甄志丙长叹一声，说道："李师兄，你我多年交好，情同骨肉。今日之事，请你体谅愚弟不得已的苦衷，别再留难了罢。"李志常满腹疑团，瞧甄志丙的神色确有极重大的难言之隐，他言语中竟极意求恳，倒也不便再争，当下低头不语，暗自沉思方策。

王志坦朗声道："代掌教师兄便真要谦让，也须待五位师长开关之后，禀明而行，那才不误了大事。"甄志丙黯然道："事在急迫，等不及了。"王志坦道："好罢，就算如此，咱们同辈师兄弟之中，德才兼备，胜过赵师兄的并非没有。李志常师兄道力深湛，宋德方师弟任事干练，何以要授给大众不服的赵师兄？"

赵志敬性格暴躁，强忍了许久不语，这时再也按捺不住，冷笑道："还有敢作敢为的王志坦师兄呢？"王志坦怒道："小弟不才，比诸位师兄差得太远。可是跟赵师兄相比，自忖还略胜一筹。"赵志敬嘿的一声冷笑，抬头望着屋顶，神情极是傲慢。王志坦大声道："小弟的武功剑术，自非赵师兄敌手，但我至少不会去做汉奸。"赵志敬面色铁青，喝道："你有种便把话说清楚些，谁做汉奸了？"两人言语相争，越说越激烈。

甄志丙道："两位不须争论，请听我一言。"赵王两人不再说话，但仍互相怒目对视。甄志丙道："本教向来规矩，掌教之位，由上一代掌教指任，并非由本教同道互推，代掌教也是如此，这话可对么？"众人齐声应道："是！"甄志丙道："我现下指命赵志敬为本教下一任代掌教，众人不得争论。赵师兄，你上前听训罢。"赵志敬得意洋洋，跨步上前，躬身行礼。

王志坦和宋德方还待说话，李志常一拉两人袍袖，使个眼色，两人素知他处事稳当，必是别有所见，于是不再争议。李志常低声道："甄师弟定是受了赵志敬的挟持，无力与抗。咱们须得暗中查明赵志敬的奸谋，再抖将出来。现下甄师弟已有此言，若再争辩，反显得咱们理亏了。"王宋二人点头称是,随着众人参与交接代掌教的典仪。

全真派一日之间竟有两人先后接任代掌教,群道或忿忿不平,或暗暗纳罕。

接任典仪行毕,赵志敬居中一站,命自己的嫡传弟子守在身旁,说道:"有请蒙古大汗陛下的天使。"这"天使"两字一出口,王志坦忍不住又要喝骂,李志常忙使眼色止住。过不多时,四名知宾道人引着那蒙古贵官阿不花和潇湘子走进殿来。

赵志敬忙抢到殿前相迎,笑道:"请进,请进!"阿不花等候良久,早已不快,又见甄志丙并不出迎,脸色更是难看。一名知宾的道人知他心意,说道:"本教代掌教之位,自此刻起由这位赵真人接任。"阿不花一怔,转恼为喜,笑道:"原来如此,恭喜,恭喜!"说着拱手为礼。潇湘子站在他身后两步之处,脸上始终阴沉沉的不显喜怒之色。

赵志敬侧着身子引阿不花来到大殿,说道:"请大人宣示圣旨。"阿不花微微一笑,心想:"原该由你这般人来代掌教才像样子。先前那道人死样活气,教人瞧着好生有气。"取出圣旨,双手展开。赵志敬跪倒在地,只听阿不花读道:"敕封全真教掌教为……"他会说汉语,读得倒也字正腔圆。

李志常、王志坦等见赵志敬公然领受蒙古大汗敕封,相互使个眼色,唰唰几声,寒光闪动,各人从道袍底下取出长剑。王志坦和宋德方快步抢上,手腕抖处,两柄长剑的剑尖已指住赵志敬的背心。李志常朗声喝道:"本教以忠义创教,决不投降蒙古。赵志敬背祖灭宗,天人共弃,不能摄任代掌教。"另外四名大弟子各挺长剑,将阿不花和潇湘子围住。

这一下变故来得突然之极。赵志敬虽早知李志常等心中不服,但想代掌教的威权极大,自来无人敢抗,自己既得出任此位,便是本教最高首领,所下法旨,即令五位师长也不能贸然反对,万料不到对方竟敢对代掌教动武。这时他背心要害给两剑指住了，又惊又怒，大声道："大胆狂徒，竟敢犯上作乱吗？"王志坦喝道："奸贼！敢动一动，便教你身上多两个透明窟窿。"

赵志敬的武功原在王宋二人之上，但此时出其不意，俯伏在地时给人制住，已全然处于下风。他事先布置了十余名亲信在旁护卫，道袍之中也暗藏兵刃，但李志常、王志坦等都是丘处机的亲传弟子，武功高强，平素在教中颇具威望，突然一齐出手，赵志敬的心腹大都不敢动弹。有几人想取兵刃，均一伸臂便给人点了穴道。给孙婆婆掷伤了脸的张志光、在豺狼谷曾与陆无双相斗的申志凡、赵志敬的弟子鹿清笃均在其内。

李志常向阿不花道："蒙古与大宋已成敌国，我们大宋子民，岂能受蒙古封号？两位请回，他日疆场相见，再与两位周旋。"这几句话说得十分痛快，殿上群道中不少人大声喝采。

阿不花白刃当前，竟无惧色，冷笑道："各位今日轻举妄动，不识好歹，全真教大好基业，眼见毁于一旦，可惜，可惜。"李志常道："神州河山都已残破难全，我们区区一个教门又何足道？阁下再不快走，难免有人无礼。"

潇湘子忽地冷冷插口道："如何无礼，倒要见识见识！"猛地伸出长臂，左抓一把，右抓一把，随手便将王志坦与宋德方手中长剑都夺了过来。赵志敬立时跃起，双臂使招"白云出岫"护住后心，站在阿不花身旁。潇湘子将左手中长剑交了给他，右手剑唰的一声向李志常刺去。李志常举剑挡架，只觉手臂微微一麻，急运内功相抗，呛啷一响，双剑齐断。

潇湘子夺剑、震剑，快速无伦，只一瞬间之事，接着袍袖拂动，双掌齐出，将身边四名全真大弟子的长剑一齐震开。他连使三招，挫败全真教七名高手，殿上数百道人无不骇然，瞧不出这僵尸一般的人竟如此了得。

赵志敬素来瞧不起王志坦、宋德方等人的武功，这次在众目睽睽之下，给两人制得跪在地下抬不起头来，心中如何不怒，这时一剑在手,顺势就向王志坦刺去。这一招"大江东去"乃全真剑法中极凌厉的招数,剑刃破空,嗤嗤作响,直指王志坦小腹。

王志坦向后急避。赵志敬下手毫不容情,立意要取他性命,手臂前送,剑尖又挺进了两尺有余,眼见王志坦这一下大限难逃,殿上众人一时惊得寂无声息,斗然间斜刺里一只袍袖挥出,卷住剑刃向旁一拉,嗤的一声,袍袖割断,就这么顿得一顿,王志坦向后跃开,旁边两柄长剑伸过来架住了赵志敬的剑,瞧那断袖之人时,却是甄志丙。

赵志敬大怒,指着他喝道:"你……你……竟敢如此!"甄志丙道:"赵师兄,你亲口答应了不受蒙古敕封,我才把代掌教之位让你,为何转眼之间,即便出尔反尔?"赵志敬道:"嘿,适才你问我道:'你要我受蒙古大汗的敕封?'我道:'不,我决不要你受蒙古大汗的敕封!'我怎么说话不算了?受敕封的是我,可不是你。"甄志丙喃喃的道:"原来如此,原来如此,你好狡狯!"

这时李志常已从弟子手中接过一柄长剑,大声道:"全真教的好兄弟,咱们仍奉甄真人为代掌教。大家把这姓赵的汉奸擒下了,听由代掌教真人发落。"说着挺剑上前,和赵志敬斗了起来。王志坦、宋德方与其余五名大弟子列成天罡北斗阵法,登时将潇湘子围住。潇湘子武功虽强,但这阵法一经催动,威力非常,他急从袍底取出钢棒招架,但见阵法变幻,七名全真道人左穿右插,虚实互易,不由得眼花缭乱。

那贵官阿不花早退在大殿角落,见情势不对,忙从怀中取出号角,呜都都的吹了起来。两名道人抢上前去,夺下号角,将他反手擒住,但迟了一步,号角声已经传出。

甄志丙知他呼召外援,危难当头,不由得精神大振,叫道:"祁志诚师弟,你看住这蒙古官儿。于道显师兄、王志谨师兄,你们带同三位师兄,快到后山玉虚洞去帮孙师兄守护,以防外敌骚扰五位师长静修。陈志益师弟,你带六个人防守前山;房志起师弟,你带六个人防守左山;刘道宁师弟,你带六人防守右山。"

防守前后左右的，都是丘处机门下他的同门师弟。守护玉虚洞的于道显是刘处玄门下，王志谨是郝大通门下。刘处玄和郝大通都在玉虚洞中静修，于王二人武功均高，为人正直，纵有异心，也决不会危害亲师。甄志丙于片刻之间，便分派得井井有条，各处要地都已有人把守，而且互相呼应救援，便有大批军马到来，一时也难攻打得进。众弟子见他目光如电，指挥若定，发号施令中自有一股威严，竟无人敢予违抗，一一领命而出。

忽听得门外喝骂喧哗，兵刃撞击之声大作，群道正错愕间，墙头一声唿哨，跳进数十个人来。东边是尹克西领头，西边是尼摩星领头，正面是麻光佐领头，所率领的都是蒙汉西域武士中的好手。原来忽必烈猛攻襄阳，连月不下，最后一阵猛攻无效，随即退兵。金轮国师奉忽必烈之命收拾全真教，他先请准忽必烈，呈请蒙古大汗下旨敕封全真派掌教，先行分化教众，再由金轮国师率领大批武林好手伏在终南山周围，若全真教违抗诏命，便以武力压服。

终南山本来守护周密，但一日之中变易代掌教，重阳宫里乱成一团，派在外面守卫的道人都撤了回来参与易立代掌教的大典，因此尹克西、尼摩星等来到重阳宫的宫墙之外，全真教中各人竟未知觉。这时敌人突然现身，甄志丙派遣的各路人手倒有一大半还未离殿。但见前后左右均是外敌，全真教道众虽多，一来大都未携兵刃，二来处在包围之中，挤成一团，四下里要害全落人手，眼见一败涂地之势已成。

那前来宣读敕封的蒙古贵官阿不花本已给祁志诚拿住，这时高声叫道："全真教的各位道长，快掷下兵器，听由代掌教赵真人发落。"

甄志丙喝道："赵志敬背祖叛师，投降外敌，身负大罪，已非本教代掌教。"他虽见情势极其不利，仍决意一拼，指挥群道迎敌。但群道大都赤手空拳，斗不多时，已有十余人尸横就地。接着甄志丙、李志常、王志坦、宋德方、祁志诚等一一失手，或兵刃遭夺，或受伤倒地，或给点中穴道，余下众道为尹克西率领的武士逼在大殿一隅,无法反抗。

阿不花官阶甚高,尹克西、潇湘子等均须听他号令。他见已获全胜,向赵志敬道:"赵真人,瞧在你的面上,全真教教众谋叛抗命之事,我可以代为隐瞒,不予启奏。"赵志敬躬身连声道谢,猛地里想起一事,忙向潇湘子低声道:"有件大事尚须前辈相助。我的师父师伯叔等五个在后山静修,他们如得讯赶来,这……这……"潇湘子阴恻恻的道:"赶来便赶来,我给你打发便是。"赵志敬不敢再说,心中颇感不满,一面又暗自担忧:"你别小觑了我师父、师伯,他们当真来此,你有得苦头吃了。但若五位师长打退蒙古武士,我可要性命难保。"

阿不花道:"赵真人,你先奉领大汗陛下的敕封,然后发落为首的叛徒。"赵志敬道:"是!"跪下听旨。

甄志丙、李志常等手足遭缚,耳听得阿不花宣读敕封,赵志敬磕头谢恩,大呼万岁,不禁怒火填膺。宋德方坐在李志常的身旁,在他耳边低声说道:"李师哥,你解开我手上的绑缚,我冲出去禀告师长。"李志常与他背脊靠着背脊,潜运内力,指上使劲,解开了缚在他手腕的牛筋,低声道:"可千万要缓缓禀报,装作若无其事,别让五位师长受惊,以致岔了真气内息……"宋德方缓缓点头。

宣敕已毕,赵志敬站起身来,阿不花和潇湘子等向他道喜。

宋德方见众人都围着赵志敬,突然跃起,抢到三清神像之后。尼摩星叫道:"站住的! 站着不动的!"宋德方哪里理他,发足急奔。尼摩星双足已断,没法追赶,左手一扬,一枚蛇形小镖激射而出,噗的一声,打中了宋德方左腿。尼摩星叫道:"躺下睡觉的!"宋德方身子一晃,却不躺下睡觉的,而是忍痛奔跑的。重阳宫房舍重重叠叠,他只转了几个弯,几名追赶他的蒙古武士便不见了他影踪。

宋德方奔到了隐僻之处,起出小镖,包扎好伤口,到丹房中取出一柄长剑,奔向后山。他转过一排青松,刚望到玉虚洞洞门,不由得暗暗叫苦,只见数十名蒙古武士正在搬运山石,堵塞洞门。一个高瘦僧人站着督工,另有僧俗两人在旁指挥,宋德方认得这两人是曾来攻打重阳宫的达尔巴和霍都,武功与郝大通等不相上下。那高瘦僧人形貌清奇,显然辈份武功尚在这二人之上,见玉虚洞门已给堵上了十之七八,不知五位师长性命如何,心道:"师父待我恩重如山,今日师长有难,自须舍命相救。"

他明知冲上拦阻只不过白送性命,决不能解救师父的困危,但全教遭逢大难,义不能独自求全,从松树后窜出,运剑如风,向那僧人身后刺去。他想擒贼擒王,这一剑若能侥幸得中,敌党势必大乱。

那僧人正是金轮国师。他已向赵志敬问明全真教中诸般详情,是以一上山便堵塞玉虚洞,知道只要制住全真五子,余下的第三四代弟子便无可与抗。

宋德方剑尖离他背心不到一尺,见他仍浑然不觉,正自暗喜,猛地眼前金光闪动,当的一声,那僧人手中一件圆圆的奇形兵刃回掠过来,与他剑刃一碰。宋德方虎口剧痛,长剑脱手飞出,只这么一震,牵动真气,哇的一口鲜血喷出,迷迷糊糊之中,隐隐听得前面不少人杂声呐喊,不知又出了什么事,心中一阵忧急,便昏晕过去。

金轮国师也听到大殿上的叫声,但想潇湘子、尹克西等高手在场主持,全真教的第三代弟子定施展不出什么古怪,也不在意,只催促众武士赶搬大石,及早将玉虚洞堵塞,以防丘处机等人忽然冲出,不免大费手脚。

大殿上自宋德方一走,情势又变。阿不花向赵志敬道:"赵真人,贵教犯上作乱之辈,人数可不少啊,我瞧你这掌教之位,有点儿坐不安稳呢。"

赵志敬也知众道心中不服,只要潇湘子等一去,群道立时便要反击,一不做,二不休,此时骑虎之局已成,大声说道:"按照本教教规,叛教犯上者该当何罪?"群道默然不应,心中大都说道:"你自己才叛教犯上。"赵志敬又问一声,眼望弟子鹿清笃,要他回答。鹿清笃答道:"当在三清神像之前自行了断。"

赵志敬道:"不错！甄志丙,你知罪了吗？服不服了?"甄志丙道:"不服!"赵志敬道:"好,带他过来!"鹿清笃推甄志丙上前,站在三清神像之前。赵志敬又问李志常、王志坦诸人,人人都大声回答:"不服。"一一问去,遭擒众道之中只三人害怕求饶,赵志敬便下令松绑。其余二十四人个个挺立不屈,王志坦等性子火爆的,更骂声不绝。

赵志敬道:"你们倔强如此,本代掌教纵有好生之德,也已无法宽容。鹿清笃,你为祖师爷行法罢!"鹿清笃道:"是!"提起长剑,将站在左首第一个的于道显杀了。

于道显为人谨厚和善,全教上下个个和他交好。众道见鹿清笃将他刺死,都大声鼓噪起来。宋德方和金轮国师在后山听到的喊声,便是众道人的呼喝。尹克西将手一摆,数十名蒙古武士各执兵刃,拦在众道之前。

鹿清笃见众人叫得猛烈,顿感害怕。赵志敬道:"快下手,慢吞吞的干什么?"鹿清笃应道:"是!"手起剑落,又刺死了两人。站在左首第四的已是甄志丙,鹿清笃提起长剑,正要向他胸口刺落,忽听得一个女子声音冷冷的道:"且慢,不许动手!"

鹿清笃回过头来,只见一个白衣少女站在门口,却是小龙女。只听她说道:"你站开！这个人让我来杀。"

数十柄长剑此上彼落，寒光闪烁，煞是奇观。小龙女施展『天罗地网势』手法，数十柄长剑随接随抛，手中每一刻都有兵刃，也是每一刻都无兵刃。

第二十六回　神雕重剑

　　小龙女眼见全真教群道内哄,蒙古武士大举进袭,一切是是非非,于她便似过眼云烟,全不在意,但见鹿清笃举剑要杀甄志丙,这一剑却如何能让旁人刺了? 立时上前拦阻。赵志敬见小龙女突于此时进殿,心下大喜:"我一路给你追逼得气都喘不过来,此刻高手如云,你自来送死,真是天赐其便!"喝道:"这小妖女不是好人,给我拿下了!"蒙古武士不听他的指喝,俱都不动。赵志敬的两名亲传弟子听到师父号令,抢上前去,伸手分抓她左右手臂。

　　两人手指尚未触及小龙女衣袖,眼前斗然寒光闪动,只觉手腕剧痛,急忙向后跃开,原来腰间两柄长剑已给小龙女拔去。在这一瞬之间,两人手腕各已中剑,腕骨半断,鲜血淋漓。小龙女这一下出手奇快,旁人尚未看清楚她如何夺剑出招,两名道人已负伤逃开,众人都不禁愕然。

　　鹿清笃喝道:"大伙儿齐上啊! 咱们人多势众,怕这小妖女何来?"他想小龙女武功再强,总不过一个年轻女子,众人一拥而上,自能取胜,当先挺剑向小龙女刺去。小龙女剑尖颤动,鹿清笃左腕、右腕、左腿、右腿各已中剑,大吼一声,倒地不起。这四剑刺得更快,连潇湘子、尹克西这等高手也不由得相顾失色。他们在绝情谷中曾见她与公孙止动手,那时剑法虽亦精妙,但决不如眼前的出神入化。

　　小龙女得周伯通授以分心二用、左右互搏之术,斗然间武功倍增。她与杨过双剑合璧使那"玉女素心剑法",天下已少有抗手,此刻她一人同使两剑,威力尤强。二人不论如何心意相通,总不及一个人内心的意念如电,她此刻所使剑术劲力虽不及二人联手,出手却比之两人同使要快上数倍。

她长途追踪甄赵二人,连日郁郁于心,不知该当如何处置才是,这时全真道人先行发难,她乘势还击,剑上一见了血,满腔悲愤,蓦地里都发作了出来。白衣飘飘,寒光闪闪,双剑便似两条银蛇般在大殿中心四下游走,叮当、呛啷、"啊哟"、"不好"之声此起彼落,顷刻之间,全真道人手中长剑落了一地,每人手腕上都中了一剑。奇在她所使的都是同样一招"皓腕玉镯",众道人但见她剑光从眼前掠过,手腕便感到剧痛,直是束手受戮,绝无招架之机。倘若她这一剑不是刺中手腕而是指向胸腹要害,群道早已一一横尸就地。群道负伤,大骇逃开,三清神像前只余下甄志丙等一批受缚的道人。

小龙女自学得左右互搏之术以后,除在旷野中练过几次之外,从未与人动手过招,今日发硎新试,自己也想不到竟有如斯威力,杀退群道之后,竟尔悚然自惊。

赵志敬见情势不妙,忙从道袍下抽剑护身,同时移步后退。小龙女心中对他恨极,身形一晃,双剑已将他前面去路与身后退路尽皆拦住。赵志敬挥剑夺路,只听得叮当一声,尹克西道:"你不成,退开了!"原来他已挥金龙鞭将小龙女的长剑格开。小龙女连伤十余人,直到此时,方始有人接得她一剑。

小龙女道:"今日我是来向全真教的道人寻仇,与旁人无干,你快退开了。"尹克西适才见了她追风逐电般的快剑,心中也自胆寒,但他究是一流高手,总不能凭对方一语便即垂手退避,笑道:"全真教中良莠不齐,有些人确是该杀,但不知是哪些该死的贼道得罪了姑娘?"

小龙女"嗯"的一声,不加理睬。尹克西心想先跟她拉拉交情,动起手来倘是不敌,她也不致就下杀手,若见情势不对便即退让,旁人见我和她相识,也不会笑我胆怯,笑嘻嘻的道:"龙姑娘,别来多日,你贵体清健啊!"小龙女又"嗯"了一声,目光不离甄志丙、赵志敬二人,生怕他们乘机逃走。尹克西道:"跟这些贼道生气,没的损折了姑娘贵手。姑娘只须指点出来,待在下稍效微劳,——给姑娘收拾了。"小龙女道:"好! 你先给我杀了他。"说着向赵志敬一指。

尹克西心想:"此人已受蒙古大汗敕封,怎能杀他?"陪笑道:"这位赵真人为人很好啊,姑娘只怕有点误会,我叫他向姑娘赔个不是罢!"小龙女秀眉微蹙,左手剑倏地递出,快如电闪,向尹克西刺了过去。尹克西忙举鞭挡过,只听得"啊"的一声,站在他身后的赵志敬已肩头中剑。即是潇湘子等这些高手,也没看出这一剑是怎生刺的,只料想这一招乃右手剑所发,绕过尹克西身子,刺中了躲在他身后之人。

尹克西吃了一惊,心想这一剑虽非刺在自己身上,但自己无力护住赵志敬,那是同样的丢脸,对方出招实在太快,全然瞧不清她双剑的来势去路,如此对敌注定非败不可,想到此处,心下更加怯了,金龙鞭一摆,叫道:"龙姑娘,请你手下留情!"小龙女不理,对他既不敌视,亦无友意,脚步微动,向左踏出两步。尹克西跟着一转,仍想护住赵志敬,忽听背后哼的一声,一惊之下微微回头,见赵志敬左肩袍袖已连着肩肉让剑锋划去了一片,鲜血淋淋而下。小龙女这一剑如何伤他,旁人仍莫名其妙,剑法精妙迅疾到了这等地步,不但来去无踪,竟似乎还能隔人伤敌。

赵志敬连中两剑,心想尹克西武功平平,实不足以倚为护身符,危急中提气窜出,跃到了潇湘子身旁。小龙女便似没见,转过身子,左手向尹克西刺了一剑,右手剑却刺向尼摩星前胸。尼摩星左手撑住拐杖,右手以铁蛇一挡,但听得赵志敬高声大叫,跟着呛啷一响,长剑落地,手腕又已中剑。这一招更加奇特,明明小龙女与他相距甚远,却在攻击两大高手之际抽空伤他。

潇湘子哼了一声,道:"龙姑娘剑法不差,我也得领教,领教。"左手挥掌向旁推出,赵志敬只觉一股大力撞在肩头,立足不住,跌出数丈，亏得他内功也已颇有根柢，身上虽受了三处伤，仍拿桩站住。潇湘子掌力未收，哭丧棒同时击出。

麻光佐与杨过、小龙女一直交好，心中大不以为然，高声叫道："不要脸啊，真正不要脸，三个武林大宗师，围攻一个小姑娘。"

潇湘子等听在耳里，脸上都微微一热。他们生平对什么仁义道德原素不理会，然均傲慢自负，对身分体面却瞧得极重，平时别说三人联手，便单打独斗，也不屑跟这样一个娇滴滴的小姑娘动手，但此刻自知单凭自己一人，决挡不了她这般神鬼莫测的剑招，对麻光佐的讥嘲只好装作没听到，均想："浑大个儿，咱们同来办事，你却反助外人，回头定要教你吃点苦头。"便在这心念略转之间，眼前剑光晃动，小龙女已然出招。三人仍瞧不清她剑势，齐向后跃，退开丈余，不约而同的舞动兵刃，护住周身要害。

众蒙古武士牵着甄志丙、李志常、王志坦等人退后靠向殿壁，均知眼前这四人相斗委实非同小可，只要给谁的兵刃带到少许，不死也得重伤。

潇湘子、尼摩星、尹克西均盼她先出手攻击旁人，只要能在她招数之中瞧出一些端倪，便有了取胜之机。三人都一般的念头，各施生平绝技，将全身护得没半点空隙，先求己之不可胜、以求敌之可胜。这三大高手一出手便同取守势，生平实所罕有，但眼见敌手如此之强，若上前抢攻，十九自取其辱。

大殿之上，小龙女双剑拄地，站在中央，潇湘子等三人分处三方，每人身前均有一片寒光来回晃动。尹克西的金鞭舞成一团黄光；尼摩星的铁蛇是一条条黑影倏进倏退；潇湘子的哭丧棒则搅成一张灰幕，遮住身前。

小龙女向三人望了一眼，心道："我和你们三个无冤无仇，谁有空闲跟你们动手。"见赵志敬闪闪缩缩的正要退到神像之后，素袖一拂，踏步便上。尼摩星与潇湘子自左右抢到，铁蛇和哭丧棒抢在身前，他二人联手，进攻即或不足，自守该当有余。小龙女见无隙可乘，双剑即不递出，眼见赵志敬逃向殿后，仗剑追了两步，但尼摩星和潇湘子两般兵刃使得飕飕风响,竟抢不过去。小龙女道:"你们让是不让?"

潇湘子心想:"此时仇隙未成,她未必便施杀手。这全真教的代掌教于我有甚好处,我何苦为他树此强敌?"他踌躇未答,尼摩星却叫了起来:"我们偏偏不让! 你这小妖女有什么希奇古怪的、莫名其妙的本事,一塌胡涂施展出来的!"潇湘子、尹克西同时向他瞪了一眼,均想:"咱们便不让,又何必口吐恶言? 难道凭你一人之力便敌得住她吗? 当真太过不自量力了。"但和他协力御敌之际,不便出口埋怨。他们不知尼摩星双腿断折,后来得国师告知,是受杨过与李莫愁之赐,他知杨过是小龙女的情郎,满腔怨毒都要发泄在她身上,这时一动上手,他与其余二人不同,存心要和她拼个死活的。

小龙女也不着恼,只知要诛杀甄赵二人,非将眼前这三个高手驱开不可,冷冷的道:"既不肯让,可要得罪了!"一言甫毕,剑光闪处,只听得一片声响,悠然不绝。响声未过,小龙女已跃退丈余,回到大殿中心站定。潇湘子和尼摩星脸上均各变色。原来这一记长声乃四十余下极短促的连续打击组成。这顷刻之间,小龙女双剑已刺削点斩,共出了四十余招,尼潇二人守得滴水不漏,每一招均撞上了兵刃,在群道听来,只不过一下兵刃碰击的长声而已。

她攻招如此迅捷,潇湘子等三人更加惊惧。适才所以能挡住剑招,全凭两人将兵器舞得滴水不入,全无空隙,若待她一剑既出,再举兵刃挡架,身上早已中剑了。小龙女急攻不下,也佩服这两人守得严密,微微一顿,轻飘飘的向后略退,脸面兀自朝着潇湘子,双剑倏地反转倒刺,叮叮叮叮十二下急响,纵是琵琶高手的繁弦轮指也无如此急促,尹克西的金鞭始终没闲着,也终于将这十二下急刺都挡了回去。

两番攻守一过,四人心中均已了然,小龙女吃亏在内力不强,剑招上的劲道不能荡开对方兵刃,若能与这三人的真力大致相仿,三人早守御不住。小龙女提剑回到殿心,寻思破敌之计,见三个对手的兵刃越舞越急,却哪里寻得出半点破绽?

她想:"如此迅疾舞动兵刃,内力耗费极大,定难持久,我只须静以待变,时刻一长,总能寻到破绽。就算给赵志敬逃走了,慢慢再找便是。"双剑微颤,似攻非攻,蓄势待发,却不出击,教对手三人不敢稍有弛缓。潇湘子等内力均极深厚,这般舞动兵刃,一时三刻之间气力并不消减。小龙女见无隙可乘,便静静的站着,神色娴雅,风致端严。她性子向来不急,在道上追踪甄志丙和赵志敬一月有余,始终没出手,此时便再多待一天半日,又有何妨?二十年古墓中寂静自守,早练成了无人能及的耐心。

尼摩星见她仗剑闲立,旁若无人,第一个先沉不住气了,猛地里虎吼一声,铁蛇挥出,向她疾冲过去。他一出手攻击,身左便露出空隙,小龙女长剑抖动,尼摩星拐杖急撑,跃了回来,但觉肩头微微疼痛,俯眼一瞥,只见左肩衣服上已刺破一个小孔,鲜血渗出,若非小龙女也防他铁蛇进袭,他这条左臂此刻已不连在身上了。

尼摩星抢攻无功,反受创伤,心中虽怒,却也不敢贸然再进。三人分站三方各舞兵刃,小龙女站在中央全不理会。尹克西一套"黄沙万里鞭法"反反覆覆已使了四次,猛地心念一动,叫道:"尼摩兄,潇湘兄,咱们一齐踏上半步。"尼摩星与潇湘子没明白他的用意,但想他是西域大贾,见识广博,人又聪明,于是依言踏上半步。尹克西同时踏上半步,叫道:"防守务须严谨,踏步要慢。咱们再踏上半步。"尼潇二人依言上前。

三人毫不怠懈,舞了一会兵刃,便向前踏出半步,这时人人都已瞧出,三人围着小龙女的圈子渐渐缩小,到最后便会将她挤在中心。三人虽不敢出手攻击,但每人舞动兵刃,组成三堵铜墙铁壁,向中间逐步挤拢,三股守势合成一股强大的攻势,当真猛不可当。众人瞧到这般情景,蒙古武士和赵志敬一派的道士心中暗喜,其余的道士却均为小龙女担忧。

小龙女见三人越来越近,兵刃招数中却仍无隙可乘,眼见过不多时,势非给他们挤死不可,双剑连刺,叮叮之声忽急忽缓,每一招都碰在对方兵刃之上。她连攻数十剑，尽数给挡了回来，那三人却又各自踏进了半步。小龙女渐感慌乱，退向左侧时足底一绊，微一踉跄，这一下剑法中大现破绽，若不是潇湘子等只守不攻，不敢乘机进袭，她已遭到极大凶险。

原来大殿地下投弃着数十柄长剑，都是全真教群道所用兵刃，给人夺下后抛掷在地。小龙女适才左足踏到一把长剑的剑柄，以致站立不稳。

她忽然想起："别人两手能使双剑，我既已学会分心二用之术，两手该能同时使四柄剑。便算显不出四剑的威力，或能扰乱敌人，乘机脱困。"左手长剑交在右手，俯身又拾起两柄剑，左右各持双剑，四剑同时挥动。

潇湘子等大吃一惊，均想："这姑娘的招数愈来愈奇，四剑齐使，当真闻所未闻。"但三人打定了以不变应万变的主意，不管她使什么怪招奇术，总之只守不攻，逐步进迫。

小龙女四剑齐使，虽骇人耳目，威力反不及只用双剑，她平素专练单剑，左手全真剑法，右手玉女剑法，配合得天衣无缝，这时每一只手都使双剑，毕竟大不灵便，出招时已无得手应心之妙。

潇湘子等数招之间，便发觉她剑招突然略缓，剑尖刺来时也不及先时的神妙莫测。尼摩星喉头咕咕作响，挥动铁蛇便要进袭。尹克西急叫："使不得，这是诱敌之计。"尼摩星经他提醒，吓了一跳，心想幸亏人家生意人见机得快，原来这女子如此狡狯，只要自己一攻，她立施反击，不但合围之势登时破了，只怕自己还要性命没有的。

其实小龙女本非存心诱敌，但听尹克西这么一叫，心想："这黑矮子沉不住气，须得从他身上想法子。他说我诱敌，我便当真诱他一下。"突然间右手一扬，一柄长剑向上飞出，右手剑跟着刺出，左手又有一柄长剑飞上。潇湘子等不禁一惊，不知她又要玩什么花样，见半空双剑尚未跌落，她手中仅有的双剑也掷了上去，这么一来，她两手空空，已无兵刃。尹克西叫道："自行严守，千万不可进攻。"他瞧不透小龙女的用意,但想只要严密守卫,逐步前逼,便已稳操胜算,对方虽赤手空拳,却也不必冒险进招。

小龙女弯下腰来,双手不住在地下抓剑,一一掷上半空,同时空中长剑一柄柄落下,她一接住跟着又掷了上去。但见数十柄长剑此上彼落,寒光闪烁,煞是奇观。古墓派武功本不以内力沉雄见长,而凭手法迅疾取胜。她"天罗地网势"使将出来,活的麻雀尚能拦住,数十柄长剑随接随抛,在她自浑若无事。她手中每一刻都有兵刃,也是每一刻都无兵刃,只瞧得潇湘子等目瞪口呆,均想这小姑娘在使幻术、玩把戏么?

猛地里小龙女左掌扬处,在一柄自空落下的长剑剑柄上一推,那剑横飞而出,向尹克西疾刺过去。剑头撞在他金龙鞭舞成的光幕之上,迅疾无比的弹回,却撞向尼摩星。尼摩星的铁蛇舞得正急,那剑一碰,便即飞去回刺小龙女。这时空中又有两柄长剑落下,小龙女双手分拨回带,三柄剑分袭三人。

顷刻之间,数十柄长剑不再向上飞起,而是在三般兵刃组成的光幕之间来回激荡,有些长剑去势斜了,给尼摩星的铁蛇大力砸碰,断成两截。小龙女手上戴了金丝手套,拍打在剑刃之上,丝毫不伤,她自幼熟习"天罗地网势",在房舍殿堂间进退趋避的功夫更天下无双,眼明手快,灵台澄澈,越打越急,心中竟无半点杂念,全没想到这场激战是胜是败,谁生谁死。有时顺手抓到剑柄,便刺出数剑,随即又向敌人抛掷。初时她双剑在手,潇湘子等已感不易抵御,这时数十柄长剑乱飞乱刺,中间又夹着她凌厉迅疾的击刺,却如何还能招架?何况长剑从各人兵刃上碰撞出去之时,方向力道全然无法控制,是否要伤到同伴,只有听天由命。

小龙女向空掷剑,本来不过想扰乱敌人的目光,这时情势变化,实是出乎意料之外的大大有利。从兵刃飞舞的响声之中,隐隐听得尹克西和尼摩星气息渐粗,潇湘子的哭丧棒舞得虽快,但只见惶急,与他"潇湘"两字大异其趣。

突然间尹克西右臂下垂,大叫:"啊哟,不好!"原来三柄长剑飞去，正好和他的软鞭缠在一起。他守得虽然严密，但这三柄剑均是从潇湘子和尼摩星的兵刃上碰撞出来，三剑齐至，莫名其妙的缠在他鞭上。尹克西用力抖摔，甩脱三剑，但正当他软鞭将起未起之际，小龙女长剑刺出，尹克西腕上剧痛，软鞭把持不住。

但听呛啷一声，金龙软鞭落地。小龙女左掌连挥，七八柄长剑激飞而出，分刺三人，跟着双手各接住一柄长剑，身形晃处，从尹克西身前跃出。尹克西手腕受伤，兵刃落地，这铜墙铁壁般的包围圈子立时破了，眼见她双剑如两道电光似的闪动，忙向后急退。小龙女的轻功比这三人都高，一提气，直奔殿后，追赶赵志敬去了。

潇湘子等一时还不能便收兵刃，直待数十把长剑一一落地，这才住手。尹克西脸带愧色，说道："小弟无能，给她走了！"一言甫毕，忽听得山后隐隐传来叮叮当当的兵刃撞击之声，撞击声中夹着国师五只轮子的呜呜风响，显然小龙女已在与国师动手。

三人均想："有这么一个硬手作主将，咱们再从旁夹攻，必可取胜。"尹克西拾起金龙软鞭，叫道："大伙儿追！"抢先寻声追了下去。潇湘子举起哭丧棒，与尼摩星率领众蒙古武士发足跟随。众人此时心目中的大敌惟小龙女一人，全没将诸全真道人放在意下。

甄志丙、李志常等见众蒙古武士退去，即行互解绑缚，纷纷拾起长剑，蜂拥跟去。

潇湘子等赶到重阳宫后玉虚洞前，只见轮影激荡，剑气纵横，金轮国师吼声如雷，小龙女白衣胜雪，两人相隔丈余，正自遥遥相斗。金银铜铁铅五只巨轮回旋飞舞，响声只震得众人耳中嗡嗡作响。国师的轮子在数度激战中曾一再失去，但失后即补，大小重量与所失者无异，不过少了原来轮上所铸的花纹、真言而已，使动时仍可得心应手。

甄志丙和李志常见玉虚洞的洞门给大石堵塞，不知五位师长生死如何，心中焦急，一齐抢到洞口。达尔巴手执金杵，霍都挥动钢扇，数招之间，便将群道打退。

王志坦大叫："师父,师父,你老人家安好吗?"心中焦急,语音中已带哭声。李志常转念一想："凭着五位师长的玄功,怎能轻易给人关在洞中? 定是他们练功到了紧急当口,不能分心抵御外敌。王师弟这一叫,他们听见了反而扰乱心神。"忙道："王师弟,别叫,五位师长受不得惊扰。"王志坦立时醒悟,扶起倒在地下的宋德方,见他受伤不轻,设法救助。

　　潇湘子等旁观国师和小龙女相斗,见他虽守多攻少,但接得两三招便还递一招,五轮威力奇猛,逼得小龙女无法近身,比之适才三人只守不攻确高出甚多。三人又佩服,又妒忌,均想："这和尚得封为蒙古第一国师,也不枉他了。"三人本想与国师夹攻合击,见此情势,私心登起,都不愿便这么助他成功。

　　殊不知金轮国师出招虽猛,心中却已叫苦不迭。小龙女双手剑招不同,配合得精妙绝伦,左手剑攻前,右手剑便同时袭后,叫他退既不可,进又不能,双剑每一路剑招都进攻数处,叫他顾此失彼,难以并救。若不是他内功外功俱已登峰造极,眼明手快,武功只要略差半分,这顷刻间身上已中了十七八剑。

　　拆到五六十招时,国师已险象环生,他收回金轮护身,不敢掷出攻敌,又数招后,再将银轮也收了回来,接着五轮齐回,变成了只守不攻,便和适才潇湘子等一般模样。五只轮子轻重大小、颜色形状各各不同,或生尖刺,或起棱角,组成五道光环,在身周滚来滚去,严密守卫。

　　忽听得小龙女娇叱一声："着!"跟着国师低声吼叫,叮叮数响。两人纵跃来去,出手越来越快,便是潇湘子这等高手,也没瞧清两人这一叱一叫,已起了什么变化。金轮国师若以五轮威猛之力与她对攻,小龙女便抵挡不住,可是他心中既怯,竟尔舍己之长,与小龙女比快,不免越来越不利。

　　突然之间,尼摩星脸上微微一痛,似被什么细小暗器打中,一惊之下伸手一摸,脸上没什么,掌中却有点鲜血。他呆了一下,又见一点鲜血飞到了尹克西身上,才知激斗的二人之中已有一个受伤。过不多时,小龙女白衫之上点点斑斑的溅上十几点鲜血,宛似白绫上画了几枝桃花,鲜艳夺目。尼摩星喜道:"小妖女受伤的!"接着剑光两闪,国师一声低吼。潇湘子冷冷的道:"不!大和尚受伤的!"

尼摩星一想不错,鲜血是国师受伤后溅到小龙女身上的,心想倘若国师死在她手下,再也没法将她制住,叫道:"尹兄,潇兄,大家一齐上的!"铁蛇挥动,慢慢从小龙女身后逼上。潇湘子和尹克西也觉不能再袖手旁观,分从左右逼近。

国师身中三剑,但均轻伤,危殆之中来了帮手,心中一宽,见潇湘子等并不出手攻击,各以兵刃护住自身,分从三方缓缓进逼,已知时刻稍长,小龙女势必无幸。

玉虚洞前,青松林畔,四个武林怪客围着一个素装少女,好一场恶战。众蒙古武士和全真道人目眩心惊,脸若死灰,生平哪里见过如此激斗!

猛听得砰嘭一声震天价大响,砂石飞舞,烟尘弥漫,玉虚洞前数十块大石崩在一旁,五个道人从洞中缓步而出,正是丘处机、刘处玄等全真五子。

甄志丙、李志常等大喜,齐叫:"师父!"迎了上去。达尔巴和霍都大吃一惊,眼见这般破洞的声势,便如点燃了的火药开山爆石一般。两人各挺兵刃,向前抢上。丘处机等五人向旁一让,突然十掌齐出,按在两人背心,一捺一送,将两人抛出丈许之外。

达尔巴和霍都的武功与郝大通等在伯仲之间,虽不及丘处机、王处一精湛,但也决不致只一招便给掷开。原来全真五子在玉虚洞中闭关静修,钻研拆解《玉女心经》之法,五人殚精竭虑,日夜苦思,总觉小龙女和杨过所显示的武功,每一招每一式都恰好是全真派武功的克星,要想从招术上取胜,实所难能。后来丘处机从天罡北斗阵法中悟出一理,说道:"咱们招术变化,断然不及,但可合五人之力,以劲力补招数之不足。"五人便精思并力攻敌的法门,每一招之出，都将五人劲力集于一点。他们自知第三四代弟子中并无出类拔萃的人才，只有仗着人多，或能合力自保。这一个多月之中，终于创出了一招"七星聚会"。这一招毕竟还是从天罡北斗阵法中演化出来，虽说是"七星聚会"，却也不必定须七人联手，六人、五人，以至四人、三人，均可并力施展。

当金轮国师率领众武士堵洞之时，这"七星聚会"正好练到了要紧当口，万万分心不得，明知大敌来攻，也只得置之不理，直到五人练到五力归一，融合无间，这才破洞而出。只可惜过于迫促，这一招还只练到三四成火候，饶是如此，达尔巴和霍都也已抵挡不住，竟让五子一击成功。

丘处机等转过身来，见国师等四人围着小龙女剧斗方酣。五人只瞧了片刻，面面相觑，人人面色惨然，都想："罢了，罢了，原来古墓派的武功精妙若斯，要想胜她，那是终身无望了。"他们在洞中所想所练，都以先前所见小龙女和杨过的武功为依归，岂知眼前所显示的神奇剑招，要想瞧个明白都有所不能，什么破解抵挡，不知从何说起？

国师等四大高手的武功都在全真五子之上，此时全真教中要有如此一个都千难万难。丘处机等心想："倘若先师在世，自能胜得过他们，周师叔大概也胜得他们一筹，但如同时受这四人围攻，十九要抵敌不住。"五个老道垂头丧气，心下惭愧，自觉一代不如一代，不能承继先师的功业，大敌当前，全真教瞧来当真立足无地了。但五人创出了"七星聚会"，胜得蒙古密宗，于两国相争，也大有功用。内争事小，御外事大，输给古墓派不打紧，蒙古人却万万输不得。

这时小龙女等五人相斗，情势又已不同。小龙女招招攻击，国师等始终遮拦多，还手少，但逐步进逼。小龙女处境越来越不利，数次想抢出圈子，暂且退走，但对方守得严密异常，每一招均给挡了回来。她知有金轮国师主持围逼，无法再使掷剑之法，何况除了手中双剑，身边已无其他兵刃。

她自在大殿上剑伤鹿清笃，到这时已斗了将近一个时辰，气力渐感不支，而强敌越逼越近，丘处机等五人又环伺在侧，这五个老道也非易与之辈，四下尽是敌人，自己孤身一人，今日定要丧身重阳宫中了，忽想："我遭际若此，一死又有什么可惜？就只……就只……临死之时，总盼能见过儿一面。他这时是在哪里呢？多半是在跟郭姑娘亲热，说不定已成了亲，新婚燕尔，哪里想到我这苦命女子在此受人围攻？不！过儿不会这样，他便和郭姑娘成了亲，也决不会忘了我。我只要能再见他一面……"

她离襄阳北上之时，决意永不再和杨过相见，但这时面临生死关头，心中越来越割舍不下。她一想到杨过，本来分心二用突然变为心有专注，双手剑招相同，再无"玉女素心剑法"的威力。国师见她剑法陡变，便即踏上半步，左手银轮护身，右手金轮往她剑上碰去。当的一声轻响，小龙女左手长剑脱手飞出，在半空中啪的一下，震为两截。

国师这一下本来只是试探，竟致成功，实大出意料之外，当即右手金轮砸将过去。小龙女一惊，忙镇慑心神，唰唰唰还了三剑，此时只凭单剑，武功便已远不及国师。潇湘子等三人瞧出便宜，三般兵刃同时攻上。

小龙女淡淡一笑，已不愿再挣扎力抗，瞥眼望见三丈外的一株青松旁生着一丛玫瑰，花朵娇艳欲滴，突然想起当年与杨过隔着花丛练"玉女心经"的光景，心道："我既已见不到过儿，那便在临死之时心中想念着他。"脸上神色柔和，登时沉浸在出神瞑想之中。

国师等四下里合围，原可一举将她击毙，忽见她神情古怪，似乎忘了迎敌，各各惊诧，不知她是否施展什么邪法，四般兵刃举在半空，并不击下。但也只这么一顿，尼摩星的铁蛇便首先递了出去。

突然身旁风声飒然，有人挺剑刺来。尼摩星忙回过铁蛇挡格，却挡了个空，只见人影晃动，却是甄志丙抢到了小龙女身前，倒持手中长剑，将剑柄递过去给她。小龙女这时视而不见，听而不闻，早将厮杀拼斗之事置之度外，忽觉得左手掌中多了个剑柄，便即握住。旁观众人突见甄志丙抢入五大高手的战团之中，直是送死，齐声惊呼。

国师和他相识，不愿伤他性命，当即左臂在他肩头一撞，将他推开，右手挥轮向小龙女砸去。甄志丙见她不知如何竟尔突然失了战意，心中大急，眼见这一轮便要将她砸死，奋不顾身的扑上去，叫道："龙姑娘，小心！"用自己背脊硬挡了国师金轮。

国师金轮一砸，威力裂石开山，甄志丙如何抵挡得住？立时向前俯冲。小龙女接过他递来的剑后，兀自挺着剑呆呆出神，甄志丙身子冲来，恰好碰在剑尖之上，剑刃透胸而入。小龙女一呆，这才醒悟，原来是他救了自己性命，见他背遭轮砸，胸中剑刺，全是致命重伤，一刹那间，满腔憎恨尽化成了怜悯，柔声道："你何苦如此？"

甄志丙命在垂危，忽然听到这"你何苦如此"五字，不禁大喜若狂，说道："龙姑娘，我实……实在对你不起，罪不容诛，你……你原谅了我么？"

小龙女又是一怔，想起在襄阳郭府中听到他和赵志敬的说话，一个念头在脑中闪过："过儿对我如此深情，立誓决不会变心。但他忽然决意和郭姑娘成亲，弃我如遗，了无顾惜，定是知悉了我曾受这厮所污。"她心思单纯，虽一路跟踪甄赵二道，却从未想到此事，这时猛地给甄志丙一言提醒，怜悯立时转为憎恨，一咬牙，右手长剑随即往他胸口刺落。只她生平从未杀过人，虽满腔悲愤，这一剑刺到他胸口，竟刺不下去。

丘处机在一旁瞧着，眼见爱徒死于非命，心中痛如刀割，事起仓卒，不及救援，小龙女第一剑，还可说是由于国师之故，但第二剑却存心出手。他丝毫不知这中间的原委曲折，既认定小龙女是本教大敌，又决然想不到甄志丙会自愿舍身救她，眼见她挺剑又刺，当即纵身而前，左手五指在她腕上一拂，右掌向她面门直击过去。丘处机的武功在全真七子之中向居第一，这一下情急发招，掌力雄浑已极。

小龙女手腕给他一拂而中,长剑拿捏不住,登时脱手,她不等长剑落地,一伸手,又已抓住,跟着递出一剑,指向丘处机胸口。便在此时,甄志丙大叫一声,倒在地下,创口中鲜血涌出。小龙女左手剑同时刺向丘处机小腹,这一来双剑合璧,威力大增,丘处机武功虽然精深,只三招之间,已手忙脚乱。王处一等四道抢上应援,反将国师等四人挤在一旁。

金轮国师等见小龙女和全真五子相斗,俱感讶异,但想此事大大有利,正好旁观你们自相残杀。各人使个眼色,退开数步,只待小龙女和全真五子胜败一决,他们再行出手收拾残局。

高手动武,每一招都生死系于一发,谁也不敢稍有松懈,丘处机等虽见局势诡异,难以索解,但既已动上了手,哪里还有余暇询问?全真五子赤手空拳,遇上小龙女神妙无方的剑招,那费了月余之功创出来的一招"七星聚会"全无施展之机。顷刻之间,郝大通和刘处玄两人身上中剑,两人顾念师兄弟的安危,不肯退开,跟着嗤的一响,孙不二肩头又中一剑。

全真诸弟子见师父势危,情不自禁的都惊呼起来。李志常叫道:"快送兵刃!"这时五子掌风呼呼,众弟子无法近身,只得将长剑一柄柄掷去。小龙女抢着挥剑挑出,每一把掷来的长剑都给挑得飞了开去,剑长臂短,五子始终拿不到一件兵刃。忽听得叮当一声,小龙女左手剑黏住一柄飞掷而来的长剑,蓦地里往后送出,王处一猝不及防,左眼角为这一柄剑外之剑刺中,全真五子中四人负伤,胜负已分。

金轮国师哈哈大笑,叫道:"各位道兄且退,这小妖女待老衲来料理罢!"说着踏上两步。潇湘子、尼摩星、尹克西三人跟着舞动兵刃上前合击,竟成了九大高手围攻小龙女的局面。

国师等一插手,全真五子登时脱出小龙女双剑的威迫,五人一声呼喝,并肩而立,或出右掌,或出左掌,五股大力归并为一,使出了那招"七星聚会"。其时虽只五星聚会,但威力也已非同小可,小龙女斜身急退,砰的一响,沙坪上尘土飞扬,这一招将尼摩星打得重重跌了个筋斗。

原来他双腿已断，单凭拐杖之力撑持，下盘不稳，抵不住这一招的重击。总算他危急之中避开了正面之力，虽然摔倒，却未受伤，立即跃起，哇哇怒叫，举铁蛇便往刘处玄头顶砸下。玉虚洞前呼声四起，乱成一团。

小龙女见尼摩星和全真五子动手，素袖一拂，便要抢出圈子。金轮国师抢过来挡住，叫道："尼摩兄，对付小妖女要紧。"尼摩星打得性发，对国师的叫唤不予理睬，铁蛇吞吐，招数全是打向全真诸道。小龙女双剑向国师急刺数招，国师见来势实在太快，难以招架，只得退了几步。

突然之间，小龙女一声大叫，双颊全无血色，呛啷、呛啷两声，手中双剑落地，呆呆的望着青松畔的那丛玫瑰，叫道："过儿，当真是你吗？"

便在此时，国师金轮迎面砸去，全真五子那招"七星聚会"却自后心击了上来。这一招本是抵御尼摩星而发，但那天竺矮子吃过这招的苦头，不敢硬接，身子向左闪避，这一招的劲力便都递到了小龙女背心。

哪知她竟如中邪着魔，全然不知躲闪，背心受掌，胸口中轮，一个娇怯怯的身躯受了这两股大力夹击，目光仍望着玫瑰花丛，在这顷刻之间，她心摇神驰，即令这两股大力，似乎也没能伤到她半分。

众人为她的目光所慑，不由自主的也均转头，去瞧那玫瑰花丛中到底有什么古怪，只见青松旁一条人影飞出，窜入国师和全真五子之间，伸左臂抱起小龙女，一闪一晃，又已跃出圈子，径自坐在青松之下、玫瑰花旁，将小龙女抱在怀里。

这人正是杨过！

小龙女甜甜一笑，眼中却流下泪来，说道："过儿，是你，这不是做梦么？"杨过俯下头去，亲了亲她脸颊，柔声道："不是做梦，我不是抱着你么？"但见她衣衫上斑斑点点，满身是血，心中矍然而惊,急问:"你受伤重不重?"

小龙女受了前后两股大力的夹击,初时乍见杨过,并未觉痛,这时只觉五脏六腑都要翻腾过来,伸手搂住他脖子,说道:"我……我……"身上痛得难熬,再也说不下去了。杨过见了这般情状,恨不得代受其苦,低声说道:"姑姑,我还是来迟了一步!"小龙女说道:"不,你来得正好,我只道今生今世,再也瞧不见你啦!"突然间全身发冷,隐然觉得灵魂便要离身而去,抱着杨过的双手也慢慢软垂,说道:"过儿,你抱住我!"杨过的左臂略略收紧,把她搂在胸前,百感交集,眼泪缓缓流下,滴在她脸上。

小龙女道:"你抱我,用……用两只……两只手!"一转眼间,突见他右手袖子空空荡荡,情状有异,惊呼:"你的右臂呢?"杨过苦笑,低声道:"这时候别关心我,你快闭上了眼,一点儿也别用力,我给你运气镇伤。"

小龙女道:"不!你的右臂呢?怎么没了?怎么没了?"她虽命在垂危,仍丝毫不顾念自己,定要问明白杨过怎会少了一条手臂。只因在她心中,这个少年实比自己重要百倍千倍,她一点也不顾念自己,但全心全意的关怀着他。

自从他们在古墓中共处,早就是这样了,只不过那时她不知道这是为了情爱,杨过也不知道。两人只觉得互相关怀,是师父和弟子间应有之义,既然古墓中只有他们两人,如果不关怀不体惜对方,那么又去关怀体惜谁呢?其实这对少年男女,早在他们自己知道之前,已在互相深深的爱恋了。直到有一天,他们自己才知道,决不能没有了对方而再活着,对方比自己的生命更重要过百倍千倍。

每一对互相爱恋的男女都会这样想。但只有真正深情之人,那些天生具有至性至情之人,这样的两个男女碰在一起,互相爱上了,他们才会真正的爱惜对方,远胜于爱惜自己。

对于小龙女,杨过的一条臂膀,比她自己的生死实在重要得多,因此固执着要问。她伸手轻轻抚摸他袖子,丝毫不敢用力,果然，袖子里没有臂膀。她忽然一点也不感到自身的剧痛，因为心中给怜爱充满了，再也不会知道自己的痛楚，轻轻说道："可怜的过儿，断了很久吗？这时还痛么？"杨过摇摇头，说道："早就不痛了。只要我见了你面，永远不跟你分开，少一条臂膀又算得什么？我一条左臂不是也能抱着你么？"

小龙女轻轻一笑，只觉他说得很对，躺在他怀抱之中，虽只一条左臂抱着自己，那也心满意足了。她本来只求在临死之前能再见他一面，现今实在太好，真的太好了。

金轮国师、潇湘子、尹克西、全真五子、众弟子……众蒙古武士……人人一声不响，呆呆的望着这对小情人。在这段时光之中，谁也不想向他们动手，也是谁也不敢向他们动手。

有道是"旁若无人"，杨过和小龙女在九大高手、无数蒙古武士虎视眈眈之下缠绵互怜，将所有强敌全都视如无物，那才真是旁若无人。爱到极处，不但粪土王侯，天下的富贵荣华全不放在心上，甚至生死大事也视作等闲。杨过和小龙女既然不再想到生死，别说九大高手，便天下英雄尽至，那又如何？只不过是死罢了。比之那铭心刻骨之爱，死又算得什么？

金轮国师等人当然并不惧怕这两人，只诧异之极，眼见小龙女身受重伤，杨过又只剩一臂，决不能再起而抗拒，但两人互相的缠绵爱怜之中，自然而然有一股凛然之气，有一股无畏的刚勇，令人不敢轻侮。

终于小龙女忍不住又问："你的手臂……手臂是怎么断的？快跟我说。"杨过微微苦笑，说道："手臂断了，自然是给人家斩的。"

小龙女凄然望着他，没想到再追问是谁下的毒手，既已遭到不幸，那么是谁下手都一样，这时胸口和背上的伤处又剧烈疼痛起来，她自知命不久长，低低的道："过儿，我求你一件事。"杨过道："姑姑，难道你忘了，在古墓之中，我就曾答允过你，你要我做什么，我便做什么。"小龙女幽幽叹了口气，道："那是很久很久以前的事啦!"杨过道:"在我永远一样。"小龙女凄然一笑,低低的道:"我没多久好活了,你陪着我罢,一直瞧着我死,别去陪你的郭……郭芙姑娘。"

杨过又伤心,又愤恨,说道:"姑姑,我自然陪着你。那郭姑娘跟我有什么相干? 我这条手臂便是给她斩断的。"小龙女一惊,叫道:"啊,是她? 为什么她这样狠心? 难道……难道为了你不爱她么?"杨过恨恨的道:"我俩这般要好,你别多心! 我只爱你一个,我一生一世从来没爱过别的姑娘,这个郭姑娘啊,哼……"

杨过这条右臂,确是给郭芙斩断的。

那日杨过与郭芙在襄阳郭府中言语冲突,以致动手,郭芙怒火难忍,抓起君子剑往他头顶斩落。杨过中毒后尚未痊愈,四肢无力,眼见剑到,情急之下只得举右臂挡在面前。郭芙狂怒之际,使力极猛,那君子剑又锋利无比,剑锋落处,杨过一条右臂登时遇剑而断,给卸了下来。

这一剑斩落,竟致如此,杨过固惊怒交进,剧痛至心,郭芙却也吓得呆了,知已闯下了无可弥补的大祸,见杨过手臂断处血如泉涌,不知如何是好,也没想到给他止血包扎,过了一会,突然哇的一声,哭了出来,掩面夺门奔出。

杨过一阵慌乱过后,随即镇定,伸左手点了自己右肩"肩贞穴"的穴道,割下被单,紧紧缚住肩膀以止血流,再用金创药敷上伤口,寻思:"此处是不能再耽的了,我得赶紧出城去。"慢慢扶着墙壁走了几步,只因流血过多,眼前一黑,几欲晕去。

便在此时,只听得郭靖大声问道:"快说,他怎么了? 血止了没有?"语音中充满了焦急之情。杨过当时心中只一个念头:"我决不要再见郭伯伯,无论如何不要见他。"猛力吸一口气,从房中冲了出去。

他奔出府门,牵过一匹马翻身便上,驰至城门。守城的将士都曾见他在城头救援郭靖,对他甚是钦仰,见他驰马而来,立即打开城门。

此时蒙古军已退至离城百余里外。杨过出城后不走大路，纵马尽往荒僻之处行去，寻思："我身中情花剧毒，但过期不死，或许正如那天竺神僧所言，吸了冰魄银针的毒汁之后，以毒攻毒，反而延了性命。但剧毒未去，迟早要发作。此刻身受重伤，到终南山去找寻姑姑，定难支持，难道我命中注定，要这般客死途中么？"想到一生孤苦，除在古墓中与小龙女相聚这段时日之外，生平殊少欢愉，这时世上唯一的亲人已舍己而去，复又给人断残肢体，命当垂危，言念及此，不禁流下泪来。

他伏在马背之上，昏昏沉沉，只求不给郭靖找到，不让他来救伤补过，不遇上蒙古大军，随便到哪里都好，有意无意之间，渐渐行近前几晚与武氏兄弟相斗的那荒谷。

黄昏时分，眼见四下里长草齐膝，一片寂静，料知周遭无人，在草丛中倒头便睡。他这时早将生死置之度外，全没防备什么毒虫猛兽。这一晚创口奇痛，哪里睡得安稳？

次晨睁眼坐起，见离身不到两尺处两条蜈蚣僵死在地，红黑斑斓，甚是可怖，口中却染满了血渍。杨过吓了一跳，只见两条蜈蚣身周有一大摊血迹，略一寻思，已明其理，原来他创伤处流血甚多，而血中含有剧毒，竟把两条毒虫毒死了。

杨过微微苦笑，自言自语："想不到我杨过血中之毒，竟连蜈蚣也抵挡不住。"愤激悲苦，难以自已，忍不住仰天长笑。

忽听得山峰顶上咕咕咕的叫了三声，杨过抬起头来，只见那神雕昂首挺胸，独立峰巅，形貌狰狞奇丑，却自有一股凛凛之威。杨过大喜，宛如见了故人一般，叫道："雕兄，咱们又相见啦！"

神雕长鸣一声，从山巅上直冲下来。它身躯沉重，翅短不能飞翔，但奔跑迅疾，有如骏马，转眼间便到了杨过身旁，见他少了一条手臂，目不转睛的望着他。

杨过苦笑道："雕兄，我身遭大难，特来投奔你。"神雕也不知是否能懂他说话，转身便走。杨过牵了马匹，跟随在后。行不数步,神雕回过头来,突然伸出左翅在马腹上一拍。那马吃痛,大声嘶叫,倒退几步,不住跳跃。杨过点头道:"是了,我既到雕兄谷中,也不必再出去了,要这马何用?"心想此雕大具灵性,实不逊于人,松手放开缰绳,在马臀上一拍,任马自去,大踏步跟随神雕之后。他重伤之余,体力衰弱,行不多时便坐下休息,神雕也就停步等候。

如此边行边歇,过了一个多时辰,又来到剑魔独孤求败埋骨处的石洞。

杨过见了石坟,大为感慨,心想这位前辈奇人纵横当时,天下无敌,武功神妙高明,瞧他这般行径,定是恃才傲物,与常人落落难合,到头来在这荒谷中寂然而终,武林之中既没流传他的名声事迹,又没遗下拳经剑谱、门人弟子,以传他的绝世武功,这人的身世也真可惊可羡,却又可哀可伤。只可惜神雕虽灵,终究不能言语,否则也可述说他的生平一二。

他在石洞中呆呆出神,神雕已从外衔了两只山兔回来。杨过生火炙了,饱餐一顿。

如此过了多日,伤口渐渐愈合,身子也日就康复。流血既多,失毒亦复不少,每当念及小龙女,胸口虽仍疼痛,但已远不如先前那么难熬难忍。他本性好动,长日在荒谷中与神雕为伴,不禁寂寞无聊起来。

这一日见洞后树木苍翠,山气清佳,便信步过去观赏风景,行了里许,来到一座峭壁之前。那峭壁便如一座极大的屏风,冲天而起,峭壁中部离地约二十余丈处,生着一块三四丈见方的大石,便似一个平台,石边隐隐刻得有字。极目上望,瞧清楚是"剑冢"两个大字,他好奇心起:"何以剑亦有冢?难道是独孤前辈折断了爱剑,埋在这里?"走近峭壁,见石壁草木不生,光秃秃的全无可容手足之处,不知当年那人如何攀援上去。

瞧了半天,越看越神往,心想他亦是人,怎能爬到这般高处,想来必定另有妙法,倘若真的凭借武功硬爬上去,那直是匪夷所思了。凝神瞧了一阵，突见峭壁上每隔数尺便生着一丛青苔，数十丛笔直排列而上，有几处生的却是短草。他心念一动，纵身跃起，探手到最低一丛青苔中摸去，抓出一把黑泥，果然是个小小洞穴，料来是独孤求败或旁人当年以利器所挖凿，年深日久，洞中积泥，因此生了青苔。

心想左右无事，便上去探探那剑冢，但剩下独臂，攀援大是不便，但想："爬不上便爬不上，难道还有旁人来笑话不成？就算笑话，却又如何？"紧一紧腰带，提一口气，窜高数尺，左足踏入第一个小洞之中，跟着窜起，右足对准第二丛青苔踢了进去，软泥迸出，石壁上果然又有一个小穴可以容足。

第一次爬了十来丈，已力气不加，轻轻溜下，心想："已有二十多个踏足处寻准，第二次便容易得多。"在石壁下运功调息，养足力气，展开古墓派轻功，再窜上三十几个踏足小穴，便窜上了平台。自己手臂虽折，轻功却毫不减弱，也自欣慰，见大石上"剑冢"两个大字之旁，尚有两行字体较小的石刻：

"剑魔独孤求败既无敌于天下，乃埋剑于斯。

呜呼！群雄俯首，长剑空利，不亦悲夫！"

杨过又惊又羡，只觉这位前辈傲视当世，独往独来，与自己性子实有许多相似之处，但说到打遍天下无敌手，自己如何可及。现今只余独臂，就算一时不死，也不过是个寻常武夫而已。瞧着两行石刻出了一会神，低下头来，见许多石块堆着一个大坟。这坟背向山谷，俯仰空阔，别说剑魔本人如何英雄，单是这座剑冢便已占尽形势，想见此人文武全才，抱负非常，但恨生得晚了，无缘得见这位前辈英雄。

杨过在剑冢之旁仰天长啸，片刻间四下里回音不绝，想起黄药师曾说过"振衣千仞冈，濯足万里流"之乐，此际亦复有此等豪情胜慨。他满心虽想瞧瞧冢中利器到底是何等模样，但毕竟不敢冒犯前辈，于是抱膝而坐，迎风呼吸，胸腹间清气充塞，竟似欲乘风飞去。

忽听得山壁下咕咕咕的叫了数声，俯首望去，见神雕伸爪抓住峭壁上的踏足小穴,正自纵跃上来。它身躯虽重,但腿劲爪力俱十分厉害,顷刻间便上了平台。

那神雕稍作顾盼,向杨过点了点头,叫了几声,声音特异。杨过笑道:"雕兄,只可惜我没公冶长的本事,不懂你言语,否则你大可将这位独孤前辈的生平说给我听了。"神雕又低叫几声,伸出钢爪,抓起剑冢上的石头,移在一旁。杨过心中一动:"独孤前辈身具绝世武功,说不定会留下什么拳经剑谱之类。"

神雕双爪起落不停,不多时便搬开冢上石块,露出并列着的三柄长剑,在第一、第二两把剑之间,另有一块长条石片。三柄剑和石片并列于一块大青石之上。

杨过提起右首第一柄剑,见剑下的石上刻有两行小字:

"凌厉刚猛,无坚不摧,弱冠前以之与河朔群雄争锋。"

再看那剑时,见长约四尺,青光闪闪,的是利器。他将剑放回原处,拿起长条石片,见石片下的青石上也刻有两行小字:

"紫薇软剑,三十岁前所用,误伤义士不祥,悔恨无已,乃弃之深谷。"

杨过心想:"这里少了一把剑,原来是给他抛弃了,不知如何误伤义士,这故事多半永远无人知晓了。"出了一会神,再伸手去拿第二柄剑,只提起数尺,呛啷一声,竟然脱手掉下,在石上一碰,火花四溅,不禁吓了一跳。

原来那剑黑黝黝的毫无异状,却沉重之极,三尺多长一把剑,重量竟自不下七八十斤,比之战阵上最沉重的金刀大戟尤重数倍。杨过提起时如何想得到,出乎不意的手上一沉,便拿捏不住。再俯身拿起,这次有了防备,拿起七八十斤的重物自不当一回事。见那剑两边剑锋都是钝口,剑尖更圆圆的似是个半球,心想:"此剑如此沉重,又怎能使得灵便?何况剑尖剑锋都不开口,倒似是我们古墓派的无尖无锋剑。"看剑下的石刻,见两行小字道:

"重剑无锋,大巧不工。四十岁前恃之横行天下。"

杨过喃喃念着"重剑无锋,大巧不工"八字,心中似有所悟,但想世间剑术,不论哪一门哪一派的变化如何不同,总以轻灵迅疾为尚,古墓派玉女剑法尤重轻巧,这柄重剑却与常理相反,缅怀昔贤,不禁神驰久之。

过了良久,才放下重剑,去取第三柄剑,这一次又上了个当。他只道这剑定然犹重前剑,因此提剑时力运左臂。哪知拿在手里却轻飘飘的浑似无物,凝神一看,原来是柄木剑,年深日久,剑身剑柄均已腐朽,剑下的石刻是:

"四十岁后,不滞于物,草木竹石均可为剑。自此精修,渐进于无剑胜有剑之境。"

他将木剑恭恭敬敬的放于原处,浩然长叹,说道:"前辈神技,令人难以想像。"心想青石板之下不知是否留有剑谱之类遗物,伸手抓住石板,向上掀起,见石板下已是山壁的坚岩,别无他物,不由得微感失望。

那神雕咕的一声叫,低头衔起重剑,放在杨过手里,跟着又是咕的一声叫,突然左翅势挟劲风,向他当头扑击而下。顷刻间杨过只觉气也喘不过来,一怔之下,神雕的翅膀离他头顶约有一尺,凝住不动,咕咕叫了两声。杨过笑道:"雕兄,你要试我的武功么?左右无事,我便跟你玩玩。"但那七八十斤的重剑怎施展得动,放下重剑,拾起第一柄利剑。神雕收拢双翼,转过了头不再睬他,神情之间颇示不屑。

杨过立时会意,笑道:"你要我使重剑?但我武功平常,在这绝壁之上跟你过招,决非雕兄敌手,可得容情一二。"换过了重剑,气运丹田,力贯左臂,缓缓挺剑刺出。神雕并不转身,左翅后掠,与那重剑一碰。杨过只觉一股极沉猛的大力从剑上传来,压得他无法透气,急忙运力相抗,"嘿"的一声,剑身晃了几下,眼前一黑,登时晕去。

也不知过了多少时候,这才悠悠醒转,只觉口中奇苦,更有不少苦汁正流入咽喉,睁开眼来,见神雕衔着一枚深紫色的圆球,正喂入他口中。杨过闻到此物甚是腥臭,但想神雕通灵,所喂之物定有益处,张口吃了。只轻轻咬得一下,圆球外皮便即破裂,登时满口苦汁。

这汁液腥极苦极,难吃无比。杨过只想喷了出去,总觉不忍拂逆神雕美意,勉强吞咽入腹。过了一会,略行运气,但觉呼吸顺畅,站起身来,抬手伸足之际非但不觉困乏,反精神大旺,尤胜平时。他暗暗奇怪,按理如为人强力击倒,闭气晕去,纵然不受重伤,也必全身酸痛,难道这深紫色的圆囊竟是疗伤灵药?

他俯身提起重剑,竟似轻了几分。便在此时,那神雕咕的一声,又展翅击来。杨过不敢硬接,侧身避开,神雕跟着踏上一步,双翅齐至,势道威猛。杨过知它对己并无恶意,但想此雕虽然灵异,总是畜生,它身具神力,展翅扑击之时,发力轻重岂能控纵自如?若给翅膀扫上了,自空堕下,哪里还有命在?见双翅扫到,忙退后两步,左足已踏到了平台边缘。

神雕竟毫不容情,秃头疾缩迅伸,弯弯的尖喙竟向他胸口直啄,便似当日啄击巨蟒。杨过退无可退,只得横剑封架,它一嘴便啄在剑上。杨过只觉手臂剧震,重剑似欲脱手,见神雕跟着右翅着地横扫,往自己足胫上掠来。杨过吃了一惊,纵身从神雕头顶飞跃而过,抢到内侧,生怕它顺势跟击,反手出剑,噗的一响,又与它尖嘴相交。杨过吓出了一身冷汗,叫道:"雕兄,你不能当我是独孤大侠啊!"双足酸软,坐倒在地。神雕咕咕低叫两声,不再进击。

杨过无意中叫了那句"你不能当我是独孤大侠",转念一想,此雕长期伴随独孤前辈,瞧它扑啄趋退间,隐隐然有武学家数,多半独孤前辈寂居荒谷,无聊之时便当它是过招的对手。独孤前辈尸骨已朽,绝世武功便此湮没,但从此雕身上,或能寻到这位前辈大师的一些往烈遗风。想到此处,心中转喜,站起身来,叫道:"雕兄,剑招又来啦!"重剑疾刺,指向神雕胸间。神雕左翅横展挡住,右翅猛击过来。

神雕力气实在太强,展翅扫来,疾风劲力,便似数位高手的掌风并力齐施一般,杨过手中之剑又太沉重,生平所学的什么全真剑法、玉女剑法等等没一招施用得上,只有守则以轻功巧妙趋避,攻则呆呆板板的挺剑刺击。

斗得一会,杨过疲累了,便坐倒休息。他只一坐倒,神雕便走开两步。如此玩了一个多时辰,一人一雕才溜下平台,回入山洞。

次晨醒转,神雕已衔了三枚深紫色腥臭圆球放在他身边,杨过细加审视,原来是禽兽的胆囊,想到初遇神雕时它曾大食毒蛇,又与巨蟒相斗,想来必是蛇胆。又想毒蛇之胆不知是否也具剧毒,昨日食后精神爽利,力气大增,反正自己体内就有情花和冰魄银针的剧毒,也不用多加理会,便一口一个吃了,静坐调息。突然之间,平时气息不易走到的各处关脉穴道竟畅通无阻。杨过大喜,高声叫好。本来静坐修习内功,最忌心有旁骛,大哀大乐,更为凶险,但此时他喜极而呼,周身内息仍绵绵流转,全无阻滞。

他跃起身来,提起重剑,出洞又和神雕练剑。此时已去了几分畏惧之心,虽仍避多挡少,但在神雕凌厉无伦的翅力之间,偶然已能乘隙还招。平地练剑,不虞跌落高台,已有余裕使出巧招。

如此练剑数日,杨过提着重剑时手上已不如先前沉重,击刺挥掠,渐感得心应手。同时越来越觉以前所学剑术变化太繁,花巧太多,想到独孤求败在青石上所留"重剑无锋,大巧不工"八字,其中境界,实远胜世上诸般最巧妙的剑招。他和神雕搏击之时,凝思剑招的去势回路,但觉越是平平无奇的剑招,对方越难抗御。比如挺剑直刺,只要劲力强猛,威力远胜玉女剑法等变幻奇妙的剑招。他每日服食神雕采来的蛇胆,不知不觉间膂力激增。而体内毒性发作时的剧痛也越来越轻,到后来毒性已若有若无,即令对小龙女苦苦相思,也不起难当难忍的剧痛了。

这日出外闲步,山谷间见有三条大毒蛇死在地下,肚腹洞开,蛇身为利爪抓得见骨,确知自己所食果是蛇胆。毒蛇遍身隐隐发出金光,三角形的蛇头生有肉瘤,金光更盛,从所未见。心想:神雕力气这样大,想必也是多食这些怪蛇的蛇胆之故。

过得月余,竟勉强已可与神雕惊人的巨力相抗,发剑击刺,呼呼风响,不禁大感欣慰。武功到此地步,便似登泰山而小天下,回想昔日所学,颇有渺不足道之感。转念又想,若无先前根柢,今日纵有奇遇,也决不能达此境地,神雕总是不会言语的畜生,诱发导引则可,指教点拨却万万不能,何况神雕也不能说会什么武功,只不过天生神力,又跟随独孤求败日久,经常和他动手过招,记得了一些进退扑击的方法而已。

这一日清晨起身,满天乌云,大雨倾盆而下。杨过向神雕道:"雕兄,这般大雨,咱们还练武不练?"神雕咬着他衣襟,拉着他向东北方行了几步,随即迈开大步,纵跃而行。杨过心想:"难道东北方又有什么奇怪事物?"提了重剑,冒雨跟去。

行了数里,隐隐听到轰轰之声,不绝于耳,越走声音越响,显是极大的水声。杨过心道:"下了这场大雨,山洪暴发,可得小心些!"转过一个山峡,水声震耳欲聋,只见山峰间一条大白龙似的瀑布奔泻而下,冲入一条溪流,奔腾雷鸣,湍急异常,水中挟着树枝石块,转眼便冲得不知去向。

这时雨下得更大了,杨过衣履尽湿,四顾水气蒙蒙,蔚为奇观,见山洪势道奇猛,心中微生惧意。神雕伸嘴拉着他衣襟,走向溪边,似乎要他下去。杨过奇道:"下去干么?水势劲急,只怕站不住脚。"神雕放开他衣襟,咕的一声,昂首长啼,跃入溪中,稳稳站在溪心的一块巨石上,左翅前扇,将上流冲下来的一块岩石打了回去,待那岩石再次顺水冲下,又挥翅击回,如是击了五六次,那岩石始终流不过它身边。到第七次顺水冲下时,神雕振翅力击,岩石飞出溪水,掉在右岸,神雕随即跃回杨过身旁。

杨过会意,知道剑魔独孤求败昔日每遇大雨,便到这山洪中练剑,自己却无此功力,不敢便试,正自犹豫,神雕大翅突出,唰的一下,拂在杨过臀上。它站得甚近,杨过出其不意,身子直往溪中落去,忙使个"千斤坠"身法,落在神雕站过的那块巨石上。双足一入水,山洪便冲得他左摇右晃,难于站稳。杨过心想:"独孤前辈是人,我也是人,他既能站稳,我如何便不能?"屏气凝息,奋力与激流相抗,但想伸剑挑动山洪中挟带而至的岩石,却力所不及。

耗了一炷香时分,他力气渐尽,伸剑在石上一撑,跃回岸上。他没喘息得几下,神雕又挥翅拂来。这一次他有了提防,没给拂中,自行跃入溪心,心想:"这位雕兄当真是严师诤友,逼我练功,竟没半点松懈。它既有此美意,我难道反无上进之心?"气沉下盘,牢牢站住,时刻稍久,渐渐悟到了凝气用力的法门,山洪虽越来越大,直浸到了腰间,他反不如先前的难以支持。又过片刻,山洪浸到胸口,逐步涨到口边,杨过心道:"虽然我已站立得稳,总不成给水淹死!"只得纵跃回岸。

哪知神雕守在岸旁,见他从空跃至,不待他双足落地,已展翅扑出。杨过伸剑挡架,却给它这一扑之力推回溪心,扑通一声,跌入了山洪。

他双足站上溪底巨石,水已没顶,一大股水冲进了口中。倘若运气将大口水逼出,内息上升,足底必虚,当下凝气守中,双足稳稳站定,使出古墓中习来的闭气之法,暂不呼吸,过了一会,双足一撑,跃起半空,口中一条水箭激射而出,随即又沉下溪心,让山洪从头顶轰隆轰隆的冲过,身子便如中流砥柱般在水中屹立不动。心渐宁定,暗想:"雕兄叫我在山洪中站立,若不使剑挑石,仍叫它小觑了。"他生来要强好胜,便在一只扁毛畜生之前也不肯失了面子,见到溪流中带下树枝山石,便举剑挑刺,向上流反推上去。岩石在水中轻了许多,那重剑受水力一托,也已大不如平时沉重,出手较为灵便。他挑刺掠击,直练到筋疲力尽,足步虚晃,这才跃回岸上。

他生怕神雕又要赶他下水,这时脚底无力,若不小休片时,已难与山洪的冲力抗拒。果然神雕不让他在岸上立足,见他从水中跃出,登时举翅搏击。

杨过叫道:"雕兄,你这不要了我的命么?"跃回溪中站立一会,实在支持不住,终又纵回岸上,眼见神雕举翅拂来,却又不愿便此坐倒认输,只得挺剑回刺,三个回合过去,神雕竟给他逼得退了一步。杨过叫道:"得罪!"又挺剑刺去,只听得剑刃刺出时嗤嗤声响,与往时已颇不相同。神雕见他的剑尖刺近,也已不敢硬接,迫得闪跃退避。

杨过知道在山洪中练了半日,劲力已颇有进境,又惊又喜,自忖劲力增长,本来决非十天半月之功,何以在水中击刺半日,剑力竟会大进?想是那怪蛇的蛇胆定有强筋健骨的奇效,以致在不知不觉之间早已内力大增,此时于危急之际生发出来,自己这才察知。他在溪旁静坐片刻,力气即复,这时不须神雕催逼,自行跃入溪中练剑。

二次跃上时见神雕已不在溪边,不知到了何处。见雨势渐小,心想山洪倏来倏去,明日再来,水力必弱,乘着此时并不觉得如何疲累,不如多练一会,便又跃入溪心。

练到第四次跃上,见岸旁放着两枚怪蛇的蛇胆,好生感激神雕爱护之德,便即吃了,又入溪心练剑。练到深夜,山洪却渐渐小了。

当晚他竟不安睡,在水中悟得了许多顺刺、逆击、横削、倒劈的剑理。到这时方始大悟,以此使剑,真是无坚不摧,剑上何必有锋?但若非这一柄比平常长剑重了数十倍的重剑,这门剑法也施展不出,寻常利剑只须拿在手里轻轻一抖,劲力未发,剑刃便早断了。

其时大雨初歇,晴空一碧,新月的银光洒在林木溪水之上。杨过瞧着山洪奔腾而下,心通其理,手精其术,知重剑的剑法已尽于此,不必再练,便剑魔复生,所能传授的剑术也不过如此而已。将来内力日长,所用之剑便可日轻,终于使木剑如使重剑,那只是功力自浅而深,全仗自己修为,至于剑术,却至此而达止境。又想:玉女心经中的剑法求轻求快,也并非错了,只因女流之辈,难使沉重兵器,难练厚重劲力,只得从"快捷飘忽"着眼,这与"劲雄凝重"是武学中的两条正途。"重剑无锋"与"天罗地网"皆是武学中的至高绝诣。

他在溪边来回闲步,仰望明月,心想若非独孤前辈留下这柄重剑,又若非神雕从旁诱导,自己因服怪蛇蛇胆而内力大增,那么这套剑术世间已不可再而得见。又想到独孤求败全无凭借，居然能自行悟到这剑中的神境妙旨，聪明才智实胜己百倍。

独立水畔想像先贤风烈，又佩服，又心感。寻思："姑姑见到我此刻的武功，可不知有多欢喜了。唉，不知她此时身在何处？是否望着明月，也在想我？"一念及小龙女，胸口仍然一阵剧痛，比之先前却已轻得多了。

转念又想："我虽悟到了剑术的至理，但枯守荒山，又有何用？我体内毒性并未去尽，倘若突然发作，随时便即死了，这至精至妙的剑术岂非又归湮没？"想到此处，雄心登起，自言自语："我也当学一学独孤前辈，要以此剑术打得天下群雄俯首束手，这才甘心就死。何况我死之前，必得再与姑姑相会。"

回眼看着右臂断折之处，想起郭芙截臂之恨，热血涌上胸间，心道："这丫头自恃父亲是当代大侠，母亲是丐帮帮主，自来不把我放在眼里，自小我寄居她家，不知受了她多少白眼，多少屈辱？我谎言欺骗武氏兄弟，其实也是为了她好，倘若武氏兄弟中有一人为她而死，岂非是她的罪过？她乘我重病之际斩我一臂，此仇不报，非丈夫也！"

他向来极重恩怨，胸襟殊不宽宏，当日手臂初断，躲在这荒谷中疗伤，那是无可奈何，此刻臂伤已愈，武功反而大进，报仇雪恨之念再也难以抑制。

心神激荡之下，连夜回到山洞，向神雕说道："雕兄，你的大恩大德，终究报答不了，小弟在江湖上尚有几桩恩怨未了，暂且分别，日后再来相伴。独孤前辈这柄重剑，小弟求借一用。"说着深深一揖，又向独孤求败的石冢拜了几拜，掉首出谷。那神雕直送至谷口，一人一雕搂抱亲热了一阵，这才依依而别。

那柄剑极是沉重，如系在腰间，腰带立即崩断。他在山边采了三条老藤，搓成一带，将重剑系了，负在背上，施展轻身功夫，直奔襄阳。

到得城外，天色未晚，心想日间行事不便，何况一晚没睡，精力不充，郭伯伯和郭伯母均是武学高手，此时必已康复，遇上了定有一番恶斗，当下在城外的坟场草丛中睡了几个时辰，然后调息运功，又采些野果饱餐了一顿，等到初更时分，来到襄阳城下。

襄阳城雄垣高，当日金轮国师、李莫愁等从城头跃下，尚须以人垫足，方免受伤，现下要从城墙脚攀上城头，殊非易易。杨过在坟场中休息之时，早已想到了上城的法子，心想郭伯伯那"上天梯"的功夫我可不会，独孤前辈如何上那悬崖峭壁，我便如何爬上襄阳城头，走到东门旁僻静之处，待城头巡视的守兵走远，便跃起身来，挺重剑往城墙上奋力一刺。重剑虽无尖锋，但这一剑去势刚猛，那城墙以极厚的花冈石砌成，却听篷的一声，应剑而破，裂出了一个碗口大的洞孔。

杨过没料到随手一剑竟有这般威力，心中又惊又喜，二次跃上时左足踏入破洞，举手挺剑，在头顶的城墙上又刺了一孔，这次出手轻得多了，以免惊动城上守军。如此逐步爬上，最后翻上了城头，躲在暗处。城墙内侧有石级可下，杨过待守军行开，一溜烟的飞奔而下，径往郭府而去。

他服食蛇胆后内力大增，同时身躯灵便，轻功也远胜往昔。但郭靖的武功实在非同小可，单是降龙十八掌的掌力就只怕天下无人能敌，再加上黄蓉的打狗棒法变化奥妙，自己所知者不过十之七八，所能运使者更不过十之六七，半点也不敢大意。遇上二人当真动手，自己输多赢少，可不能白白的前来送死，枉自将性命送在这里，即使郭靖对自己不下杀手，却又何苦来要他饶命，自讨没趣？

他缩身在郭府墙外一株大树之后，隐隐听得郭府中更夫打了二更，笃笃笃三声击打竹筒，喤喤两声敲锣，叫着："风干物燥，火烛小心！"见黑影晃动，有人悄悄蹑向墙边。杨过凝神看去，那人身形苗条，一身黑衣，背上斜插长剑，依稀便是郭芙。杨过心想："她深夜出外，干什么了？"见郭芙轻轻越墙而入，奇道："她回到自己家里，却何以这等鬼鬼祟祟，似乎怕人察觉？"走得稍远，从另一处越墙而入。

朦胧中见郭芙轻手轻脚前行,杨过便跟在她身后,见郭芙回向她自己的住房,推开房门,便即入内。杨过窜上她房外的一株大木笔花树,藏在枝叶之间,依稀听得一个女子声音欢然道:"大小姐,你回来啦。夫人已差人来问起三次,大小姐回来了没有?"郭芙道:"我出去找寻妹妹的踪迹,你去跟老爷、夫人回报,说我要见爹爹。"那女子应道:"是!"开房门出来。杨过寻思:"此时要去断她一臂,再也容易不过。"

他相貌英俊,性格也颇风流自喜,虽对小龙女一往情深,从无他念,但许多少女见了他往往不由自主的为之钟情颠倒,如程英、陆无双、公孙绿萼、完颜萍等人或暗暗倾心,或坦率示意。此刻他手抚树干,想起自己已成残废,若再遇到这些多情少女,在她们眼中,自己势必成为可笑可怜之人,武功虽强,也不过是个惊世骇俗的怪物而已。思潮起伏,追念平生诸事,情不自禁的低声说道:"只有姑姑,只姑姑一人,别说我少了一臂,便四肢齐折,她对我的心意也必毫无变异。"

又想:"既然姑姑对我情意不变,我是否少了一臂,又有什么相干?此刻要伤她虽易,究非男子汉大丈夫的磊落作为。"凝目四望,见一个女子提了灯笼,在花园中向东而行,料想她是郭芙派去禀告郭靖夫妇的丫鬟,悄声落地,快步跟在她身后。见她走入郭靖夫妇的居室,便走到窗下,要听他夫妇说些什么。

那丫鬟走进房中,说道:"老爷,夫人,大小姐回来啦!大小姐出去找寻二小姐的踪迹,她说要来见老爷。"郭靖问道:"她说找到什么线索没有?"那丫鬟道:"大小姐没说。"郭靖道:"你跟她说,不用再装模作样的去找人,没用的!我要见她,自会见她。"那丫鬟答应道:"是!老爷夫人请安歇。"转身出来,带上了房门。

只听得黄蓉柔声劝道:"芙儿斩断了过儿一条手臂,怕你责罚,逃出去不知在哪里躲了十来天,我记挂得要命。好容易盼到她回家来了,这么多天,你始终不肯见她。自己亲生的女儿哟,你怎么狠得下心！靖哥哥，你听我劝，这便见她一见，狠狠的责骂她一顿，再或用毛竹板重重打她一顿。她怕你怕得狠了，这些天瘦了快十斤啦。你真气不过，使你的降龙十八掌打她几下屁股，不就完了。"她说到降龙十八掌时，语音中已带笑意。

郭靖道："哼！我使降龙十八掌打她，她配么？这一下，岂不把她屁股打得稀烂！"黄蓉柔声道："你做爹爹的，落手轻些，不就成了？"郭靖道："我干么要落手轻些？我想起咱们这么对不起过儿，真不知怎么向他赔罪才是。他从小要强好胜，少了一条手臂，从此武功全失，在这世上只有任人欺侮的份儿，要打要骂，无从反抗，他就算今天还没死，这般受人欺压，过不了几年，也就郁郁死去了。咱们要是收留他在家，好好照看，他废人一个，有什么乐趣？何况咱们家里还有位大小姐天天要欺侮他……"说到后来，声音竟呜咽了。杨过听了，似乎觉得自己真如此可怜，心中不觉竟也感到十分凄凉。

黄蓉道："这件事，也不全是芙儿的过错。杨过和他师伯李莫愁两人抢了襄儿，要去绝情谷换取丹药，以解过儿身上之毒。芙儿要救妹子，恼怒之下，下手稍狠，也不能说罪不可恕。你想李莫愁杀人如麻，心狠手辣，江湖上一等一的好汉也闻名丧胆，襄儿小小一个女孩儿……这孩子生下不到一个时辰，便落入了这魔头手中，这时还有命么？"说到这里，语声呜咽，啜泣起来。

郭靖说道："过儿决不是这样的人。再说，他累次救我救你，咱们便拿襄儿换他一命，那也心甘情愿。"黄蓉泣道："你情愿，我可不情愿……"

这时室中突然发出一阵婴儿啼哭，声音甚是洪亮。杨过大奇："难道那小女孩已从李莫愁手中抢回来了？怎么她又说'这时还有命么'？"屏住呼吸，凑眼到窗缝中张望，见黄蓉手中果然抱着一个婴儿。那婴儿刚好脸向窗口，杨过瞧得明白，但见他方面大耳，皮色粗黑，脸上生满了细毛。那女婴郭襄他曾在怀中抱过良久，记得是白嫩娇小，眉目清秀，和这壮健肥硕的婴儿大不相同。黄蓉背向窗口，低声哄着婴儿，说道："好好一对双胞胎，你快去给我找他姊姊回来。"杨过恍然大悟，才知黄蓉一胎生下了两个孩儿，先诞生的是女婴郭襄，其后又生一个男婴。当生这男婴之时，女婴已给小龙女抱走。

郭靖在室中踱来踱去，说道："蓉儿，你平素挺识大体，怎地一牵涉到儿女之事，便这般瞧不破？眼下军务紧急，我怎能为了一个小女儿而离开襄阳？"黄蓉道："我说我自己去找，你又不放我去。难道便让咱们的孩儿这样白白送命么？"郭靖道："你身子还没复原，怎能去得？"黄蓉怒道："做爹的不要女儿，做娘的命苦，那有什么法子？"说着垂下泪来。

杨过在桃花岛上和他们相聚多时，见他们夫妇相敬相爱，从没吵过半句，这时却见二人面红耳赤，言语各不相下，显然已为此事争执过多次。黄蓉又哭又说，郭靖绷紧了脸，在室中来回走个不停。

过了一会，郭靖说道："这女孩儿就算找了回来，你待她仍如对待芙儿一般，娇纵得她无法无天，这样的女儿有不如无！"黄蓉大声道："芙儿有什么不好了？她心疼妹子，出手重些，也是情理之常。倘若是我啊，杨过若不把女儿还我，我连他左臂也砍了下来。"郭靖大声喝道："蓉儿，你说什么？"举手往桌上重重一击，砰的一声，木屑纷飞，一张坚实的红木桌子登时给他打塌了半边。那婴儿本来不住啼哭，给他这么一喝一击，竟吓得不敢再哭。

便在此时，杨过突见西首窗下有个人影一晃，那人接着矮了身子，悄悄退开。杨过心想："原来除我之外，还有人在窗外偷听，却是谁了？"蹑足在那人之后，见那人身形婀娜，正是郭芙。杨过心道："好啊！瞧你躲到哪里？"突然身后一暗，房中灯火熄灭，听黄蓉气忿忿的道："你出去罢，别惊吓了孩儿！"

杨过知郭靖就要出来，在他眼前可不易躲得过，忙抢到假山之后，快步绕到郭芙房外，窜高上了她房外那株大木笔花树，躲在枝叶之间。

过不多时,果见郭芙回到房中。那丫鬟说道:"已打过二更啦,姑娘请安睡罢。"郭芙哼了一声,道:"我睡得着时自然会睡!你出去。"那丫鬟应道:"是。"开门出来,带上房门,自行去了。

过了半晌,只听得郭芙幽幽的一声长叹,杨过心道:"你还叹什么气? 你断我一臂,我便也断你一臂,只不过好男不与女斗,此刻我下来伤你,虽易如反掌,却不是大丈夫行径。"略一沉吟,已有计较:"好,让我大声叫嚷,将郭伯伯叫来。我先将他打败,再处置他女儿。男儿汉光明磊落,再也没人能笑话我一句。"但转念又想:"郭伯伯武功卓绝,我真能胜得了他么? 只怕未必! 君子报仇,十年未晚,还是程英妹子那句话。但我还有十年的命来等吗?"念及断臂之恨,胸间热血潮涌,忽听得脚步声响,一人大踏步过来。

只见他脚步沉凝,身形端稳,正是郭靖。他走到女儿房外,伸指在门上轻轻一弹,说道:"芙儿,你睡了么?"郭芙站了起来,道:"爹,是你么?"声音微带颤抖。杨过心中一惊:"莫非郭伯伯知我来此,特来保护女儿?"

郭靖"嗯"了一声。郭芙将门打开,抬头向父亲望了一眼,随即低下了头。

李莫愁见黄蓉将棘藤缠了一道又是一道，在几株大树之间拉来扯去，密密层层的越缠越多，又见她脸带诡笑，似乎不怀好意，心中不禁有些发毛，说道：「够了！」

第二十七回　斗智斗力

　　郭靖走进房去带上了门,坐在床前椅上,半晌无言。两人僵了半天,郭靖才问:"这些时候你到哪里去啦?"郭芙道:"我……我伤了杨大哥,怕你责罚,因此……因此……"郭靖道:"因此出去躲避几天?"郭芙咬着嘴唇,点了点头。郭靖道:"你是想等我怒气过了,这才回来?"

　　郭芙又点了点头,突然扑在他怀里,抽抽噎噎的道:"爹,你还生女儿的气么?"郭靖抚摸她头发,低声道:"我没生气。我从来就没生气,只是为你伤心。"郭芙叫了声:"爹!"伏在他怀里,呜呜咽咽的哭泣。

　　郭靖仰头望着屋顶,一声不响,待她哭声稍止,说道:"杨过的祖父铁心公,和你祖父啸天公是异姓骨肉,他的爹爹和你爹爹,也是结义兄弟,这你都是知道的。"郭芙"嗯"一声。郭靖又道:"杨过这孩子虽然行事任性些,却是一副侠义心肠,几次三番不顾自身,救过你爹娘的性命,也曾救过你。他年纪轻轻,但为国为民,已立过不小的功劳,你也知道的。"郭芙听父亲的口气渐渐严厉,更不敢接口。

　　郭靖站起身来,又道:"还有一件事,你却并不知道,今日也对你说了。过儿的父亲杨康,当年行为不端,我是他义兄,却没尽心竭力劝他改过,他终于惨死在嘉兴王铁枪庙中,虽不是你妈妈下手所害,他却是因你妈妈而死,我郭家负他杨家实多……"

　　杨过听到"惨死在嘉兴王铁枪庙中"以及"他却是因你妈妈而

死"两句话,深藏心底的仇恨,猛地里又翻了上来,只听郭靖又道:
"我本想将你许配于他,弥补我这件毕生之恨,岂知……岂
知……唉!"

郭芙抬起头来,道:"爹,他掳我妹子,又说了许多胡言乱语,
败坏女儿的名声。爹,他杨家虽和我家有这许多瓜葛,难道女儿便
这样任他欺侮,不能反抗?"

郭靖霍地站起,喝道:"明明是你斩断了他手臂,他却怎样欺
侮你了? 他武功胜你十倍,真要欺侮你,你便有十条臂膀,也都给
他斩了。那柄剑呢?"郭芙不敢再说,从枕头底下取出君子剑来。
郭靖接在手里,轻轻一抖,剑刃发出一阵嗡嗡之声,凛然说道:"芙
儿,人生天地之间,行事须当无愧于心。爹爹平时虽对你严厉,但
爱你之心,和你母亲并无分别。"说到最后几句话,语声转为柔和。
郭芙低声道:"女儿知道。"

郭靖又道:"好,你伸出右臂来。你斩断人家一臂,我也斩断
你一臂。你爹爹一生正直,决不敢徇私妄为,庇护女儿。"郭芙明
知这一次父亲必有重责,但没料想到竟要斩断自己一条手臂,只吓
得脸如土色,大叫:"爹爹!"郭靖铁青着脸,双目凝视着她。

杨过料想不到郭靖竟会如此重义,瞧了这般情景,只吓得一颗
心突突乱跳,只想:"我要不要下去阻止? 叫他饶了郭姑娘?"正自
思念未定,郭靖长剑抖动,挥剑削下,剑到半空时微微一顿,跟着便
即斩落。

突然呼的一声,窗中跃进一人,身法快捷无伦,人未至,棒先
到,一棒便将郭靖长剑去势封住,正是黄蓉。

她一言不发,唰唰唰连进三棒,都是打狗棒法中的绝招。一来
她棒法精奥,二来郭靖出其不意,竟给她逼得向后退了两步。黄蓉
叫道:"芙儿还不快逃!"

郭芙的心思远没母亲灵敏,遭此大事,竟吓得呆了,站着不动。
黄蓉左手抱着婴孩,右手回棒一挑一带,卷起女儿身躯,从窗口中
摔了出去,叫道:"快回桃花岛去,请柯公公来向爹爹求情。"跟着

转过竹棒,连用打狗棒法中的"缠""封"两诀,阻住郭靖去路,叫道:"快走,快走! 小红马在府门口。"

黄蓉素知丈夫为人正直,近于古板,又极重义气,这一次女儿闯下大祸,在外躲了多日回家,丈夫怒气不息,定要重罚,早已命人牵了小红马待在府门之外,马鞍上衣服银两,一应俱备。如能劝解得下,让丈夫将女儿责打一顿便此了事,那自是上上大吉,否则只好遣她远走高飞,待日子久了,再谋父女团聚。卧室中夫妻俩一场争吵,见他脸色不善,走向女儿卧房,心知凶多吉少,当即跟来,救了女儿的一条臂膀。凭她武功,原不足以阻住丈夫,但郭靖向来对她敬畏三分,情深爱切,又见她怀中抱着婴儿,总不成便施杀手夺路外闯,只这么略一耽搁,郭芙已奔出花园,到了府门之外。

杨过坐在树上,一切看在眼里,当郭芙从窗中摔出之时,倘若伸剑下击,她焉能逃脱? 但想她一家吵得天翻地覆,都是为我而起,这时乘人之危,却下不了手。

黄蓉连进数招,又将郭靖逼得倒退两步,这时他已靠在床沿之上,无可再退。黄蓉叫道:"接着!"将婴儿向丈夫抛去。郭靖一怔,伸左手接住了孩子。黄蓉垂下竹棒,走到丈夫身前,柔声道:"靖哥哥,你便饶了芙儿罢!"郭靖摇头道:"我何尝不深爱芙儿? 但她做下这等事来,若不重惩,于心何安? 咱们又怎对得起过儿? 唉,过儿断了一臂,没人照料,不知他这时生死如何? 我……我真恨不得斩断了自己这条臂膀……"右手提着君子剑从空虚拟。黄蓉自知他不会真的自己断臂,但知丈夫古板重义,毕竟有些害怕,将剑接过,插入剑鞘,拿在手里。

杨过听郭靖言辞真挚,不禁心中一酸,眼眶儿红了。

黄蓉道:"连日四下里找寻,都没见到他踪迹,倘若有甚不测,必能发见端倪。过儿武功已不在你我之下,虽受重伤,必无大碍。"郭靖道:"但愿如此。我去追芙儿回来,这事可不能就此算了。"黄蓉笑道:"她早骑小红马出城去了,哪里还追得着?"郭靖道:"这时三鼓未过,若无吕大人和我的令牌,黑夜中谁敢开城?"

黄蓉叹了口气,道:"好罢,由得你便了!"伸手去接抱儿子郭
破虏。郭靖将婴儿递了过去,脸有歉意,说道:"蓉儿,是我对你不
住。但芙儿受罚之后,虽然残废,只要她痛改前非,于她也未始没
好处……"

　　黄蓉点头道:"那也说得是!"双手刚碰到儿子的襁褓,突然一
沉,却插到了郭靖胁下,使出家传"兰花拂穴手"绝技,在他左臂下
"渊液穴"、右臂下"京门穴"同时一拂。这两处穴道都在手臂之
下,以郭靖此时武功,黄蓉若非使诈,焉能拂他得着? 但当她将儿
子抛给丈夫之时,已安排了这后着。郭靖遇到妻子用计,当真缚手
缚脚,登时全身酸麻,倒在床上,动弹不得。

　　黄蓉把孩儿放在床尾,为郭靖除去鞋袜外衣,让他好好躺在床
上,取枕头垫在后脑,令他睡得舒舒服服,然后从他腰间取出令牌。
郭靖眼睁睁的瞧着,却无法抗拒。

　　黄蓉又将儿子放在丈夫身畔,让他爷儿俩并头而卧,然后将棉
被盖在二人身上,说道:"靖哥哥,今日便得罪一次,待我送芙儿出
城,回来亲自做几个小菜,敬你三碗,向你赔罪。你原谅了蓉儿这
一次。你一生体谅我多了,再多一次也不打紧。"说着福了一福,
站起身来,在他脸颊上亲了一吻。

　　郭靖听在耳里,妻子已是三个孩子的母亲,却顽皮娇憨不减当
年,眼睁睁的瞧着她抿嘴一笑,飘然出门,心想这两处穴道给拂中
后,她若不回来解救,自己以内力冲穴,最快也得半个时辰方能解
开,女儿是无论如何追不上了,这件事当真哭笑不得。

　　黄蓉爱惜女儿,她孤身一人回桃花岛去,以她这样一个美貌而
莽撞的少女,千里迢迢,途中难免不遇凶险,回到卧室,取了桃花岛
至宝软猬甲用包袱包了,挟在腋下,快步出府,展开轻功,顷刻间赶
到了南门。

　　只见郭芙骑在小红马上,正与城门守将大声吵闹。那守将说
话极是谦敬,郭姑娘前、郭姑娘后的叫不绝口,但总说若无令牌,黑

夜开城,便有杀头之罪。

黄蓉心想这草包女儿一生在父母庇荫之下,从未经历过艰险,遇上了难题,不设法出奇制胜,一味发怒呼喝,却济得甚事?手持令牌,走上前去,说道:"这是吕大人的令牌,你验过了罢。"

当时主持襄阳城防的是安抚使吕文焕,虽一切全仗郭靖指点,但郭靖是布衣客卿,诸般号令部署全凭吕文焕的名衔发布。那守将见郭夫人亲来,又见令牌无误,忙陪笑开城,牵过自己坐骑,说道:"郭夫人如用得着,请乘了小将这匹马去。"黄蓉道:"好,我便借用一下。"郭芙见母亲到来,欢喜无限,母女俩并骑出城南行。

黄蓉舍不得就此和女儿分手,竟越送越远。襄阳以北,除相隔汉水的樊城之外,数百里几无人烟,襄阳以南却赖此重镇屏障,未遭蒙古大军蹂躏,虽动乱不安,居民仍一如其旧。母女俩行出二十余里,天色大明,到了一个市镇,叫作新城镇,赶早市的店铺已经开门。黄蓉道:"芙儿,再向南便是宜城。咱们同去吃点儿饮食,我便要回城去啦。"

郭芙含泪答应,好生后悔,实不该以一时之忿,斩断了杨过手臂,以致今日骨肉分离,独自冷清清的回桃花岛去,和一个瞎了眼睛的柯公公为伴,这样的日子只要想一想也就难挨了。但父亲举剑砍落的神情,念及犹自心有余悸,说什么也不敢回襄阳。

两人走进一家饭铺,叫了些熟牛肉、面饼,母女俩分手在即,谁也无心食用。黄蓉将软猬甲交给女儿,叫她晚间到了客店,便穿在身上,又反复叮咛,在道上须得留心这些、提防那些,但一时之间又怎说得了多少?眼见女儿口中只是答应,眼眶红红的楚楚可怜,平时爱娇活泼的模样一时尽失,更加不忍,一瞥眼见市镇西头一家糖食店前摆着一担苹果,鲜红肥大,心道:"去买几个来让芙儿在道上吃,这便该分手啦。"说道:"芙儿,你多吃几块面饼。便吃不下,也得勉强吃些,这兵荒马乱之际,要到宜城才有东西吃。我过去买点物事。"站起身来,走过十多家店面,到了那卖苹果的担子前。

她拣了十来个大红苹果放入怀中,顺手取了一钱银子,正要递给果贩,忽听得身后一个女子的声音说道:"给秤二十斤白米、一斤盐,都放在这麻袋里。"

　　黄蓉听那女子话声清脆明亮,侧头斜望,见是个黄衣道姑站在一家粮食店前买物。这道姑左手抱着个婴儿,右手伸到怀中去取银两。婴儿身上的襁褓是湖绿色的缎子,绣着一只殷红的小马,正是黄蓉亲手所制。

　　她一见到这襁褓,登时心头大震,双手发颤,右手拿着的那块银子落入了箩筐。这婴儿若不是她亲生女儿郭襄,却又是谁?只见那道姑侧过半边脸来,容貌甚美,眉间眼角却隐隐含有煞气,腰间垂挂一根拂尘,自然便是江湖上大名鼎鼎的赤练仙子李莫愁了。黄蓉从未和这女魔头会过面,但这般装束相貌,除她之外更无别人。

　　黄蓉生下郭襄后,慌乱之际,只模模糊糊的瞧过几眼,这时忍不住细看女儿,见她眉目娇美,神姿秀丽,虽是个极幼的婴儿,但无疑是个美人胎子,又见她小脸儿红红的,长得甚是壮健。她兄弟郭破虏虽吃母乳,还不及她这般肥白可爱。黄蓉又惊又喜,忍不住要流下泪来。

　　李莫愁付了银钱,取过麻袋,一手提了,便即出镇。

　　黄蓉见事机紧迫,不及去招呼郭芙,心想:"襄儿既入她手,此人阴毒绝伦,如强行抢夺,她必伤孩儿性命。"见她走出市梢,沿大路向西而行,于是不即不离的跟随在后,又想:"她是过儿的师伯,虽听说他们相互不睦,但芙儿伤了过儿手臂,他们古墓派和我郭家已结了深仇。倘若过儿和龙姑娘都在前面相候,我以一敌三,万难取胜,只有及早出手,方是上策。"见李莫愁折而向南,走进一座树林,便展开轻功,快步从树旁绕过,赶在李莫愁前头,突然窜出,迎面拦住。

　　李莫愁忽见身前出现一个美貌少妇,当即立定。黄蓉笑道:"这位想必是赤练仙子李道长了,幸会,幸会!"

李莫愁见她窜出时身法轻盈,实非平常之辈,又见她赤手空拳,腰带间插着一根淡黄色竹杖,一转念间,登时满脸堆欢,放下麻袋,敛衽施礼,说道:"小妹久慕郭夫人大名,今日得见芳颜,实慰平生。"

当今武林之中,女流高手以黄蓉和李莫愁两人声名最响。清净散人孙不二成名虽早,武功远不及两人。小龙女则年纪幼小,霍都王子终南山古墓败归,小龙女始为人知,大胜关一战,更名扬天下,但毕竟为时未久。黄李二人一个是东邪黄药师娇女、大侠郭靖之妻,身任丐帮帮主二十余年;另一个以拂尘、银针、赤练神掌三绝技名满天下,江湖上闻而丧胆。此时两人初次见面,细看对方,均各自惊奇:"原来她竟是如此的一个美貌女子!"心下都严加提防,对方既享大名,必有真实本领。

黄蓉笑道:"道长之名,小妹一向久仰的了。道长说话如何这般客气?"李莫愁道:"郭夫人是天下第一大帮丐帮前任帮主,武林中群伦之首,小妹当真相见恨晚。"两人说了好些客套话。

黄蓉笑道:"道长怀抱的这个婴儿,可爱得很啊,却不知是谁家孩儿?"李莫愁道:"说来惭愧,郭夫人可莫见笑。"黄蓉道:"不敢。"心想眼下说到正题了,一说翻便得动手,心中筹思方策,如何在动手之前先将女儿抢过,却听李莫愁道:"也是我古墓派师门不幸,小妹无德,不能教诲师妹,这孩儿是我龙师妹的私生女儿。"

黄蓉心下大奇:"龙姑娘没怀孕,怎会有私生女儿?这明明是我女儿,她当面谎言欺诈,是何用意?"她不知李莫愁实非有心欺骗,只道这女孩真是杨过和小龙女所生。李莫愁心恨师父偏心,将古墓派的秘笈《玉女心经》单传于小师妹,这时黄蓉问及,便乘机败坏师妹的名声。黄蓉道:"龙姑娘看来贞淑端庄,原来有这等事,倒真令人想不到了。却不知这孩儿的父亲是谁?"

李莫愁道:"这孩儿的父亲么?说起来更加气人,却是我师妹的徒儿杨过。"

黄蓉虽善于装假作伪,这时却也忍不住满脸红晕,心下大怒,暗道:"你把我女儿说成是龙姑娘私生,那也罢了,但说她父亲乃是杨过,岂非当面辱我?"但这怒色只在脸上一闪而过,随即平静如常,说道:"胡闹,胡闹,太不成话了!可是这女孩儿却真讨人欢喜,李道长,给我抱抱。"说着从怀中取出一个苹果,举在孩子面前,口中啜啜作声,逗那女孩,说道:"乖孩儿,你的脸蛋儿可不像这苹果么?"

李莫愁自夺得郭襄后一直隐居深山,弄儿为乐,每日买了猪牛羊肉喂饲母豹,再挤了豹乳喂饲婴儿。她一生作恶多端,却也不是天性歹毒,不过情场失意后愤世嫉俗,由恼恨伤痛而乖僻,更自乖僻而狠戾残暴。郭襄娇美可爱,竟打动了她天生的母性,有时中夜自思,即使小龙女用《玉女心经》来换,也未必肯把郭襄交还。这时见黄蓉要抱孩儿,便如做母亲的听到旁人称赞自己孩儿一般,颇以为喜,笑吟吟的递了过去。

黄蓉双手刚要碰到郭襄的襁褓,脸上忍不住流露出爱怜备至的神色,这慈母之情,说什么也难以掩饰。她对这幼女日夜思想,只恐她已死于非命,这时得能亲手抱在怀中,如何不大喜若狂?

李莫愁斗见她神色有异,心中一动:"她如只是喜爱小儿,随手抱她一抱,何必如此心神震荡?此中定然有诈。"猛地里双臂回收,右足点动,已向后跃开。她双足落地,正要喝问,只见黄蓉已如影随形般窜来。李莫愁提起放在地下的麻袋,随手一抖,袋中二十斤白米和一斤盐齐向黄蓉劈面打去。

黄蓉纵身跃起,白米和盐粒尽数从脚底飞过。李莫愁乘机又已纵后丈许,抽了拂尘在手,笑吟吟的道:"郭夫人,你要助杨过抢这孩儿么?"黄蓉在这一窜一跃之间,已想到对方既已起疑,势难智取,只有用力强夺,当下也笑嘻嘻的道:"我不过见孩儿可爱,想要抱抱。你如此见外,未免太瞧人不起了。"

李莫愁道:"郭大侠夫妇威名震于江湖,小妹一直钦佩得紧,今日得见施展身手,果然名下无虚。小妹此刻有事,便此拜别。"她生怕郭靖便在左近,胆先怯了,交代了这几句话,转身便走。

黄蓉纵跃上前,身在半空,已抽竹棒在手。丐帮世传的打狗棒法她已传给鲁有脚,现下随身所携的这条竹棒虽不如打狗棒坚韧,长短轻重却一般无异,只是色作淡黄,以示与打狗棒有别。她不待身子落地,竹棒已使"缠"字诀掠到了李莫愁背后。

　　李莫愁心想我和你无怨无仇,今日初次见面,我说话客客气气,有甚得罪你处,何以毫没来由的便出兵刃打人? 拂尘后挥,挡开竹棒,还了一招。黄蓉的棒法快速无伦,六七招一过,李莫愁已感招架为难。她本身武功比之黄蓉原已稍逊,何况手抱孩儿,更加转动不灵。黄蓉绕着她东转西挡,竹棒抖动,顷刻间李莫愁已处下风。

　　又拆数招,李莫愁见她竹棒始终离开孩儿远远的,知她有所避忌,心想:"每次与人相斗,倒是抱着孩儿的占了便宜。"笑道:"郭夫人,你要考较小妹功夫,山高水长,尽有相见之日,何必定要今日过招? 任谁一个失手,岂不伤了这可爱的孩儿?"

　　黄蓉心想:"她是当真不知这是我的女儿,还是装假? 可须得先试她出来。"说道:"为了这孩儿,我已让了你十多招,你再不放下孩儿,我可不顾她死活了!"说着举棒向她右腿点去。李莫愁挥拂尘一挡,黄蓉竹棒不待与拂尘相交,已然挑起,蓦地戳向她左胸。这一戳又快又妙,棒端所指,正是郭襄小小的身子。

　　这一棒倘若戳中了,连李莫愁也须受伤,郭襄受了更非立时丧命不可。黄蓉在这棒上控纵自如,棒端疾送,已点到了郭襄的褓褓,这一下看似险到了极处,但打狗棒法在她手下使将出来,自是轻重远近,不失分毫。李莫愁哪知就里,眼见危急,忙向右闪避,自身不免就此露了破绽,啪的一下,左胫骨已给竹棒扫中,险些绊倒,向旁连跨两步,这才站定。她挥拂尘护住身前,转过头来,怒道:"郭夫人你枉有侠名,却对这小小婴儿也施辣手,岂不可耻?"

　　黄蓉见她这番恼怒并非佯装,心下大喜,暗想:"你出力保护我的女儿,我偏要棒打亲女,吓你一跳。"微微一笑,说道:"道长既说这孩儿来历不明,留在世上作甚?"说着举棒疾攻,数招一过,郭襄又遇危险。她身在李莫愁怀中,颠簸起伏,甚不舒服,突然放声大哭。黄蓉暗叫:"乖女莫惊!我要救你,只得如此。"她虽心中怜惜,出手却越来越凌厉,若非李莫愁奋力抗御,看来招招都能制郭襄的死命。李莫愁急退数步,举拂尘护在郭襄身前,叫道:"郭夫人,你到底要怎地?"

黄蓉笑道:"当今女流英杰,武林中只称李道长和小妹二人。此刻有缘相逢,何不一分高下?"她这几棒毒打郭襄,已将李莫愁激得怒气勃发,心想:"你丈夫若来,我还忌他三分,凭你也不过是个女子,难道我便真怕了你?"哼了一声,道:"郭夫人有意赐教,正是求之不得。"黄蓉道:"你怀抱婴儿,我胜之不武,还是将她掷下,咱俩凭真功夫过招玩玩。"

李莫愁心想抱着婴儿决计非她敌手,施发毒针时也诸多顾忌,心道:"江湖上多称郭靖夫妇仁义过人,但瞧她对一个婴儿也如此残忍,可见传闻言过其实。"游目四顾,见东首几株大树之间生着一片长草,颇为柔软,将郭襄抱去放在草上,轻轻拍了几下,又哄了几句,转身道:"请发招罢。"

黄蓉与她拆了这十余招,知她武功比之自己也差不了多少,若此时将女儿抢在手中,她再上来缠斗,自己稍有疏虞,只怕便伤了女儿,只有先将她打死打伤,再抱回女儿,方无后患。这女子作恶多端,百死不足以蔽其辜,想到此处,心中已动杀机。

李莫愁平素下手狠辣,无所不用其极,以己之心度人,见黄蓉眼角不断的向婴儿一望一瞥,心想:"她若打我不过,便会向孩儿突下毒手,分我心神。"是以站在郭襄身前,不容对方走近。

在这顷刻之间,黄蓉心中已想了七八条计策,每一计均有机可制李莫愁死命,但也均不免危及郭襄,寻思:"瞧这女魔头的神情,对我襄儿居然甚为爱惜,襄儿在她手中,纵然一时抢不回来,也无大碍,却不可冒险轻进,反使襄儿遭难。"心念一转,说道:"李道长,咱俩非片刻之间可分胜负,相斗之际若有虎狼之类出来吃了孩儿,岂不令人分心? 不如先结果了这小鬼,咱们痛痛快快的打一架。"说着弯腰拾起一块小石子,放在中指上一弹,呼的一声,石子挟着破空之声急向郭襄飞去。

这一弹是她家传绝技"弹指神通"功夫,李莫愁曾见黄药师露过,知劲力不小,忙举拂尘格开,喝道:"这小孩儿碍着你什么事了? 何以几次三番要害她性命?"

黄蓉暗暗好笑,其实这颗石子弹出去时力道虽急,她手指上却早已使了回力,李莫愁便算不救,石子一碰到郭襄的身子立时便会斜飞,决不会损伤到她丝毫,当即笑道:"你对这孩儿如此牵肚挂肠,旁人不知,还道……还道是你的……哈哈……"李莫愁怒道:"难道是我的孩……"说到这"孩"字,突然住口,脸上一红,道:"是我什么?"黄蓉笑道:"你是道姑,自不能有孩儿,旁人定要说这孩儿是你的妹子了。"李莫愁哼了一声,也不以为意,却不知黄蓉连口头上也不肯吃半点亏,说郭襄是她妹子,便是说郭靖和自己是她父母,讨她一个小小便宜,谁叫她适才说杨过是郭襄之父呢?

李莫愁道:"郭夫人这便请上罢!"黄蓉道:"你挂念着孩儿,动手时不能全神贯注,我纵然胜你,也没意味,你输了也还有个借口。这样罢,我割些棘藤将她围着,野兽便不能近前,咱俩再痛痛快快的打一场。"说着从腰间取出一柄金柄小佩刀,走到树丛中割了许多生满棘刺的长藤。

李莫愁严密监防,只怕黄蓉突然出手伤害孩子,只见她拉着棘藤,缠在孩子身周的几株大树之上,这么野兽固伤害不了孩子,而郭襄幼小,还不会翻身,也不会滚到棘刺上去。她心想:"江湖上称道郭夫人多智,果然名不虚传。"见黄蓉将棘藤缠了一道又是一道,在几株大树间东拉来,西扯去,密密层层的越缠越多,又见她脸带诡笑,似乎不怀好意,心中不禁有些发毛,说道:"够了!"

黄蓉道:"好,你说够了,便够了! 李道长,你见过我爹爹,是么?"李莫愁道:"是啊。"黄蓉道:"我曾听杨过说,你写过四句话讥嘲我爹爹,是不是? 好像是什么'桃花岛主,弟子众多,以五敌一,贻笑江湖'!"

李莫愁心中一凛："啊,我当真胡涂了,早就该想到此事。她今日跟我缠个没了没完,原来是为了这四句话。"冷冷的道："当日他们五个人对付我一个人,原是实情。"黄蓉道："今日咱们以一敌一,却瞧是谁贻笑江湖?"李莫愁心头火起,喝道："你也休得恃也托大,桃花岛的武功我见得多了,也不过如此而已,没什么了不起。"

黄蓉冷笑道："哼哼!莫说桃花岛的武功,便算不是武功,你也未必对付得了。你有本事,便将那孩儿抱出来瞧瞧!"

李莫愁吃了一惊："难道她已对孩儿施了毒手。"急忙纵身跃过一道棘藤,向左拐了个弯,见棘藤拦路,于是顺势向右转内,耳听得郭襄正自哇哇啼哭,稍觉放心,又向内转了几个弯,不知如何,竟然又转到了棘藤之外。她大感不解,明明是一路转进,何以忽然转到了藤外?当下不及细想,双足点处,又向内跃去,只是地下棘藤一条条的横七竖八,五花八门,一个不小心,嗤的一声响,道袍的衣角给荆棘撕下了一块。这么一来,她不敢再行莽撞,待要瞧清楚如何落脚,突见黄蓉已站在棘藤之内,俯身抱起了孩儿。

她登时大惊失色,高声叫道："放下了孩儿!"眼见一条条棘藤间足可侧身通过,当即连续纵跃,跨过棘藤向黄蓉奔去,但这七八棵大树方圆不过数丈,竟可望而不可即,她这般纵跃奔跑,似左实右,似前实后,几个转身,又已到棘藤圈之外。只见黄蓉放下孩儿,东一转,西一晃,轻巧自在的空手出了藤圈。

李莫愁猛地省悟,那晚与杨过、程英、陆无双等为敌,他们在茅屋外堆了一个个土墩,自己竟尔无法正面攻入,这时黄蓉用棘藤所围的,自也是桃花岛的九宫八卦神术了。她微一沉吟,心念已决："只有先打退敌人,然后把棘藤一条条自外而内的移去,再抱婴儿。这时如莽撞乱闯,敌人占了阵势之利,自己非败不可。"一摆拂尘,蹿出数丈,反离得棘藤远远的,凝神待敌,竟没再将这回事放在心上。

黄蓉初时见她在棘藤圈中乱转,正自暗喜,忽见她纵身跃开,却也好生佩服："这魔头拿得起，放得下，决断好快。她得享大名，果非幸致，看来实是劲敌。"这时女儿已置身于万无一失之地，再无牵挂，挥竹棒使招"按狗低头"，向李莫愁后颈捺落。李莫愁拂尘倒卷，缠向竹棒，唰的一声，帚丝直向黄蓉面门击来。两人以快打快，各展精妙招术，顷刻间已拆了数十招。

　　李莫愁功力深厚，拂尘上招数变化精微，但对方的打狗棒法委实奥妙无比，她勉力抵挡得数十招，已可说是武林中罕有之事，眼见竹棒平平淡淡的一下打来，到得身前，方向部位斗然大异，自知再斗下去，终将落败。这竹棒看来似乎并非杀人利器，但周身三十六大穴只要给棒端戳中一处，便即动弹不得。李莫愁奋力再招架了几棒，额头已然见汗，拂尘在身前连挥数下，攻出两招，足下疾向后退，说道："郭夫人的棒法果然精妙，小妹甘拜下风。只小妹有一事不解，却要请教。"黄蓉道："不敢！"

　　李莫愁道："这竹棒棒法乃九指神丐绝技，桃花岛的武功倘然果真了得，郭夫人何以不学令尊的家传本事，却反求诸外人？"黄蓉心想："这人口齿好不厉害，她胜不了我棒法，便想我舍长不用。"笑道："你既知这棒法是九指神丐所传，那么也必知道棒法之名了。"李莫愁哼了一声，眉间煞气凝聚，却不答话。黄蓉笑道："棒号打狗，见狗便打，事所必至，岂有他哉？"

　　李莫愁见不能激得她舍棒用掌，若与她作口舌之争，对方又伶牙俐齿，自己仍然是输，将拂尘在腰间一插，冷笑道："天下的叫化儿个个唱得惯莲花落，果然连帮主也是贫嘴滑舌之徒，领教了！"说着大踏步走到林边，在一个树墩上一坐。

　　她这么认输走开，黄蓉本是求之不得，但见她坐着不走，心念一转，已知其意，她实是舍不得襄儿，自己倘若去将女儿抱了出来，她必上来缠斗，这一来强弱之势倒转，那便大大不利，看来不将此人打死打伤，女儿纵入自己掌握，仍没法平平安安的抱回家去。当下左走三步，右抢四步，斜行迂回，已抢到李莫愁身前，这几步看似轻描淡写，并无奇处，但中藏八卦变化，李莫愁不论向哪一个方位纵跃,都不能逃离她的截阻,跟着右手轻抖,竹棒已点向李莫愁左肘。

李莫愁举掌封格,喝道:"自陈玄风、梅超风一死,黄药师果真已无传人。"她这话一来讥刺黄蓉只有北丐所传的打狗棒法可用,二来又耻笑黄药师收徒不谨。

黄蓉的家传"玉箫剑法"这时也已练得颇为精深,只是手中无剑,若是以棒作剑,兵刃不顺,便未必能胜眼前这个强敌,微微一笑,说道:"我爹爹收了几个不肖徒儿,果然不妙,却哪及得李道长和龙姑娘师姊妹同气连枝,一般的端庄贞淑。"

李莫愁怒气上冲,袖口一挥,两枚冰魄银针向黄蓉小腹激射过去。她虽杀人不眨眼,手段毒辣无比,却是个守身如玉的处女,她只道小龙女行止不端,听黄蓉竟将自己与师妹相提并论,大怒之下,一出手便是最阴狠的暗器。

黄蓉这时和她站得甚近,闪避不及,急忙回转竹棒,一一拨开。若不是她打狗棒法已练到化境,拨得开一枚,第二枚实难挡过。两枚银针从她脸前两寸之外飞掠而过,隐隐闻到一股药气,当真险到极处。黄蓉想起数年前爱雕的一足为这冰魄银针擦伤,医治了六七个月毒性方始去尽,一凛之下,又见双针迎面射来。

黄蓉向东斜闪,两枚银针挟着劲风从双耳之旁越过,心想:"此处离襄儿太近,这毒针四下里乱飞激射,万一碰破她一点嫩皮,可不得了!"疾奔向东,穿出林子。李莫愁随后追来,认定她除棒法神妙之外,其余武功均不及自己,眼见她晃身出林,喝道:"未分胜败,怎么便走了?"黄蓉转过身子,微微一笑。李莫愁道:"郭夫人,你挡我银针,还是非用这竹棒不可么?"说着抢上几步。

黄蓉知道若不收起竹棒,她总是输得心不甘服,将竹棒往腰间一插,笑道:"久闻李道长赤练神掌杀人无数,小妹便接你几掌。"

李莫愁一怔,心道:"她明知我毒掌厉害,却仍要和我比掌,如此有恃无恐,只怕有诈。"但想她掌法纵然神妙,怎及自己的神掌沾身即毙,双掌一拍,内力已运至掌心,说道:"愿领教桃花岛桃华落英掌妙技。"眼见黄蓉右掌轻飘飘的拍来,当下左掌往她掌心按去,右掌跟着往她肩头击落。这两掌本已迅速沉猛,兼而有之,但她右掌击出之际,同时更发出两枚银针,射向黄蓉胸腹之间。

这掌中夹针的阴毒招数,是她离师门后自行所创,对方正全神提防她毒掌,哪料得到她又会在如此近身之处突发暗器,不少武学名家便因此而丧生于毒针之下。黄蓉缩回左掌,托向她右腕,化开了她右掌的扑击,右手缩入怀中,似乎也要掏摸暗器还敬,终于迟了一步,她右手刚从怀中伸出,银针离她肋下已不及五寸,到此地步,纵有通天本领也已闪避不了。李莫愁心中大喜,见两枚银针透衣而没,射入了黄蓉身子。

黄蓉叫声:"啊哟!"双手捧肚,弯下腰去,随即左掌拍出,击向李莫愁胸口。这一掌还是来得真快,李莫愁叫道:"好!"上身后仰避开,双掌齐出,也拍向黄蓉胸口。她知黄蓉中针之后,毒性迅即发作,这一招只求将她推开。却见黄蓉上身微动,并不招架,李莫愁双掌刚沾上对方胸口衣襟,突然两只掌心一痛,似是击中什么尖针。

她大惊之下,急忙后跃,举掌看时,见每只掌心都刺破了一孔,孔周带着一圈黑血,显是为自己的冰魄银针所伤。她又惊又怒,不明缘由,却见黄蓉从怀中取出两只苹果,双手各持一只,笑吟吟的举起,每只苹果上都刺着一枚银针。李莫愁这才省悟,原来她怀中藏着苹果,先前自己发射暗器,她并不拨打闪避,却伸手入怀抓住苹果,对准银针来路,收去毒针,让毒针尖端破苹果皮而出,转过苹果向外,对准了自己手掌,诱使自己出掌击上苹果。

李莫愁本也是个绝顶聪明之人,今日遇上了这诡诈百出的对手,只有甘拜下风,忙伸手入怀去取解药,却听得风声飒然,黄蓉双掌已攻向她面门。

李莫愁举左手一封,猛见黄蓉一只雪白的手掌五指分开,拂向自己右手手肘的"小海穴",五指形如兰花,姿态曼妙难言。她心中一动:"莫非这是天下闻名的兰花拂穴手?"右手来不及去取解药,忙翻掌出怀,伸手往她手指上抓去。黄蓉右手缩回,左手化掌为指,又拂向她颈肩之交的"缺盆穴"。

李莫愁见她指化为掌,掌化为指,"桃华落英掌"与"兰花拂穴手"交互为用,当真是掌来时如落英缤纷,指拂处若春兰葳蕤,不但招招凌厉,且丰姿端丽,不由得面若死灰,心道:"今日得见桃花岛神技,委实大非寻常,莫说我掌上已然中毒,便安健如常,也不是她对手。"她急于脱身,以便取服解药,但黄蓉忽掌忽指,缠得她没半分余暇。那冰魄银针的毒性何等厉害,若不是她日常使用,体质习于毒性,这片时之间早已晕去了。

黄蓉见她脸色苍白,出招越来越软弱,知道只要再缠得少时,她便要支持不住,心想这女魔头作恶多端,今日毙于她自己的毒针之下,正好为武氏兄弟报了杀母之仇,着着进逼,手下毫不放松,同时守紧门户,防她临死之际突施反噬。

李莫愁先觉下臂酸麻,渐渐麻到了手肘,再拆数招,已麻到了腋窝,这时双臂僵直,已不听使唤,只得叫道:"且慢!"向旁抢开两步,惨然道:"郭夫人,我平素杀人如麻,早就没想能活到今日。斗智斗力,我都远不如你,死在你手下,实所甘服,但我斗胆求你一事。"黄蓉道:"什么事?"双眼不转瞬的瞪着她,防她施缓兵之计,伸手去取解药,然见她双臂下垂,已弯不过来,听她说道:"我和师妹向来不睦,但那孩儿实在可爱,求你大发善心,好好照料,别伤了她小命。"

黄蓉听她这几句话说得极是诚恳,不禁心中一动:"这魔头积恶如山,临死之际居然能真心爱我的女儿。"说道:"这女孩儿的父母并非寻常之辈,倘若让她留在世上,不免令我一世操心,辛苦百端……"李莫愁怎听得出她言中之意,求道:"望你高抬贵手……"黄蓉要再试她一试,走近前去,挥指先拂了她穴道,从她怀中取出一个药瓶,问道:"这是你毒针的解药么?"李莫愁道:"是!"黄蓉道:"我不能两个人都饶了,若要我救你,须得杀那女孩儿。倘你自甘就死,我便饶那孩儿。"

李莫愁万想不到竟尚有活命之机，但叫黄蓉杀那女孩固然说不出口，以自己性命换得女孩活命，却也不愿，见黄蓉从小瓶中倒出一粒解药，两根手指拈住了轻轻晃动，只等自己回答，颤声道："我……我……"

黄蓉心想："她迟疑了这么久，实已不易。不管她如何回答，单凭这一念之善，我便须饶她一命。她满身血债，将来自有人找她报仇。"拦住她话头，笑道："李道长，多谢你对我襄儿如此关怀。"

李莫愁愕然道："什么？"黄蓉笑道："这女孩儿姓郭名襄，是郭靖爷和我的女儿，生下不久便落入了龙姑娘手中，不知你怎地竟会起了这个误会。承你养育多日，小妹感谢不尽。"敛衽行了一礼，将一粒解药塞入她口中，问道："够了么？"李莫愁茫然道："我中毒已深，须得连服三粒。"黄蓉道："好！"又喂了她两粒，心想这解药或有后用，却不还她，将药瓶放入怀中，笑道："三个时辰之后，你穴道自解。"

她快步回入树林，心想："耽搁了这多时，不知芙儿走了没有？若能让她姊妹俩见上一面，大是佳事。"转入棘藤圈中，一瞥之下，不由得如入冰窖，全身都凉了。

棘藤圈丝毫无异，郭襄却已影踪不见。黄蓉心中怦怦乱跳，饶是她智计无双，这时也慌得没做手脚处。她定了定神，心道："莫慌，莫慌，我和李莫愁出林相斗，并无多时，襄儿给人抱去，定走不远。"攀到林中最高一株树上四下眺望。襄阳城郊地势平坦，这一眼望去足足有十余里，竟没见到丝毫可疑的事物。此时蒙古大军甫退，路上绝无行人，只要有一人一骑走动，虽远必见，甚至向北望到樊城，向南望到宜城，路上也不见有何动静。

黄蓉心想："此人既未远去，必在近处。"细寻棘藤圈附近有无留下足印之类。只见一条条棘藤全无曾遭碰动搬移之迹，决非什么野兽冲入将孩儿衔去，寻思："我这些棘藤按九宫八卦方位而布，那是我爹爹自创的奇门之术，世上除桃花岛弟子之外，再也无人识得，虽是金轮国师这等才智之士，也不能在这棘藤之间来去自如,难道竟是爹爹到了?……啊哟,不好!"

猛地想起,数月前与金轮国师邂逅相遇,危急中布下乱石阵抵挡,当时杨过来救,曾将阵法的大要说了给他知晓,此人聪明无比,举一反三,虽不能就此精通奇门之术,但棘藤匆匆布就,破解并不甚难。她一想到杨过,脑中一晕,不由得更增了几分忧心,暗道:"芙儿断他一臂,他和我郭家更结下了深仇,襄儿落入此人手中,这条小命可算完啦。他也不用相害,只须随手将她在荒野中一抛,这婴儿哪里还有命在?"想起这女孩儿出世没几天,便如此多灾多难,竟怔怔的掉下泪来。

她多历变故,才智绝伦,又岂是徒自伤心的寻常女子?微一沉吟,随即擦干眼泪,追寻杨过的去路。说也奇怪,附近竟找不出他半个足印,心下大奇:"他便轻功练到了绝顶,软泥之上也必会有浅浅足印,难道他竟是在空中飞行的么?"

她这一下猜测果然不错,郭襄确是给杨过抱去的,而他出入棘藤,确也是从空飞行来去。

那天晚间杨过在窗外见黄蓉点了郭靖穴道,放走女儿,他便从原路出城,远远跟随,心道:"郭伯母,你女儿欠我一条臂膀,你丈夫斩不了,便让我来斩。你在明,我在暗,你想永世保住女儿这条右臂,只怕也不怎么容易。"

黄蓉与女儿分离在即,心中难过,没留意到身后有人跟踪。此后她在新城镇与李莫愁相遇、两人相斗等情,杨过在林外都瞧得清清楚楚。待得两人出林,他便跃上高树,扯了三条长藤并在一起,一端缚在树上,另一端左手拉住了,自空纵入棘圈,双足夹住郭襄腰间,左手使劲一扯,身子便已荡出棘圈。眼见黄蓉与李莫愁兀自在掌来指往的相斗,便在树梢上纵跃出林,落地后奔跑更速,片刻间回到了市镇。见郭芙站在街头,牵着小红马东张西望,等候母亲回来,杨过双足一点,身子从丈外远处跃上了红马。

郭芙吃了一惊,回过头来,见骑在马背的竟是杨过,心中腾的一跳,"啊"的一声叫了出来,忙拔剑在手。那君子、淑女双剑虽利,都留在卧室之中,匆匆不及携走,手中所持,仍是常用的那柄利剑。

杨过见她脸色苍白,目光中尽是惧色,同时显得娇弱无助,楚楚可怜。他此时要斩断她右臂,可说易如反掌,突然间心中升起一股怜惜之情,竟下不了手,哼的一声,挥出右臂,空袖子已裹住了她长剑,向外甩出。郭芙哪里还拿捏得住,长剑脱手,直撞向墙角。杨过左手抢过马缰,双腿一夹,小红马向前急冲,绝尘而去。郭芙只吓得手足酸软,慢慢走到墙角拾起长剑,剑身在墙角上猛力碰撞,已弯得便如一把曲尺。

以柔物施展刚劲,原是古墓派武功的精要所在,李莫愁使拂尘、小龙女使绸带,皆是这门功夫。杨过此时内劲既强,袖子一拂,实不下于钢鞭巨杵之撞击。

杨过抱了郭襄,骑着汗血宝马向北疾驰,不多时便已掠过襄阳,奔行了数十里,因此黄蓉虽攀上树顶极目远眺,却瞧不见他踪影。

杨过骑在马上,见道旁树木如飞般向后倒退,俯首看怀中的郭襄,见她睡得正沉,一张小脸秀美娇嫩,心道:"郭伯伯、郭伯母这个小女儿,我总是不还他们了,也算报了我这断臂之仇。他们这时心中的难过懊丧,只怕尤胜于我。"奔了一阵,转念又想:"杨过啊杨过,是不是你天生的风流性儿作祟,见了郭芙这美貌少女,天大的仇怨也抛到了脑后?倘若斩断你手臂的是个男人,是武氏兄弟中的哪一个,你难道也肯饶了他?"想了半日,只好摇头苦笑。他对自己激烈易变的性格非但管制不住,甚且自己也难以明白。

行出二百里后,沿途渐有人烟,一路上向农家讨些羊乳牛乳喂郭襄吃了,决意回古墓去找小龙女,不数日间已到了终南山下。

回首前尘,感慨无已,纵马上山,觅路来到古墓之前。"活死人墓"的大石碑巍然耸立,与前无异,墓门却已在李莫愁攻入时封闭,若要进墓,只有钻过水溪及地底潜流,从秘道进去。凭他这时内功修为,穿越秘道自不费力,然如何安排郭襄却大为踌躇,这小小婴儿一入水底,必死无疑,但想到小龙女多半便在墓中,进去即可与她相见,哪里还能按捺得住? 从口袋里取些饼饵嚼得烂了,喂了郭襄几口,在附近找到个小山洞,将郭襄放在小山洞内,拔些荆棘柴草堆在洞口,心想不论在墓中是否能与小龙女相见,都要立即回出,设法安置婴儿。

　　堆好荆棘,正要向后走去,忽听得远处山道上脚步声响,似有数人快步而过,杨过忙寻声过去,缩身在一株大松树后躲起,听见一人大声说道:"新任代掌教清肃真人赵真人法旨:如有蒙古武士上山来到重阳宫,一概恭敬放行,不得拦阻……"另一人道:"郑师哥,新任代掌教明明是冲和真人甄真人,怎么变了清肃真人?"先一人道:"冲和真人突然身患急病,刚才将代掌教之位转授了清肃真人,转授的大典不久前便行过了。"后一人道:"代掌教真人统率本教上下数万道俗弟子,何等重要,怎么说改便改,不太儿戏了些么?"先一人道:"怎么? 你不服么? 要是不服,便到重阳宫跟大伙儿说去。你有本事,钱师弟,便你来做也可以啊。就不知别人服不服呢?"

　　姓钱道人道:"我有个屁本事? 郑师哥,先前冲和真人分派我们把守这里的山道,绝不可放一个蒙古武士上山,他们倘若硬闯,便结天罡北斗阵截住,打不过就传讯出去呼援。现下又说不得拦阻,我们到底听谁的号令啊?"姓郑道人道:"现今代掌教是谁?"姓钱道人道:"你说是赵真人!"姓郑道人道:"好啊,这就是了! 咱们做小辈的,上面怎么号令,咱们遵从照办便是。"姓钱道人道:"是!"放大声音叫道:"各位师弟,郑师哥传来新任代掌教赵真人号令,命我们如见到蒙古武士上山,须得恭敬相待,不可阻拦!"丈许外五六人齐声应道:"是!"

　　杨过听得心中有气,寻思:"全真教向来以护民为本,决不顺服外族。他们口中的清肃真人应是赵志敬没错,怎么做起代掌教来? 赵志敬卑鄙下流,投降蒙古人倒不稀奇。"记挂要尽快进古墓去找小龙女，一时也没心思跟赵志敬算帐。

　　只听那姓郑的道人又道："赵真人又吩咐，如见到一位穿白衫子的姑娘，无论如何要拦住她，不得让她上山。"杨过吃了一惊，心道："他说的明明是姑姑，怎么又要拦住她不得上山？"那姓钱道人道："你说的是古墓派的小龙女吗？她……她可早就上山去了。"姓郑的道人拍腿叫道："你……这可不是开玩笑吗？赵真人号令要结天罡北斗阵，千万不能放她上山，你怎敢不听号令？"姓钱道人大声道："各位师弟，先前代掌教甄真人传下号令说，见到古墓派的小龙女姑娘上山，大家须得客客气气，不可失了礼数。是不是啊？"丈许外那五六名道人齐声道："是啊，甄真人派人来传令，确是这么说的。"姓钱道人道："郑师哥，赵真人吩咐的那位穿白衫子的姑娘，倘若便是小龙女，那她上去好一会儿了。我还说：'龙姑娘，你请慢走！'她说：'这位道友，多谢你啦！'倒也客气，全没失了礼数……"

　　杨过听他说小龙女已"上去好一会儿了"，心急如焚，再也不去理会那些道人说些什么，施展古墓派轻功，转身抢上山去。待得远远望见山上重阳宫房舍，寻思："我暗中去接应姑姑？还是开门见山，直闯重阳宫去和全真教理论？"思虑未定，突见一只银轮呜呜声响，激飞上天，正是金轮国师的兵刃。杨过心中一震："金轮国师也在这里，跟全真教的高手动上了手？不知姑姑是否已经现身？还是隐伏在旁？"认定银轮所在的方位，急步赶到重阳宫后玉虚洞前。便在此时，小龙女身受全真五子一招"七星聚会"和金轮国师轮子的前后夹击，身受重伤！

　　杨过只消早到片刻，便能救得此厄。但天道不测，世事难言，一切岂能尽如人意？人世间悲欢离合，祸福荣辱，往往便只差于厘毫之间！

　　全真五子乍见杨过到来，均知此事纠葛更多。丘处机大声道："我重阳宫清修之地，今日各位来此骚扰，却是为何？"王处一更怒容满面,喝道:"龙姑娘,你古墓派和我全真教纵有梁子,双方自行了断便是,何以约了西域胡人、诸般邪魔外道,害死我这许多教下弟子?"小龙女重伤之余,哪里还能分辩是非,和他们作口舌之争?全真教下诸弟子见她剑刺甄志丙,又伤赵志敬,不论是甄派赵派,尽数拿她当作敌人,当此纷扰之际,更没人出来说明真相。

杨过伸左臂轻轻扶着小龙女的腰,柔声道:"姑姑,我和你回古墓去,别理会这些人啦!"小龙女道:"你的手臂还痛不痛?"杨过笑着摇了摇头,道:"早就好啦。"小龙女道:"你身上情花的毒没发作么?"杨过道:"有时发作几次,也不怎么厉害。"

赵志敬自给小龙女刺伤之后,一直躲在后面,不敢出头,待见全真五子破关而出,心知众师长查究起来,自己代掌教之位固然落空,还得身受严刑。他本来也不过是生性暴躁,器量褊狭,原非大奸大恶,只自忖武功于第三代弟子中算得第一,这首座弟子之位却落于甄志丙身上,心中愤愤不平,就此一念之差,终于陷溺日深,不可自拔。此时暗想眼下的局面决不能任其宁定,只有搅他个天翻地覆,五位师长是非难分,方有从中取巧之机,恶念既生,更想如能假手于金轮国师将全真五子除了,更一劳永逸;眼见杨过失了右臂,左手又扶着小龙女,几乎已成束手待毙的情势,他生平最憎恨之人,便是这个叛门辱师的弟子,这时有此良机,哪肯放过?向身旁的鹿清笃使了个眼色,大声喝道:"逆徒杨过,两位祖师爷跟你说话,你不跪下磕头,竟敢倨傲不理?"

杨过回头来,眼光中充满了怨毒,心道:"姑姑伤在你全真教一班臭道士手下,今日暂且不理,日后再来跟你们算帐。"向群道狠狠的扫了一眼,扶着小龙女,移步便行。

赵志敬喝道:"上罢!"与鹿清笃两人双剑齐出,向杨过右胁刺去。赵志敬先前虽身遭剑刺,但伤势不重,这一剑刺向杨过断臂之处,看准了他不能还手,剑挟劲风,使上了毕生的修为劲力。丘处机虽不满杨过狂妄任性,目无尊长,但想起郭靖的重托,又想起和他父亲杨康昔日的师徒之情,喝道:"志敬,剑下留情!"

那一边麻光佐更高声叫骂起来:"牛鼻子要脸么？刺人家的断臂!"他和杨过最合得来,眼见他遇险,便要冲上来解救,苦于相距过远,出手不及。

突见灰影一闪,鹿清笃那高大肥胖的身子飞将起来,哇哇大叫,砰的一声,正好撞在尼摩星身上。以尼摩星的武功,这一下虽出其不意,也决不能撞得着他,但他双腿断了,两只手都撑着拐杖,既不能伸手推挡,纵跃闪避又不灵便,登时撞个正着,仰天一交摔倒。尼摩星背脊在地下一靠,立即弹起,一拐杖打在鹿清笃背上,登时将他打得晕了过去。

这一边杨过却已伸右足踏住了赵志敬长剑,赵志敬用力抽拔,脸孔胀得通红,长剑竟纹丝不动。原来当双剑刺到之时,杨过右手空袖猛地拂起,一股巨力将鹿清笃摔了出去。赵志敬斗然感到袖力沉猛,忙使个"千斤坠",身子牢牢定住。这一来,长剑势须低垂,杨过提脚下踹,已将剑刃踏在足底。他在山洪中练剑,水力再强亦冲他不倒,这时一足踏定,当真如岳之镇,赵志敬猛力拔夺,哪里夺得出分毫?

杨过冷冷的道:"赵道长,当时在大胜关郭大侠跟前,你已明言非我之师,今日何以又提师承之说？也罢,瞧在从前叫过你几声师父的份上,让你去罢!"说完这句话,右足丝毫不动,足底的劲力却突然间消除得无影无踪。

赵志敬正运强力向后拉夺,手中猛地一空,长剑急回,嘭的一响,剑柄重重撞在胸口,正与他猛力以剑柄击打自己无疑。这一击若为敌人运劲打来,他即令抵挡不住,也必以内力相抗,现下自行撞击,那是半点抗力也无,但觉胸口剧痛,一口鲜血喷将出来,眼前一黑,仰天跌倒。

王处一和刘处玄双剑出鞘,分自左右刺向杨过,突然一个人影自斜刺里冲至,当的一声,两柄长剑荡了开去。这人正是尼摩星,他给鹿清笃撞得摔了一交,虽打倒鹿清笃,但心头恶气未出。推寻原由,全是杨过之故,抢杖跃到,左手拐杖架开了王刘二道长剑,右手拐杖便向杨过和小龙女头顶猛击下去。

杨过心知尼摩星武功了得，单用一只空袖，只怕拂不开他刚柔并济的一击，这时小龙女全身无力，正软软的靠在他身上，于是身子左斜，右手空袖横挥，卷住了小龙女的纤腰，让她靠在自己前胸右侧，左手抽出背负的玄铁重剑，顺手挥出。噗的一声，响声又沉又闷，便如木棍击打败革，尼摩星右手虎口爆裂，一条黑影冲天而起，却是铁杖向上激飞。这铁杖也有十来斤重，向天空竟高飞二十余丈，直落到了玉虚洞山后。

杨过首次以剑魔独孤求败的重剑临敌，竟有如斯威力，也不禁暗自骇然。

尼摩星半边身子酸麻，一条右臂震得全无知觉，他生性悍勇无比，大吼一声，左手铁杖在地下一撑，跃高丈余，跟着劈将下来。杨过心想我剑上刚力已然试过，再来试试柔力，重剑剑尖抖处，已将铁拐黏住，这时只要内力吐出，便能将尼摩星掷出数丈之外，如摔向山壁，更非撞得他筋断骨折不可。他见小龙女如此伤重，满心怨苦，这一下出手原决不容情。正当臂上内力将吐未吐之际，见尼摩星身在半空，双腿齐膝断绝，猛想起自己也断了一臂，不禁起了同病相怜之意，当下重剑不向上扬，反手下压，那铁拐笔直向下戳落，尘土飞扬，大半截戳入了土内。

尼摩星握着铁拐，想要运劲拔起，但左臂经那重剑一黏一压，竟如给人点了穴道一般，半点使不出劲来。杨过道："今日饶你一命，快快回天竺去罢。"尼摩星脸如死灰，僵在当地，隔了一会，才迸出一句话来："你的功夫古怪大大的！"

潇湘子和尹克西虽见变出意外，却哪猜得到在这一个多月之内杨过已功力大进，还道尼摩星断腿后变得极不济事。尹克西抢上几步，拔起铁拐，递在尼摩星手中。尼摩星接了，在地下一撑，想要远跃离开，岂知手臂麻软未复，一撑之下，竟咕咚摔倒。

潇湘子向来幸灾乐祸，只要旁人倒霉，不论是友是敌，都觉欢喜，心想："天竺矮子向来好生自负，对我不服，这就可算是完了。

眼下高手毕集,快抢先擒了杨过,那正是扬名立威的良机。"纵身而出,喝道:"杨过小子,数次坏了王爷大事,快随老子走罢!"

杨过心想:"姑姑伤重,须得及早救治,偏生眼前强敌甚多,不下杀手,难以脱身。"低声问小龙女道:"痛得厉害吗?"小龙女道:"你抱着我,我……我好欢喜。"

杨过抬起头来,向潇湘子道:"上罢!"玄铁剑指向他腰间,剑头离他身子约有二尺,稳稳平持。潇湘子见这剑粗大黝黑,钝头无锋,倒似是一条顽铁,心想:"这小子剑法迅捷,灵动变幻,果然了得,可是拿了这根铁条,剑法再快也必有限。"说道:"哪儿去捡来了这根通火棒儿?"说着便挥纯钢哭丧棒往重剑上击去。

杨过持剑不动,内劲传到剑上,只听得噗的一声闷响,剑棒相交,哭丧棒登时断成七八截,四下飞散。潇湘子大叫:"不好!"向后急退。杨过玄铁剑伸出,左击一剑,右击一剑,潇湘子双臂齐折。

杨过连败鹿清笃、赵志敬、尼摩星三人,玉虚洞前众人已群情耸动,这次他身不动,臂不抬,纯以内力震断潇湘子的兵刃,众人更不明所以,相顾骇然,均想:"这人的武功当真邪门!"

尹克西是西域大贾,善于鉴别宝物,见杨过以重剑震飞尼摩星的铁拐,早已暗暗吃惊:"此剑如此威猛,大非寻常,剑身深黑之中隐隐透出红光,莫非竟是以玄铁制成?这玄铁是从天上落下的陨石中提炼而得,乃天下至宝,本来要得一二两也是绝难,寻常刀枪剑戟之中,只要加入半两数钱,凡铁立成利器。他却从哪里觅得这许多玄铁?再说,这剑若真是通体玄铁,岂非重达四五十斤,又如何使得灵便?"其实这剑重达九九八十一斤,若非如此沉重,杨过内力虽强,也不能发出如许威力。待见潇湘子的哭丧棒断得七零八落,尹克西更知此剑定是神品。他为人尚无重大过恶,只是自小做珠宝买卖,一见奇珍异宝,心中便奇痒难搔,或买或骗,或抢或偷,说什么也要得之而后快。这时见了杨过的重剑,贪念大炽,纵身而出,金龙鞭一抖,往他剑上卷去。

杨过与他在绝情谷同进同出,见他成日笑嘻嘻的甚是随和客气,对他一直不存敌意,见金龙鞭卷到,鞭上珠光宝气,镶满了宝石、金刚钻、白玉之属,让玄铁剑由他软鞭卷住,说道:"尹兄,我和你素无过节,快快撒鞭让路。你这条鞭上宝贝不少,损坏了有点可惜。"尹克西笑道:"是么?"运劲便夺,杨过端凝屹立,却哪里撼动得他分毫?

这时尹克西站得近了,看得分明,这剑果是玄铁所铸。金刚钻是天下至坚之物,不论与任何硬物相擦,均能划破对方而己身无损,但金龙鞭鞭梢所镶的大钻在玄铁剑上划过,剑身竟连细纹也不起一条。他心头火热,知对方武功厉害,非出奇策,难夺此剑,笑嘻嘻的道:"杨兄功夫精进若斯,可喜可贺,小弟甘拜下风。"口中说着客套话,左腕一翻,寒光闪动,左手中已多了一柄匕首,猛地探臂,向小龙女胸口直扎过去。

他这一下倒也不是想伤小龙女性命,但知杨过对小龙女情切关怀,见她有难,定然舍命救援,自己声东击西,便能夺到了宝剑。杨过见状,果然一惊。尹克西喝道:"撒剑!"全身之力都运到右臂之上,拉鞭夺剑。

他这一声:"撒剑!"杨过当真依言撒手,挺剑送出。剑长匕短,重剑隔在三人之间,匕首便扎不到小龙女身上。但杨过情急之下,力道使得极猛,连剑带鞭的直撞了过去。尹克西明知此剑甚重,早有提防,却万想不到来势竟如此猛烈,眼见闪避不及,急运内力,双掌疾出,抓住重剑与宝鞭,砰的一声猛响,登时连退了五六步,才勉强拿桩站定,脸如金纸,嘴角边虽犹带笑容,却凄惨之意远胜于欢愉,顷刻间只感五脏六腑都似翻转了,站在当地,既不敢运气,也不敢移动半步,双臂伸前持剑,便如僵了一般。

杨过走近身去,伸手接过玄铁剑,轻轻一抖,只听得丁丁东东一阵响过,阳光照射之下,宝光耀眼,金银珠宝散了满地,一条镶满珠宝的金龙软鞭已震成碎块。

杨过叫道:"金轮国师,咱们的帐是今日算呢,还是留待异日?"

金轮国师见他连败尼摩星、潇湘子、尹克西三大高手,都只一招之间便伤了对手,这少年何以武功大进,实是不可思议。自己上前动手,虽决不致如那三人这般不济,要取胜也必不易,此刻各路英雄聚会,给他一吓便走,颜面何存? 心想:"他断了一臂,左手虽然厉害,右侧定有破绽,我专向他右边攻击,韧战久斗。他顾着小龙女的伤势,时候拖久了,心神定然不宁。"整一整袍袖,金银铜铁铅五轮齐持,心知这一战关涉生死荣辱,丝毫大意不得,神色间却仍似漫不在乎,缓步而出,笑道:"杨兄弟,恭喜你又有异遇,得了这柄威猛绝伦的神剑啊! 你这件希奇古怪的法宝,只怕老衲也对付不了。"他既无胜算,便先留地步,极力赞誉玄铁重剑,要令旁人觉得,这少年不过运气好,得了一件神异的兵刃而已。

　　小龙女偎倚在杨过怀中,迷迷糊糊间见金轮国师持轮而上,心想凭杨过一人之力,决计敌他不过,低声道:"过儿,你给我找一把剑,咱们……咱们……一起……一起使玉女素心剑法打他。"杨过胸口一酸,低声道:"姑姑你放心,过儿一人对付得了。"小龙女向左挪移,要尽量遮在杨过身前,为他多挡些灾难。杨过又感激,又欢喜,大声道:"姑姑,咱俩今日一起力战群魔,人生至此,更无余憾。"玄铁剑向前直指。

　　国师不敢与他正面力拼,纵跃退后,立时呜呜声响,一只灰扑扑的铅轮飞掷过去。杨过举剑便削,铅轮却绕过他身后,回向国师,这一下竟没削中。只听得呜呜、嗡嗡、轰轰之声大作,金光闪闪,银光烁烁,五只轮子从五个不同方位飞袭过来。

　　杨过生怕牵动小龙女的伤势,凝立不动。国师五轮齐出,仅为佯攻,旨在试探,五轮在二人身旁绕了个圈子,重行飞回。他见杨过并不举剑追击,已明其意,心下暗喜:"你不敢移动身子,加重小龙女伤势,处境之劣,无以复加。我纵跃远攻,已立于不败之地。"对方既断一臂,又要保护伤者,按照国师的身分原不能如此相斗,但他知道良机难再,小龙女一旦伤愈,他二人联手固对付不了,便算小龙女重伤而死,杨过少了牵制,自己也未必能是敌手,只有今日乘势一举而毙,方无后患,至于是否公平,却顾不得这许多了。

这情势旁观众人也能瞧得明白,都觉国师太也不够光明磊落。麻光佐大叫:"大和尚,你是英雄,还是混帐王八蛋?"

国师只作没听见,五轮连续掷出,连续飞回,仍绕着杨过和小龙女兜个圈子,又伸手接住。五只轮子忽高忽低,或正或斜,所发声音也有轻有响,旁观众人均给扰得眼花缭乱,心神不定。突然之间,麻光佐"啊"的一声大呼,却是铜轮斜里飞来,猛地转弯,从他头顶掠过,将他头皮削去了一片,头皮连着一丛头发,血淋淋的掉在地下。麻光佐捧头大骂,却也不敢扑上去厮打。

杨过眼见小龙女伤重,多挨得一刻,便少了一分救治机会,暗暗焦急。国师叫道:"小心了!"蓦然间五轮归一,并排向二人撞去,势若五牛冲阵。杨过全身劲力也都贯到了左臂之上,剑尖颤动,当当当三响,挑开了金铜铁三轮,跟着挥剑下击。众人眼前一耀,地下灰尘腾起,银轮和铅轮都已从中劈开,分成四个半圆,掉落在地。

国师大声酣呼,飞步抢上,左手在铜轮上一拨,抓住金铁两轮,向杨过头顶猛砸。杨过径不招架,玄铁剑当胸疾刺,剑长轮短,轮子尚未砸到杨过头顶,剑头距国师胸口已不到半尺。国师立时后退,上前固然迅疾,退后也快速无伦,也不见他如何跨步,已向左后侧斜退数尺,在这倏忽之间直趋斜退,确是武林中罕见的功夫。旁观众人目眩神驰,忍不住大声喝采:"好!"

玄铁剑一送即收,杨过回剑向后,当的一响,已将背后袭来的铜轮劈为两半,铜轮尚未分开落地,剑身横挥,两半片铜轮从中截断,分为四块。玄铁剑虽剑刃无锋,但他运上内力,竟无坚不摧。众人见了国师的绝顶轻功,还喝得出一声采,待见到他这神剑奇威,都惊得寂然无声。

霎时之间,国师的轮子五毁其三,但他全不气馁,舞动金铁双轮,奋勇抢攻。杨过挺剑刺出,国师侧身拗步,避剑出轮,这时轮子不再脱手,虽无法远攻,却比遥掷坚实得多。他绕着杨龙二人,左攻右拒,纵跃醋斗,双轮跳荡灵动,呜呜响声不绝。杨过的玄铁剑却似使得颇为涩滞,但不论国师如何变招,总欺不近杨龙二人三步之内。堪堪斗了四五十招,国师双轮归一,向小龙女砸去。杨过玄铁剑刺出,嗒的一声轻响,抵在金轮边上,两股内力自两件兵刃上传了出来,互相激荡,霎时间两人僵持不动。

杨过只觉对方冲来的劲力绵绵不绝,越来越强,暗自骇异:"此人内力竟如此深厚。"又想:"既至互拼内力,玄铁剑鼓荡冲击的威势便无法施展,这贼秃练功时日久长,功力深厚,为时一久,必占上风。且引他近身,用袖子出其不意的拂他面门。"左臂缓缓退缩,两人原本相距五尺有余,渐渐的相距五尺而四尺半,四尺半而四尺。

国师的弟子达尔巴和霍都一直守在师父身旁,见师父渐占优势,心中大喜,向前走近几步。达尔巴关怀师父的安危,又盼师父别伤了转世投胎的"大师兄"。霍都却是想暗算杨过。他挥动折扇,似是取凉,其实要俟机发射扇中暗器。

丘处机与王处一见他目光闪烁的缓步上前,便知他要出手助师,二人对望一眼,均想:"杨过虽与我教为敌,但夷夏之争重于一切,且大丈夫光明磊落,是输是赢,当凭真本事取决。终南山岂容奸徒猖狂?"两人各挺长剑,踏上一步,一齐瞪住了霍都。丘王二道这时须发俱白,但久习玄功,满面红光,两柄长剑青光如虹,自有一股凛凛之威,镇摄得霍都不敢妄动。

这时杨过左臂渐渐缩后,相距国师已不过三尺,心想:"这和尚只要再向前半尺,我右手袖子拂将出去,虽不能制他死命,也要打得他头昏眼花。"国师见他右肩忽然微动,已知其意,心想:"你手臂虽断,衣袖尚在,劲力运将上去,也是一件如同软鞭般的利器。我将计就计,拼着受你这一拂,当你挥袖之时,左臂力道必减,那时我乘势全力猛攻,要你身受重伤。"

小龙女靠在杨过身上,一直迷迷糊糊,杨过催动内力,血行加速,全身越来越热。小龙女觉到他脸上发出热气,睁开眼来,见他额角渗出汗珠,伸袖轻轻抹拭,替他抹了几下,见他神色郑重,双目向前直视,便顺着他目光转头瞧去,不禁一惊,原来国师一对铜铃般的眼睛睁得大大的,就在面前。但见这双眼中凶光毕露,忙闭上眼睛,待得再次睁开,国师的眼睛又近了些。小龙女与意中人相偎相倚,偏有这么一双恶狠狠的眼睛在旁瞪视,惹厌之极。她这时没想到国师正与杨过拼斗,只知这和尚是个大恶人,又不愿他在这时来打扰自己甜蜜的时光,伸手入怀,取出一枚玉蜂金针,缓缓往国师左眼中刺去。

别说金针之上喂有剧毒,便一枚平常的绣花针刺入眼珠,眼睛也是立瞎。总算小龙女这时只要这对讨厌的大眼移开,没想到弹指射针,而重伤之余,伸手出去时也软弱无力,去势缓慢。

但国师和杨过正自僵持,已至十分紧急的当口,任谁稍有移动,都要立吃大亏。小龙女那金针缓缓刺将过去,国师竟半点也抗拒不得。见金针越移越近,自两尺而一尺,自一尺而半尺,国师大叫一声,双轮向前力送,一个筋斗向后翻出,可是玄铁剑上那股威猛之极的劲力毕竟不能尽数卸去。他刚站定脚步,身子一晃,便坐倒在地。达尔巴和霍都齐叫:"师父!"抢上去相扶。

杨过连劈两剑,将金轮铁轮又劈成两半,跟着踏上两步,挥剑向国师头顶斩落。国师岔了内息,惟觉郁闷欲死,委顿在地,全无抗拒之力。达尔巴举起金杵,霍都举起钢扇,一齐架住玄铁剑。但这一剑斩下来力道奇猛,达尔巴和霍都两人同时双膝一软,支撑不住,跪倒在地,仍挺兵刃,死命撑住。

玄铁剑上劲力愈来愈强,达尔巴和霍都只觉腰背如欲断折,全身骨节格格作响。霍都道:"师哥,你独力支撑片刻,小弟先将师父救开,再来助你。"本来两人合力便已抵挡不住,剩下达尔巴一人,怎挡得住这重剑的威力? 但他舍命护师,叫道:"好!"奋力将黄金杵往上挺举。他两人说的都是蒙古语,杨过不明其意,只觉杵上劲力暴增,待要运力下压,霍都已纵身跃开。

岂知霍都并不是设法相救师父,只自谋脱身,叫道:"师哥,小弟回蒙古勤练武功,十年后找上这姓杨的小子,给师父和你报仇!"说着转身急跃,飞也似的去了。

达尔巴受了师弟之欺,怒不可遏,又想起杨过是大师兄转世,何以对师父如此无情无义?大声道:"大师哥,你饶小弟一命,待我救回师父,找那狼心狗肺的师弟来碎尸万段,然后自行投上,任凭大师哥处置。那时要杀要剐,小弟决不敢皱一皱眉头。"

杨过听他叽哩咕噜的说了一大篇,自然不懂,但霍都临危逃命,此人对师忠义,却也瞧得明白,眼见他神色慷慨,也敬重他是条汉子,微一侧头,见小龙女双眼柔情无限的望着自己。霎时之间,一切杀人报仇之念都抛到了九霄云外,只觉世间所有恩恩怨怨,全都算不了什么,当下玄铁剑一抬,说道:"你去罢!"

达尔巴站起身来,适才使劲过度,全身脱力,黄金杵拿捏不住,铛的一响,掉在地下。他俯伏在地,向杨过拜了几拜,谢他不杀之恩。这时国师兀自坐在地上,动弹不得。达尔巴将师父负在背上,大踏步下山而去。

杨过独臂单剑,杀得蒙古六大高手大败亏输。众武士见领头的六人或败或伤,哪里还敢出手,抬起负伤的潇湘子、尹克西诸人,顷刻间逃得无影无踪。

麻光佐满头鲜血淋漓,走到杨过身前,挺起大拇指道:"小兄弟,真有你的!"杨过道:"麻大哥,你这些同伴都是存心不良之辈,你跟他们混在一起,定要吃亏,不如辞别忽必烈王爷,回自己老家去罢!"麻光佐道:"小兄弟说得是。"他向小龙女望了一眼,见她虽然重伤,仍丰姿端丽,娇美难言,说道:"你和新娘子几时成亲?我留着吃你喜酒,好不好?"他在绝情谷中初会小龙女时见她是个新娘子,一直便当她是新娘子了。

杨过苦笑着摇了摇头,向身周团团围着的数百名道士扫了一眼。麻光佐道:"啊,还有这许多臭道士没打发,我来助你。"杨过心想:"若是以一斗一,这些道人没一个是我敌手。但如他们一拥而上,情势便凶险万分,犯不着叫他枉自送命。"大声说道:"你快快去罢,我一个人对付得了。"麻光佐一楞,猛地会意,鼓掌道:"不错,不错。连大和尚、活僵尸他们都打你不过,这些臭道士中什么用? 小兄弟,新娘子,我去也!"倒拖熟铜棍,哈哈大笑,回头便走,只听得铜棍与地下山石相碰,呛啷啷之声不绝,渐渐远去。

杨过重剑拄地,适才和国师这番比拼委实大耗内力,寻思:"金轮国师、潇湘子等互有心病,和我相斗时逐一出手,均盼旁人鹬蚌相争,自己来个渔翁得利。如这六人一拥而上,我就万难抵挡。何况我与金轮国师比拼内力,实已输定,幸得姑姑金针一刺,才令我侥幸得胜。全真教诸道却齐心合力,听从五子号令。群道武功虽不及国师等人,但众志成城,又练有天罡北斗阵,威力比国师等各自为战强得多了。反正我已和姑姑在一起,打到什么时候没了力气,两人一起死了便是。"

丘处机朗声道:"杨过,你武功练到了这等地步,我辈远远不及。这里我教数百人在此,你自忖能闯出重围么?"

杨过放眼望去,见四下里剑光闪烁,每七个道人组成一队,重重叠叠的将自己与小龙女围在垓心。七个中上武功的道人联剑合力,便可和一位一流高手相抗,这时他前后左右,相当于有数十位高手挺剑环伺。

杨过此时早将生死置之度外,哼了一声,跨出一步,立时便有七名道人仗剑挡住。杨过挺剑刺出,七剑同时伸出招架。呛啷啷一响,七剑齐断,七道手中各剩半截断剑,忙向旁跃开。

他剑上威力如此雄浑,丘处机等虽均久经大敌,却也是前所未见。王处一叫道:"璇玑、摇光后击!"杨过心想不理你如何大呼小叫,我只恃着神剑威力向外硬闯便了,当下带着小龙女跨前两步,见又有七名道人转上挡住,立即挥剑横扫。岂知这七名道人这次却不挺剑招架,身形疾晃,交叉换位,从他身前掠过,饶是七人久习阵法,身法快捷,还是"啊、啊"两声呼叫,两名道人已为剑力带到,一伤腰,一断腿,滚倒在地。

便在此时,十四柄长剑已指到了杨龙二人背后,七柄指着杨过,七柄指着小龙女。杨过若回剑后击,虽能将十四柄剑大都荡开,但只要剩下一剑,小龙女也非受伤不可。他微一犹豫,又有七柄剑指到了小龙女右侧。到此地步,他便豁出自己性命不要,也已无法解救小龙女了。

丘处机举手喝道:"且住!"二十一柄长剑剑光闪烁,每一柄剑的剑尖离杨龙二人身周各距数寸,停住不动。丘处机道:"龙姑娘、杨过,你我的先辈师尊相互原有极深渊源。我全真教今日倚多为胜,赢了也不光采,何况龙姑娘又已身负重伤。自古道冤家宜解不宜结,两位便此请回。往日过节,不论谁是谁非,自今一笔勾销如何?"

杨过和全真教原本无甚深仇大怨,当年孙婆婆为郝大通误伤而死,郝大通深自悔恨,愿以一命相抵,此事也已揭过。这次他上终南山来只是为找小龙女,并非有意与全真教为敌,这时听了丘处机之言,心想:"救姑姑的性命要紧,和这些牛鼻子道人相斗,胜败荣辱,何足道哉?"正要出言答允,小龙女的目光缓缓自左向右瞧去,低声问道:"甄志丙呢?"

甄志丙背遭轮砸,胸受剑刺,两下都是致命的重伤,只一时未死,为他同门师弟救在一旁,已奄奄一息,气若游丝,迷迷糊糊中忽听得一个娇柔的声音问道:"甄志丙呢?"这四字说得甚轻,但在他耳中却宛似轰轰雷震一般。也不知他自何处生出一股力气,霍地翻身站起,冲入剑林,叫道:"龙姑娘,我在这儿!"

小龙女向他凝望片刻,见他道袍上鲜血淋漓,脸上全无血色,不由得万念俱灰,颤声道:"过儿,我那日给欧阳锋点中穴道,动弹不得,清白为此人玷污,纵然伤愈,也不能跟你成婚了。但他……但他舍命救我,你也别再难为他。总之,是我命苦。"她心中光风霁月,但觉事无不可对人言,虽在数百人之前,仍将自己的悲苦照实说了出来。

甄志丙听得小龙女说道:"但他舍命救我,你也别再难为他。总之,是我命苦。"这几句话传入耳中,不由得心如刀剜,自忖一时欲令智昏,铸成大错,自己对小龙女敬若天人,却害得她终身不幸,当真百死难赎其咎,大声叫道:"师父,四位师伯师叔,弟子罪孽深重,乘人之危,污辱了龙姑娘冰清玉洁之身,你们千万不能再难为龙姑娘和杨过。"纵身跃起,扑向众道士手中兀自向前挺出的八九柄长剑,数剑穿身而过,登时毙命。

这一下变故,众人都大出意料之外,不禁齐声惊呼。

群道听了小龙女的言语,又见甄志丙认罪自戕,看来定是他不守清规,以卑污手段玷辱了小龙女。全真五子都是戒律谨严的有道高士,想到此事错在己方,都大为惭愧,但要说什么歉仄之言,却感难以措辞。丘处机向四个师兄弟望了一眼,喝道:"撤了剑阵!"只听得呛啷啷之声不绝,群道还剑入鞘,让出一条路来。

小龙女戴上耳环，插上珠钗，手腕上戴了玉镯。杨过泪流满面，悲不自胜，拿起凤冠，到她身后给她戴上。小龙女在镜中见他举袖擦干了泪水，再到身前时，脸上已强作欢容。

第二十八回　洞房花烛

　　杨过仍以右手空袖搂在小龙女腰间,支撑着她身子,低声道:"姑姑,咱们去罢!"小龙女甜甜一笑,低声道:"这时候,我在你身边死了,心里……心里很快活。"忽又想起一事,说道:"郭大侠的姑娘伤你手臂,她不会好好待你的。那么以后谁来照顾你呢?"她想到这件事,心中好生难过,低低的道:"你孤苦伶仃的一个儿,你……没人陪伴……"

　　杨过眼见她命在须臾,伤痛难禁,蓦地想起:"那日她在这终南山上,曾问我愿不愿要她做媳妇,那时我愕然不答,以致日后生出这许多灾难困苦。眼前为时无多,务须让她明白我的心意。"大声说道:"什么师徒名分,什么名节清白,咱们通通当是放屁!通通滚他妈的蛋!死也罢,活也罢,咱俩谁也没命苦,谁也不会孤苦伶仃。从今而后,你不是我师父,不是我姑姑,是我媳妇!是我妻子!是我老婆!"

　　小龙女满心欢悦,望着他脸,低声道:"这是你的真心话么?是不是为了让我欢喜,故意说些好听言语?"杨过道:"自然是真心。我断了手臂,你更加怜惜我;你遇到了什么灾难,我也更加怜惜你。"小龙女低低的道:"是啊,世上除了你我两人自己,原也没旁人怜惜。"

　　重阳宫中数百名道人尽是出家清修之士,突然听他二人轻怜密爱,软语缠绵,无不大是狼狈,年老的颇为尴尬,年轻的少不免起了凡心。各人面面相觑,有的不禁脸红。清净散人孙不二喝道:

"你们快快出宫去罢,重阳宫乃清净之地,不该在此说这些非礼言语!"

杨过听而不闻,凝视着小龙女的眼,说道:"当年重阳先师和我古墓派祖师婆婆原该好好结为夫妻,不知为了什么劳什子古怪礼教、清规戒律,弄得各自遗恨而终,咱俩今日便在重阳祖师的座前拜堂成亲,结为夫妇,让咱们祖师婆婆出这口恶气。"他对王重阳本来殊无好感,但自起始修习古墓壁上他的遗刻,越练越钦佩,到后来已十分崇敬,隐隐觉得自己便是他的传人一般。小龙女叹了口气,幽幽的道:"过儿,你待我真好。"

当年王重阳和林朝英互有深情,全真五子尽皆知晓,虽均敬仰师父挥慧剑斩情丝,实是一位了不起的英雄好汉,但想到武学渊深的林朝英以绝世之姿、妙龄之年,竟在古墓中自闭一生,自也无不感叹。这时杨过提起此事,群道中年轻的不知根由,倒没什么,年长的无不心中一震。

孙不二喝道:"先师以大智慧、大定力出家创教,他老人家一番苦心孤诣,岂是你后生小子所能窥测?你再在此大胆妄为,胡言乱语,可莫怪我剑下无情了。"当日大胜关英雄宴上,杨过拒却孙不二送来长剑,当场使她下不了台。她虽是修道之士,胸襟却远不及丘处机、王处一等人宽宏,她以全真教中尊长身分,受辱于徒孙辈的少年,自不免耿耿于怀。兼之她以女流而和众道群居参修,更是自持綦严,听到杨过竟要在庄严法地、全真教上下向来认为神圣的祖师像前拜堂成亲,怒气勃发,难以抑制,眼见杨龙二人对她的呼喝置若罔闻,唰的一声,长剑又即出鞘。

杨过冷冷的瞧了她一眼,寻思:"单凭你这老道姑,自然非我敌手,但一动上手,全真教余人决无袖手之理。我非和姑姑立刻成亲不可。若不在此拜堂,出得重阳宫去,她万一伤重不治,岂不令她遗恨而终?你骂我'大胆妄为',哼,我杨过大胆妄为,又非始于今日。我既说了要在重阳祖师像前成亲,说什么也要做到。"游目四顾,见倒有半数道人已执剑在手,说道:"孙道长,你定要逼我们出去,是不是?"

孙不二厉声道:"快走！自今而后,全真教跟古墓派一刀两断,永无瓜葛,最好大家别再见面！"

杨过长叹一声,摇了摇头,转过身来,向着通向古墓的小径走了两步,慢慢将玄铁剑负在背上,右袖挥开,伸左臂扶住小龙女,暗暗气凝丹田,突然间抬起头来,仰天大笑,声动林梢。群道斗闻笑声震耳,都是一惊。

他笑声未毕,忽地放脱小龙女,纵身后跃,左手已扣住孙不二右手手腕上的"会宗"、"支沟"两穴。小龙女身无凭依,晃了一晃,便欲摔倒,杨过已拉着孙不二回过来靠在小龙女身后。这一下退后纵前,当真迅如脱兔,乃古墓派的嫡传轻功,群道眼睛还没一瞬,孙不二已落入他掌握,动弹不得。丘处机、王处一、孙不二等久经大敌,本来也防到他会突然发难,擒住一人为质,但见他既收起兵刃,走向出宫的小径,唯一的手臂又扶住了小龙女,料定他已知难而退,哪知他竟长笑扰敌,而衣袖放开小龙女、还剑背上两事,竟成为腾出手来擒获孙不二的手段。群道齐声发喊,各挺长剑,但孙不二既入其手,谁都不敢上前相攻。

杨过低声道:"孙道长,多有得罪,晚辈回头向你赔礼。"拉着她手腕,和小龙女缓步走向重阳宫后殿。群道跟随在后,满脸愤激,却无对付之策。

进侧门、过偏殿、绕回廊,杨龙二人挟着孙不二终于到了后殿。杨过回过头来,朗声说道:"各位请都站在殿外,谁都不可进殿一步。我二人早已豁出性命不要,如要动手,我二人和孙道长一起同归于尽便了。"

王处一低声问:"丘师哥,怎么办?"丘处机道:"暂且不动,见机行事。瞧来他也不敢加害孙师妹。"这几人一生纵横江湖,威名远振,想不到临到暮年,反受一个初出道的少年挟制,想想固然有气,却也不禁失笑。

杨过拉过一个蒲团,让孙不二坐下,说道:"对不住！"伸手点了她背心的"大椎""神堂"两穴,令她不能走动,见群道依言站在殿外,不敢进来,扶着小龙女站在王重阳画像之前,双双并肩而立。

只见画中道人手挺长剑,风姿飒爽,不过三十来岁年纪,肖像之旁题着"活死人"三字。画像不过寥寥几笔,但画中人英气勃勃,飘逸绝伦。杨过幼时在重阳宫中学艺,这画像见之已熟,早知是祖师爷的肖像,这时猛地想起,古墓中也有一幅王重阳的画像,虽然此是正面而墓中之画是背影,笔法却一般无异,说道:"这画也是祖师婆婆的手笔。"小龙女点点头,向他甜甜一笑,低声道:"咱俩在重阳祖师画像之前成亲,而这画正是祖师婆婆所绘,当真再好不过。"

杨过踢过两个蒲团,并排放在画像之前,大声说道:"弟子杨过和弟子龙氏,今日在重阳祖师之前结成夫妇,此间全真教数百位道长,都是见证。"说罢跪在蒲团之上,见小龙女站着不跪,说道:"咱们就此拜堂成亲,你也跪下来罢!"小龙女沉吟不语,双目红润,盈泪欲滴。杨过柔声道:"你有什么话说?在这里不好么?"小龙女颤声道:"不,不是!"她顿了一顿,说道:"我既非清白之躯,又是个垂死之人,你何必……你何必待我这样好?"说到这里,泪珠从脸颊上缓缓流下。

杨过重行站起,伸衣袖给她擦了擦眼泪,笑道:"你难道还不明白我的心么?"小龙女抬头望着他,只听他柔声道:"我真愿咱两个都能再活一百年,让我能好好待你,报答你对我的恩情。倘若不能,倘若老天爷只许咱们再活一天,咱们便做一天夫妻,只许咱们再活一个时辰,咱们就做一个时辰的夫妻。"小龙女见他脸色诚恳,目光中深情无限,心中激动,真不知要怎样爱惜他才好,凄苦的脸上慢慢露出笑靥,泪珠未干,神色已欢喜无限,在蒲团上盈盈跪倒。

杨过跟着跪下。两人齐向画像拜倒,均想:"咱二人虽然一生孤苦,但既有此日此时,福缘深厚已极。过去的苦楚烦恼,来日的短命而死,全都不算什么。"两人相视一笑,在蒲团上磕下头去。

杨过低声祝祷:"弟子杨过和龙氏真心相爱,始终不渝,愿生生世世,结为夫妇。"小龙女也低声道:"愿祖师爷保佑,让咱俩生生世世,结为夫妇。"杨过又道:"祖师爷,弟子杨过冒犯了全真教,真正对不住之至,这里跟您老人家磕头赔罪。弟子对祖师爷,心中实在尊敬万分。全真教今后若有所需,弟子奉命驱策,必效奔走之劳。"说着又磕了几个头。

　　孙不二坐在蒲团之上,身子虽不能移动,于两人言语神情却都听得清楚,瞧得明白,但觉二人光明磊落,所作所为虽荒诞不经,却出乎一片至性至情,不自禁想起自己少年时和马钰新婚燕尔的情景来。又听得杨过说冒犯了全真教,磕头赔罪,今后奉命驱策。她本来满脸怒容,待杨龙二人交拜站起,脸上神色已大为柔和。

　　杨过心想:"此刻咱二人已结成夫妻,即令立时便死,也已无憾。"原先防备群道闯入阻挡之心登时尽去,向小龙女笑道:"我是全真派的叛逆弟子,武林间众所知闻,你却也是个大大的叛徒。"小龙女道:"是啊。师父不许我收男弟子,更不许我嫁人,我却没一件遵守。咱二人灾劫重重,原本罪有应得。"杨过朗声道:"叛就叛到底了。王祖师和祖师婆婆英雄豪杰,胜过你我百倍,他们却不敢成亲。两位祖师泉下有知,未必便说咱们的不是!"他说这番话神采飞扬,当真有俯仰百世、前无古人之概。

　　便在此时,屋顶上喀喇一声猛响,砖瓦纷飞,椽子断折,声势惊人,只见屋顶破洞中落下一口巨钟,对准孙不二的头顶直堕下来。

　　杨过与小龙女在殿上肆无忌惮的拜堂成亲,全真教上下人等无不愤怒。刘处玄沉吟半晌,心生一计,俯耳与丘处机、王处一、郝大通三人说了。三道连连点头,向门下弟子低声嘱咐几句,乘着杨龙二人转身向里跪拜之时,到前殿取下一口重达千余斤的大铜钟,刘、丘、王、郝四道共托,飞身上了殿顶,料准了方位,猛地向下砸落,撞破一个大洞,对准孙不二摔将下来。四道武功了得,巨钟虽重,落下时却无数寸之差,只要将孙不二罩在钟内,杨过一时伤她不得,群道一拥而上,他二人岂不束手受缚?

杨过见巨钟跌落,已知其理,立即抽玄铁剑刺出,势挟风雷,只听得当的一响,嗡嗡不绝,剑尖已刺到铜钟。那口钟虽重达千斤,但这一剑劲力奇强,又从旁而至,巨钟凌空一偏,向前斜了两尺,这一落下,便要压在孙不二身上。刘处玄等四人在殿顶破洞中看得明白,齐声惊呼,心中大恸,万料不到这少年剑上竟有如斯神力,眼见孙不二便要血肉横飞,给巨钟压得惨不可言。刘处玄双目一闭,不敢再看,却听丘处机欢声叫道:"多谢手下留情!"刘处玄睁开眼来,不由得大奇,只见那口钟竟仍将孙不二全身罩住了,钟旁既无血肢残迹,连孙不二的道袍也没露出一截。

　　原来杨过眼见这一剑推动巨钟,孙不二非立时毙命不可,突然心想:"今日是我夫妇大喜日子,何苦伤害人命? 这老道姑不过脾气乖僻,又不是有甚过恶。"心念甫动,右手袖子着地拂出,推动孙不二身下蒲团,将她送入了钟底。

　　刘丘王郝四道在殿顶又惊又喜,均觉不便再与杨过为敌,但各人门下的弟子早已受嘱,一待巨钟落下,立时抢入进攻。他们在殿外也瞧不见钟底的变化,只听得巨声突作,尘土飞扬,各人发一声喊,挺着长剑便攻进殿来。

　　杨过将玄铁剑往背上一插,伸臂抱了小龙女往殿后跃去。

　　丘处机叫道:"众弟子小心,不可伤了他二人!"语音洪亮,虽在数百人呐喊叫嚷声中,各人仍听得清清楚楚。众弟子追向殿后,大声呼喊:"捉住叛教的小贼!""小贼亵渎祖师爷圣像,别让他走了!""快快,你们到东边兜截!""长春真人吩咐,不可伤了他二人!"

　　刘处玄于跃上殿顶之前,已先在殿后院子中伏下二十一名硬手。杨过刚转过屏门,便见院子中剑光闪闪,知有人拦截。心想:"不如从殿顶破洞中窜出。上面虽有四个高手,但这四人谅来不致对我施展杀招。"抱了小龙女纵回殿中。小龙女双手抱着他头颈,柔声道:"反正我们已结成夫妇,在这世上心愿已了。冲得出固好,冲不出也没什么。"杨过道:"不错!"右腿飞起,左腿鸳鸯连环,砰砰两声,将两名道士踢出殿去。殿上不比玉虚洞前宽阔,挤满了道人,北斗阵法施展不开,但杨过左臂抱着小龙女后,只能出腿伤敌,却也无法突出重围,心中暗恨:"这些牛鼻子布不成阵法,倘若我尚有一臂,焉能困得住我二人?"砰的一声,又有一名道人给他踢开,飞身跌出,撞到了两人。

正纷乱间,突然殿外奔进一个白须白发的老者,身后却跟进一大群蜜蜂,正是老顽童周伯通。后殿中本就乱成一团,多了个周伯通,众弟子一时也没在意,但蜜蜂飞进来后却立时乱叮乱刺。这些蜜蜂殊非寻常,乃小龙女在古墓中养驯的玉蜂,全真道人中有人遭叮,登时痛痒难当,有的忍耐不住,在地下打滚呼叫,更乱上加乱。

周伯通本来要到襄阳城去相助郭靖,但偷了小龙女的玉蜂蜜浆后,生怕再见到她,襄阳城是不去的了,便上终南山来,要找到赵志敬问个明白,何以胆敢害得师叔祖九死一生。他沿途玩弄玉蜂蜜浆,渐渐琢磨出了一些指挥蜜蜂的门道。道上玩弄蜜蜂,那也罢了,一到终南山上,登时惹出了祸事。山上玉蜂闻到玉蜂蜜浆的甜香,纷纷赶来。玉蜂惯于小龙女的手势呼叱,周伯通自然驱之不动,非但驱之不动,而且不肯和他干休。老顽童见情势不妙,只得飞奔逃入重阳宫来,想找个处所躲避,正好赶上宫中闹得天翻地覆,热闹无比。

他见小龙女和杨过都在殿中,又惊又喜,忙将玉蜂蜜浆瓶子向小龙女抛去,叫道:"乖乖不得了,我服侍不了这批蜜蜂老太爷,好姑娘快来救命。"杨过袍袖拂出,兜住了瓶子,小龙女微微含笑,伸手接过。

这时殿上蜂群飞舞,丘处机等从殿顶跃下向师叔见礼,请安问好。郝大通大叫:"快取火把来!"众门人有的袍袖罩脸,有的挥剑击蜂,也有数人应声去取火把。

周伯通也不理丘处机等人,他额头给玉蜂刺了两下,已肿起高高两块,只盼找个蜜蜂钻不进的安稳处所躲避,见地下放着一口巨钟,心中大喜,忙运力扳开铜钟,却见钟下有人。他也不看是谁,说道:"劳驾劳驾,让我一让。"将孙不二推出钟外,自行钻入,一松手,腾的一声,巨钟重又合上,心中得意:"任你几千头几万头蜜蜂追来,你们总不能合力掀开这口大钟,再也咬不到我老顽童一口了!"

杨过低声道:"你指挥蜜蜂相助,咱们闯出去。"小龙女听到他说话中含有嘱咐之意,心中甜甜的甚是舒服:"好啊,他终于不再当我是师父,真的当我是他媳妇了。"当即应道:"是!"极为温柔顺从,举起蜂蜜瓶子挥舞几下,呼叱数声。

玉蜂遇到主人,片刻间便集成一团,小龙女不住挥手呼叱,大群玉蜂分成两队,一队开路,一队断后,拥卫着杨龙二人向后冲了出去。

周伯通这么来一搅局,丘处机等又惊又喜,又是好笑,眼见杨龙二人退向殿后,喝住众门人不必追赶。王处一解开了孙不二的穴道,丘处机便去扳那巨钟。周伯通躲在钟里,不知钟外情形,猛觉那钟给人振动,似要揭开,大叫:"乖乖不得了!"双臂伸出,撑住钟壁,喝声:"下来!"丘处机内力不及他深厚,当的一声响,那钟离地半尺,又盖了下去。丘处机笑道:"周师叔又在开玩笑了,来,咱们一齐动手!"

当下丘处机、王处一、刘处玄、郝大通四人各出一掌,抵在钟上向外推出,齐声喝道:"起!"四股大力挤在一起,将钟抬得离地三尺,却见钟底下空荡荡的并无人影,周伯通已不知去向。原来他手脚张开,撑在钟壁之内,连着巨钟给一齐抬起,旁人自然瞧他不见。四人"咦"的一声,一怔之间,一条人影一晃,周伯通哈哈大笑,站在钟旁。

丘处机等重又上前见礼。周伯通双手乱摇,叫道:"罢了,罢了,乖孩儿们平身免礼!"这时丘处机等均已须发皓然,周伯通却仍叫他们"乖孩儿"。

众人正要叙话,周伯通瞥眼见到赵志敬鬼鬼祟祟的正要溜走,大喝一声,纵上去一把抓住,骂道:"贼牛鼻子,还想逃么?"左手将巨钟一推,掀高两尺,右手将他往钟底掷去,左手松开,巨钟合上,口中还喃喃不绝的骂道:"贼牛鼻子,贼牛鼻子。"这时大殿上除他一人,其余个个都是道人,他大骂"贼牛鼻子",把王重阳的徒子徒孙一起都骂了。丘处机等深知师叔的脾气,也不以为忤,不禁相对莞尔。

王处一道:"师叔,赵志敬不知怎么得罪了您老人家?弟子定当重重责罚。"周伯通道:"嘿嘿,这贼牛鼻子引我到山洞里去盗旗,却原来藏着红红绿绿的大蜘蛛,剧毒无比,一咬之下,老顽童老命难保,幸亏那小姑娘救我,咦,那小姑娘呢?蜜蜂哪里去了?"他说话颠三倒四,王处一哪里懂得,只见他东张西望的找寻小龙女。

便在此时,十余名弟子赶来报道,杨龙二人退到了后山藏经阁楼上,众弟子不敢用火把烧蜂,怕延烧道藏。丘处机等吃了一惊,那藏经阁是全真教重地,历代道藏、王重阳和七弟子的著作,以及教中重要文卷均藏在阁中,若有疏虞,损失不小。丘处机道:"咱们过去瞧瞧,杨过手下留情,没伤了孙师妹,大可化敌为友。"孙不二道:"不错!"当下众人一齐赶向后山藏经阁去。

王处一见门下首徒赵志敬给周伯通罩在钟内,心想:"周师叔行事胡涂,这事未必便是志敬之错,回头再详细查问。"生怕巨钟密不通风,闷死了他,叫来三名弟子相助,奋力将钟扳高数寸,伸足拨过一块砖头,垫在钟沿之下,留出数寸空隙通气,随后跟去。

到得藏经阁前,只见数百名弟子在阁前大声呼噪,却无人敢上楼去。丘处机朗声叫道:"杨龙二位,咱们大家过往不咎,化敌为友如何?"过了一会,不闻阁上有何声息。丘处机又道:"龙姑娘身上有伤,请下来共同设法医治。敝教门下弟子决不敢对两位无礼。丘某行走江湖数十年,从无片言只语失信于人。"半晌过去,仍然声息全无。

刘处玄心念一动,说道:"他们早已走啦!"丘处机道:"怎么?"刘处玄道:"你瞧群蜂乱飞,四下散入花丛。"从弟子手中接过一个火把,抢先飞步上阁。

丘处机等跟着拾级上阁,果见阁中唯有四壁图书,并无一人,居中书案上却放着那瓶玉蜂浆。周伯通如获至宝，一把抢起，收入怀中。众人在阁中前后察看，见图书并无散失，只一堆图书放在地板上，盛书的木箱却已不见。忽听郝大通叫道："他们从这里走了！"众人循声走到阁后窗口，只见木柱上缚着一根绳索，另一端缚在对面山崖的一株树上。藏经阁与山崖之间隔着一条深涧，原本无路可通，想不到杨过竟会施展轻功，抱着小龙女从绳索上越谷而去。

杨过和小龙女在重阳宫后殿拜堂成亲，全真教上下均感大失威风，但此时见他二人全身而退，全真五子相视苦笑，心中倒也松了。孙不二本来最为愤慨，但她在殿上既见他二人情意真挚，杨过磕头赔罪，又在千钧一发之际救了自己性命，不禁爽然若失，默无一语。

全真五子和周伯通回到大殿，询问蒙古大汗降旨敕封、甄赵两派争斗、小龙女突然来攻等等情由。李志常和宋德方等据实一一禀告。丘处机潸然泪下，说道："志丙玷人清白，确是大错，但他维护我教忠义，誓死不降蒙古，算得一件大功。"王处一道："志丙过不掩功，为人持身，确有大过，然而大义凛然，咱们仍当认他为代掌教真人。"刘处玄、郝大通等齐声称是。丘处机又道："若不是龙姑娘适于此时来挡住敌人，我教已然覆没。龙姑娘实是我教的大恩人，此后非但不可对他夫妇有丝毫无礼，还须设法报恩才是。唉，我们失手打伤了她，不知……不知……"料想她伤重难治，深自歉疚。

丘处机等忙于追询前事，处分善后，周伯通却丝毫没将这些事放在心上，只把那瓶玉蜂蜜浆拿在手中把玩，几次想要揭开瓶塞诱蜂，总怕招之能来、却不能挥之而去。这时一名弟子上前禀报，说有五名弟子为玉蜂螫伤，痛痒难当，请师长设法。郝大通想起当年孙婆婆闯宫赠蜜之事，说道："这瓶玉蜂蜜浆，料来便是龙姑娘留下给咱们治伤的。师叔，请你把蜜浆赐给五个徒孙，让他们分服了罢。"

周伯通双手伸出，掌中空空如也，说道："不知怎的，忽然找不到啦。"郝大通明明见他适才还拿在手中把弄,怎会突然不见,定是不肯交出,但他身为长辈,却不便用言语挤兑,不由得好生为难。周伯通袍袖一拂,在身上拍了几下,说道:"我没藏起来啊,你可别疑心我小气不给。要不要我脱光衣裤给你们瞧瞧?"

原来老顽童贪玩爱耍、不分轻重缓急的脾性到老不改,心想几个牛鼻子给蜂儿叮了几下,最多痛上半天,也不会有性命之忧,这瓶宝贵的蜜浆可不能给人,是以郝大通一开口,他便将蜜浆塞入袖中,顺着衣袖溜下,沿胸至腹,肚子一缩,瓶子钻入裤子,从裤管中慢慢溜到脚背,轻轻落在地下。他内功精深,全身肌肉收放自如,将那小瓶送到地下,竟没发出半点声息。

王处一心想:"师叔既不肯交出,只有待他背人取出玩弄之时,突然上前开口,叫他没法推托。只要大伙儿一走开,他定然熬不住,立时便会取出。此时处置逆徒赵志敬要紧,若不是甄志丙宁死不屈,我教数十年清誉岂非便毁在这逆徒手中?"他想到此处,厉声说道:"郝师弟,治伤之事,稍缓不妨,咱们须得先处决逆徒赵志敬!"

全真五子相交数十年,师兄弟均知王处一正直无私,赵志敬虽是他的首徒,但犯了叛教大罪,他决不致徇情回护。各人均想:"这逆徒卖教求荣,戕害同门,决计饶他不得。"

忽听得巨钟底下传出一个微弱的声音,说道:"周师叔祖,你若救弟子一命,我便把蜂浆还你,否则我一口吃得干干净净,左右也是个死罢了!"周伯通吃了一惊,踏开一步,果然那瓶蜜浆已失影踪。原来他站在巨钟之旁,赵志敬伏在钟下,那小瓶正好落在他面前,听得郝大通向周伯通求蜜浆不得,当下从砖头垫高的空隙中伸手取过。

他以这瓶小小的蜜浆要挟,企图逃得性命,自知原是妄想,但绝望之中只要有一线生机,也要挣扎到底。周伯通听他如此说,果然大急,叫道:"喂喂,你千万不可把蜜浆吃了,其他一切,都好商量。"赵志敬道:"那你须得答允救我性命。"

全真五子都是一惊,心想倘若师叔出口答允,便不能处置赵志敬了。丘处机急道："师叔,此人罪大恶极,万不可饶。"周伯通将头贴在地下,向着钟内只叫："喂喂,千万不可吃了蜜浆!"刘处玄道："师叔,不必理他! 你要蜜浆,并不为难。咱们今日已与龙姑娘释愆解仇,待会可到古墓去求几瓶来。龙姑娘既肯给你第一瓶,再给你十瓶八瓶也不为难!"周伯通摇头道："未必,未必!"心想:"你道这瓶蜜浆是她给的吗? 是我偷来的。她离藏经阁时匆匆忙忙,不及携带,若问她再要,她未必便给,纵然给了,也必让你们拿去当药吃了,哪里还有我的份儿?"

只听一阵轻轻的嗡嗡之声,五六只玉蜂从院子中飞进后殿,殿门关着,在长窗上不住碰撞,无法觅路出去。周伯通心念一动,说道："赵志敬,你拿去的只怕并非玉蜂蜜浆。"赵志敬急道："是的,是的,为什么不是?"周伯通道："好,那你将瓶塞拔开,让我闻一闻再说。倘若不是,不用多说废话。"赵志敬忙拔开瓶塞,道："你闻呀,难道不是?"周伯通鼻孔深深吸气,道："唔,唔,好像不是! 待我再闻几下。"

赵志敬双手紧紧抓住玉瓶,生怕他掀开巨钟,夹手硬夺,口中只道："你闻这股甜香,闻这股甜香!"玉蜂蜜浆芳香无比,瓶塞一开,便即满殿馥郁。周伯通打了个喷嚏,笑道："我伤风没好,鼻子不大管用!"一面转头向丘处机等挤眉弄眼。赵志敬也猜到他是在使缓兵之计,说道："你如伸手碰一碰铜钟,我便把蜜浆吃个精光。"这时几只玉蜂已闻到蜜香,飞到了钟边。周伯通袍袖一挥,喝道："进去叮他!"玉蜂未必便听他号令,但钟底传出的蜜香越来越浓,果然嗡嗡数声,从钟底的空隙中钻了进去。

只听得赵志敬大声狂叫,跟着当的一响,香气陡盛,显是玉蜂已刺了他一针,而他失手打碎了瓶子。周伯通大怒,喝道："臭牛鼻子,怎地瓶子也拿不牢?"待要上前掀开巨钟,后院中剩下的玉蜂闻到蜜香,纷纷涌进,都钻进了钟底。周伯通吃过玉蜂的苦头,倒也不敢走近。但见钻入钟底的玉蜂越来越多,巨钟之内又有多大空隙,赵志敬身上沾满蜜浆,一举手一摇头都碰到玉蜂,身上已不知给刺了几百针。众人初时还听到他狂呼惨叫,过了片刻,终于寂然无声,不知是否中毒过多,死活难知。

周伯通一把抓住刘处玄的衣襟,道:"好,处玄,你去向龙姑娘给我要十瓶八瓶蜜浆来罢。"刘处玄皱起眉头,好生为难,他适才只求周伯通不可贸然答允赵志敬饶命,以致把话说得满了。其实全真五子以一招"七星聚会"合力打伤小龙女,伤势未必能愈,怎说得上"释怨解仇"四字? 这时给周伯通扭住胸口,只得苦笑道:"师叔放手,处玄去求便是!"转身向后山古墓走去。

丘处机等知道此行甚为凶险,倘若小龙女平安无事,那还罢了,连要蜜浆都能成功,但若伤重而死,不知将有多少全真弟子要死在杨过手里,齐声道:"大伙儿一起去。"

那古墓外的林子自王重阳以来便不许全真教弟子踏进一步,众人恪遵先师遗训,走到林缘而止。丘处机气运丹田,朗声道:"杨少侠,龙姑娘的伤势还不妨事么? 这里有几枚治伤的九转灵宝丸,请来取去。"周伯通低声道:"是啊,是啊! 要人家的蜜浆,也得拿些什么去换!"隔了半晌,不听得有人回答。丘处机提气又说了一遍,林中仍寂无声息,举目往林中望去,阴森森浓荫匝地,头顶枝桠交横,地下荆棘丛生。

刘处玄和郝大通沿着林缘走了一遍,浑不见有人穿林而入的痕迹,看来杨过和小龙女并非回到古墓,而是下终南山去了。众人又喜又愁,回到重阳宫中,喜的是杨龙二人远去,愁的是小龙女如若不治,全真教实有无穷后患。那老顽童也是一般的又喜又愁,愁的自是为了取不到玉蜂蜜浆,喜的却是不必和小龙女会面,以免揭穿他窃蜜之丑。

全真五子虽在终南山上住了数十年,却万万猜想不到杨过和小龙女到了何处。

杨龙二人在玉蜂掩护下冲向后院,奔了一阵,见一座小楼倚山而建,杨过知是重阳宫要地之一的藏经阁,抱着小龙女拾级上楼。

两人稍喘得一口气，便听得楼下人声喧哗，已有数十名道人追到，但怕了玉蜂，不敢抢上。

杨过将小龙女放在椅上坐稳，察看周遭情势，见藏经阁之后是一条深达数十丈的溪涧。山涧虽深，好在并不甚宽，他身边向来携带一条长绳，用以缚在两棵大树之间睡觉，以稍慰相思之意，于是将长绳一端缚在藏经阁柱上，拉着绳子纵身窜跃，荡过涧去，拉直了绳子，将另一端缚在一棵大树上，然后施展轻身功夫从绳上走回。

他走到小龙女身边，柔声说道："咱们去哪里呢?"小龙女道："你说到哪里，我便跟你到哪里。"杨过笑道："这便叫作'嫁鸡随鸡，嫁狗随狗'了!"他顿了一顿，又问："你心中最想去哪里呢?"小龙女轻轻叹了口气，脸上流露出向往之色。杨过知她最盼望的便是回古墓旧居，但如何进入却大费踌躇，耳听得楼下人声渐剧，此处自是不能多耽。

他明白小龙女的心思，小龙女也知他心思，柔声道："我也不一定要回古墓，你不用操心啦。"微笑道："只要跟你在一起，什么地方都好。"杨过心想："这是咱们婚后她第一个心愿，说不定也是她此生最后一个心愿。我如不能为她做到，又怎配做她丈夫?"

茫然四顾，听着楼下喧哗之声，心中更乱，瞥眼见到西首书架后堆着一只只木箱，心念一动："有了!"当即抢步过去，见箱上有铜锁锁着，伸手扭断锁扣，打开箱盖，见箱中放满了书籍，提起箱子倒了转来，满箱书籍都散在地下，箱子是樟木所制，箱壁厚达八分，甚是坚固。跃起来伸手到书架顶上一摸，果然铺满油布，那是为防备天雨屋漏，浸湿贵重图书而设。他扯了两块大油布放在箱内，踏着绳索将箱子送到对涧，然后回来抱了小龙女过去，笑道："咱们回家去啦。"

小龙女甚喜，微笑道："你这主意儿真好。"杨过怕她耽心，安慰道："这剑无坚不摧，潜流中若有山石挡住箱子，一剑便砍开了。我走得快，你在箱子中不会气闷的。"小龙女微笑道："便只一点不好。"杨过一怔道："什么?"小龙女道："我要有好一会儿见你不着啦。"

到得对涧，杨过想起郭襄尚在山洞之中，说道："郭伯伯的姑娘我也带来啦，你说怎么办？"小龙女脸色大变，颤声道："你带来了郭大侠……郭大侠的姑娘？"杨过见她神色有异，一楞之间，已然会意，知她误会自己带了郭芙来，俯下头去在她脸上轻轻一吻，低声道："是那个生下只有一个月、还不会斩断人家手臂的女娃儿！"小龙女登时羞得满脸通红，深深藏在杨过怀里，不敢抬起头来。

过了一会，她才低声道："咱们只好把她带到墓里去啦，在这荒山野地中放着，再过半天便得要了她小命。"杨过心想在重阳宫中耽搁了这么久，不知郭襄在山洞中性命如何，心下惴惴，当下将小龙女放入箱中，抗在肩头，快步寻到山洞前，却不闻啼哭之声，心中更惊，拨开荆棘，只见郭襄沉睡正酣，双颊红红的似搽了胭脂一般。两人大喜。小龙女伸手道："我来抱。"杨过将郭襄放入她怀中，抗了木箱又行。

这时终南山的道人都会集在重阳宫中，沿路无人撞见。行过一片瓜地，杨过把道人所种的南瓜摘了八九个放入箱中，笑道："足够咱们吃七八天的了。"过不多时，已到了溪流之边。他低头吻了吻小龙女的面颊，轻轻合上箱盖，将油布在木箱外密密包了两层，用长绳绑住了，然后将箱子放入溪水，深吸一口气，拉着箱子潜了进去。

他自在荒谷的山洪中苦练气功，再在这小小溪底潜行自毫不费力，溪水钻入地底后忽高忽低，他循着水道而行，遇有泥石阻路，木箱不易通行，提剑劈削便过。生怕小龙女在箱中气闷，行得极为迅速，不到一炷香时分，便已钻出水面，到了通向古墓的地下隧道。

他扯去油布，揭开箱盖，见小龙女微有晕厥之状，她虽会闭气之法，但重伤后挨不得辛苦。郭襄却大喊大叫，极是精神。原来她吃了一个多月的豹乳，竟比常儿壮健得多。小龙女微微一笑，低声道："咱们终于回家啦！"再也支持不住，合上了双目。杨过不再扶她起身，便拉着木箱，回到古墓中的居室。

但见桌椅倾倒，床几歪斜，便和那日两人与李莫愁师徒恶斗一场之后离去时无异。杨过眼望石室，看着这些自己从小使用的物件，心中突然生出一股难以形容的滋味，似是欢喜，却又带着许多伤感。他呆呆出了会神，忽觉得一滴水点落上手背，回过头来，见小龙女扶椅而立，眼中泪水缓缓落下。

两人今日结成了眷属，长久来的心愿终于得偿，又回到了旧居，从此和尘世的冤仇、烦恼、愁苦不再有丝毫牵缠纠葛，但两人心中，却都深自伤感，悲苦不禁。两人都知道，小龙女受了这般重伤，既中了国师金轮撞砸，又受全真五子合力扑击，她娇弱之躯，如何抵受得住？

两人这么年轻，都一生孤苦，从来没享过什么真正欢乐，突然之间得到了世间最大的福气，却立时便要生生分手！

杨过呆了半晌，到孙婆婆房中将她的床拆了，搬到寒玉床之旁重行搭起，铺好被褥，扶着小龙女上床安睡。古墓中积存的食物都已腐败，一坛坛的玉蜂蜜浆却不会变坏。他倒了小半碗蜜浆，用清水调匀，喂着小龙女服了，又喂得郭襄饱饱的，这才自己喝了一碗。他想："我须得打起精神，叫她欢喜。我心中悲苦，脸上却不可有丝毫显露。"找了两根最粗的蜡烛用红布裹了，点在桌上，笑道："这是咱俩的洞房花烛！"

两枝红烛一点，石室中登时喜气洋洋。小龙女坐在床上，见自己身上又是血渍，又是污泥，微笑道："我这副怪模样，哪像个新娘子啊！"忽然想起一事，道："过儿，请你到祖师婆婆房里，把她那口描金箱子拿来，好不好？"

杨过虽在古墓中住了几年，但林朝英的居室平时不敢擅入，她的遗物更从来不敢碰触，听小龙女这么说，笑道："对丈夫说话，也不用这般客气。"过去将床头几口箱子中最底下的一口提了来。那箱子并不甚重，也未加锁，箱外红漆描金，花纹雅致。

小龙女道："我听孙婆婆说，这箱中是祖师婆婆的嫁妆。后来她没嫁成，这些物事自然没用了。"杨过"嗯"了一声，瞧着这口花饰艳丽的箱子,但觉喜意之中,总带着无限凄凉。他将箱子放在寒玉床上,揭开箱盖,果见里面放着珠镶凤冠、金绣霞帔、大红缎子的衣裙,件件都是最上等的料子,虽相隔数十年,仍灿烂如新。小龙女道:"你取出来,让我瞧瞧。"

杨过把一件件衣衫从箱中取出,衣衫之下是一只珠钿镶嵌的梳妆盒子、一只翡翠雕的首饰盒子。梳妆盒中的胭脂水粉早干了,香油还剩着半瓶。首饰盒一打开,二人眼前一亮,但见珠钗、玉镯、宝石耳环,富丽华美,闪闪生光。杨龙二人少见珠宝,也不知这些饰物到底如何贵重,但见镶嵌精雅,式样文秀,显是每一件都花过一番极大心血。

小龙女微笑道:"我打扮做新娘子,好不好?"杨过道:"你今日累啦,先歇一晚,明儿再打扮。"小龙女摇头道:"不,今日是咱俩成亲的好日子。我爱做新娘。那日在绝情谷中,那公孙止要和我成亲,我可没打扮呢!"杨过微笑道:"那算什么成亲? 只是公孙老儿的妄想罢啦!"

小龙女拿起胭脂,调了些蜜水,对着镜子,着意打扮起来。她一生之中,这是第一次调脂抹粉,她脸色本白,实不须再搽水粉,只是重伤后全无血色,双颊上淡淡搽了一层胭脂,果然大增娇艳。她歇了一歇,拿起梳子梳了梳头,叹道:"要梳髻子,我可不会,过儿你会不会呢?"杨过道:"我也不会! 你不梳还更好看些。"小龙女微笑道:"是么?"把乱了的头发略一梳顺,戴上耳环,插上珠钗,手腕上戴了一双玉镯,红烛掩映之下,当真美艳无比。她喜孜孜的回过头来,想要杨过称赞几句。

一回头,只见杨过泪流满面,悲不自胜。小龙女一咬牙,只作不见,微笑道:"你说我好不好看?"杨过哽咽道:"好看极了! 我给你戴上凤冠!"拿起凤冠,走到她身后给她戴上。小龙女在镜中见他举袖擦干了泪水,再到身前时,脸上已强作欢容,笑道:"我以后叫你娘子呢,还是仍然叫姑姑?"小龙女心想:"还说什么'以后'啊? 难道咱俩真的还有'以后'么?"但仍强作喜色,微笑道:"再叫姑姑自然不好。娘子夫人的,又太老气啦!"杨过道:"你的小名儿到底叫什么?今天可以说给我听了罢。"小龙女道:"我没小名儿的,师父只叫我作龙儿。"杨过说道:"好,以后你叫我过儿,我便叫你龙儿。咱俩扯个直,谁也不吃亏。等到将来生了孩儿,便叫:喂,孩子的爹!喂,孩子的妈!等到孩子大了,娶了媳妇儿……"

小龙女听着他这么胡扯,咬着牙齿不住微笑,终于忍耐不住,"哇"的一声,伏在箱子上哭了出来。杨过抢步上前,将她搂在怀里,柔声道:"龙儿,你不好,我也不好,咱们何必理会以后。今天你不会死的,我也不会死的。咱俩今儿欢欢喜喜的,谁也不许去想明天的事。"小龙女抬起头来,含泪微笑,点了点头。

杨过道:"你瞧这套衣裙上的凤凰绣得多美,我来帮你穿上!"扶着小龙女身子,将金丝绣的红袄红裙给她穿上。小龙女擦去了眼泪,补了些胭脂,笑盈盈的坐在红烛之旁。这时郭襄睡在床头,睁大两只乌溜溜的小眼好奇地望着。在她小小的心中,似乎也觉小龙女打扮得真是好看。

小龙女道:"我打扮好啦,就可惜箱中没新郎的衣冠,你只好委屈一下了。"杨过道:"让我再找找,瞧有什么俊雅物儿。"说着将箱中零星物事搬到床上。小龙女见他拿出一朵金花,便拿起来给他插在头发上。杨过笑道:"不错,这就有点像了。"翻到箱底,只有一叠信札,用一根大红丝带缚着,丝带已然褪色,信封也已转成深黄。

杨过拿了起来,道:"这里有些信。"小龙女道:"瞧瞧是什么信。"杨过解开丝带,见封皮上写的是"专陈林朝英女史亲启",左下角署的是一个"喆"字。底下二十余封,每封都是一样。杨过在重阳宫中曾听人说过祖师爷的事迹,知道王重阳出家之前名叫"王喆",笑道:"这是重阳祖师写给祖师婆婆的情书,咱们能看么?"小龙女自幼对祖师婆婆敬若神明,忙道:"不,不能看!"

杨过笑着又用丝带将一束信缚好,道:"孙老道姑他们古板得不得了,见咱俩在重阳祖师的遗像前拜堂成亲,便似大逆不道、亵渎神圣一般。我就不信重阳祖师当年对祖师婆婆没情意。倘若拿这束信让他们瞧瞧,那些牛鼻子老道的嘴脸才教有趣呢。"他一面说,一面望着小龙女,不禁为林朝英难过,心想:"祖师婆婆寂居古墓之中,想来曾不止一次的试穿嫁衣。咱俩可又比她幸运得多了。"

小龙女道:"不错,咱俩比祖师婆婆幸运,你又何必不快活?"

杨过道:"是啊!"突然一怔,笑道:"我没说话,你竟猜到了我心思。"小龙女抿嘴笑道:"若不知你心思,怎配做你媳妇?"杨过坐到床边,伸左臂轻轻搂住了她。两人心中都说不出的欢喜,但愿此时此刻,永远不变。偎倚而坐,良久无语。

过了一会,两人都向那束信札一望,相视一笑,眼中都流露出顽皮神色,明知不该私看先师的密札,但总是忍不住一番好奇之心。杨过道:"咱们只看一封,好不好?决不多看。"小龙女微笑道:"我也是想看得紧呢,好,咱们只看一封。"

杨过大喜,伸手拿起信札,解去丝带。小龙女道:"倘若信中的话教人难过伤心,你便不用念给我听。"杨过微微一顿,道:"是啊!"心想王林二人一番情意后来并无善果,只怕信中真是愁苦多而欢愉少,那便不如不看。小龙女道:"不用先耽心,说不定是很缠绵的话儿。"

杨过拿起第一封信,抽出一看,念道:"英妹如见:前日我师与鞑子于恶波冈交锋,中伏小败,折兵四百……"一路读下去,均是义军和金兵交战的军情。他连读几封,信中说的都是兵戈金革之事,没一句涉及儿女私情。杨过叹道:"这位重阳祖师固然是男儿汉大丈夫,一心只以军国为重,但寡情如此,无怪令祖师婆婆心冷了。"小龙女道:"不!祖师婆婆收到这些信时是很欢喜的。"杨过奇道:"你怎知道?"

小龙女道:"我自然不知,只是将心比心来推测罢啦。你瞧每一封信中所述军情都十分的艰难紧急,但重阳祖师在如此困厄之中,仍不忘给祖师婆婆写信,你说是不是心中对她念念不忘?"杨过点点头道:"不错,果真如此。"当下又拿起一封。

那信中所述,更是危急,王重阳所率义军因寡不敌众,连遭挫败,似乎再也难以支撑,信末询问林朝英的伤势,虽只寥寥数语,却关切殊殷。杨过道:"嗯,当年祖师婆婆也受过伤,后来自然好了。你的伤势慢慢将养,便算须得将养一年半载,终究也会痊可。"小龙女淡淡一笑,她自知这一次负伤非同寻常,倘若连这等重伤也能治愈,只怕天下竟有不死之人了,但说过今晚不提扫兴之事,纵然杨过不过空言相慰,也就当他是真,说道:"慢慢将养便是了,又急什么?这些信中也没私秘,你就读完了罢!"

杨过又读一信,其中满是悲愤之语,说道义军兵败覆没,王重阳拼命杀出重围,但部属却伤亡殆尽,信末说要再招兵马,卷土重来。此后每封信说的都是如何失败受挫,金人如何在河北势力日固,王重阳显然已知事不可为,信中全是心灰失望之辞。

杨过说道:"这些信读了令人气沮,咱们还是说些别的罢!咦,什么?"他语声突转兴奋,持着信笺的手微微发抖,念道:"'比闻极北苦寒之地,有石名曰寒玉,起沉疴,疗绝症,当为吾妹求之。'龙儿,你说,这……这不是寒玉床么?"

小龙女见他脸上斗现喜色,颤声道:"你……你说寒玉床能治我的伤?"杨过道:"我不知道,但重阳祖师如此说法,必有道理。你瞧,寒玉不是给他求来了么?祖师婆婆不是制成了床来睡么?她的重伤不是终于痊可了么?"

他匆匆将每封信都抽了出来,查看以寒玉疗伤之法,但除了那一封信之外,"寒玉"两字始终不再提到。杨过取过丝带将书信缚好,放回箱中,呆呆出神:"这寒玉床具此异征,必非无因,但不知如何方能治愈龙儿之伤?唉,但教我能知此法……但教我立时能知此法……"小龙女笑道:"你呆头呆脑的想什么?"杨过道:"我在想怎样用寒玉床给你治伤。不知是不是将寒玉研碎来服?还是要用其他药引?"

他不知寒玉能够疗伤,那也罢了,此时颠三倒四的念着"起沉疴,疗绝症"六个字,却不知如何用法,当真心如火焚。小龙女黯然道:"你记得孙婆婆么?她既服侍过祖师婆婆,又跟了我师父多年,她给那姓郝的道人打伤了,要是寒玉床能治伤,她临死时怎会不提?何况我师父,她……她也是受伤难愈而死的。"杨过本来满腔热望,听了这几句话,登时如有一盆冷水当头淋下。

小龙女伸手轻轻抚着他头发,柔声道:"过儿,你不用多想我身上的伤,又何必自寻烦恼?"杨过霎时间万念俱灰,过了一会,问道:"我师祖又是怎么受的伤?"他虽在古墓多年,却从未听小龙女说过她师父的死因。

小龙女道:"师父深居古墓,极少出外,有一年师姊在外面闯了祸,逃回终南山来,师父出墓接应,竟中了敌人暗算。师父虽吃了亏,还是把师姊接回,也就算了,不再去和那恶人计较。岂知那恶人得寸进尺,隔不多久,便在墓外叫嚷挑战,后来更强攻入墓,师父抵挡不住,险些便要放断龙石与他同归于尽,幸得发动机关,又突然发出金针。那恶人猝不及防,为金针所伤,麻痒难当,师父乘势点了他穴道,制得他动弹不得。岂知师姊竟偷偷解开了他穴道。那恶人突起发难,师父才中了他毒手。"

杨过问道:"那恶人是谁?他武功既尚在师祖之上,必是当世高手。"小龙女道:"师父不跟我说。她叫我心中别有爱憎喜恶之念,说道倘若我知道了那恶人的姓名,心中念念不忘,说不定日后会去找他报仇。"杨过叹道:"嗯,师祖真是好人!"小龙女微微一笑,道:"师父今日若能见到我嫁了这样一个好女婿,可不知有多开心呢。"杨过微笑道:"那也未必!她是不许你动情嫁人的。"小龙女叹道:"我师父最慈祥不过,纵然起初不许,到后来见我执意如此,也必顺我的意。她……她一定会挺喜欢你的。"

她怀念师恩,出神良久,又道:"师父受伤之后,搬了居室,反而和这寒玉床离得远远的。她说我古墓派的行功与寒气互相生克,因此以寒玉床补助练功固然再妙不过,受伤之后却受不得寒气。"

杨过"嗯"了一声,心中存想本门内功经脉的运行。玉女心经中所载内功,全仗一股纯阴之气打通关脉,体内至寒,体表便散发热气,是以修习之时要敞开衣衫,使热气畅散,无半点窒滞,如受寒玉床的凉气一逼,自非受致命内伤不可。寻思:"何以重阳祖师却说寒玉能起沉疴、愈绝症? 这中间相生相克的妙理,可参详不透了。"见小龙女眼皮低垂,颇有倦意,说道:"你睡罢! 我坐在这里陪着。"

小龙女忙睁大眼睛,道:"不,我不倦。今晚咱们不睡。"她深怕自己伤重,一睡之后便此长眠不醒,与杨过永远不能再见,说道:"你陪我说话儿。嗯,你倦不倦?"杨过摇摇头,微笑道:"你不想睡就别睡,合上眼养养神罢!"小龙女道:"好!"慢慢合上眼皮,低声道:"师父曾说,有一件事她至死也想不明白,过儿你这么聪明,你倒想想。"杨过道:"什么事啊?"小龙女道:"师父点了那恶人的穴道,师姊却不知为什么要去给那恶人解开穴道。"杨过想了一会,只觉小龙女靠在他身上,气息低微,已自睡去。

杨过怔怔的望着她脸,心中思潮起伏,过了一会,一枝蜡烛爆了一点火花,点到尽头,竟自熄了。他忽然想起在桃花岛小斋中见到的一副对联:"春蚕到死丝方尽,蜡炬成灰泪始干。"那是两句唐诗,黄药师思念亡妻,写了挂在她平时刺绣读书之处。杨过当时看了漫不在意,此刻身历其境,见余下那枝蜡烛旁垂下一条条烛泪,细细咀嚼此中情味,当真心为之碎。突然眼前一黑,那枝蜡烛也自熄灭,心想:"这两枝蜡烛便像是我和龙儿,一枝点到了尽头,另一枝跟着也就灭了。"

他出了一会神,听得小龙女幽幽叹了一口长气,道:"我不要死,过儿……我不要死,咱两个要活很多很多年。"杨过道:"是啊,你不会死的,将养一些时候,便会好了。你现下胸口觉得怎样?"小龙女不答,她适才这几句话乃梦中呓语。

杨过伸手在她额头一摸,但觉热得烫手。他又忧急,又伤心,心道:"李莫愁作恶多端,这时好好的活着。龙儿一生从未害过人,却何以要命不久长? 老天啊老天,你难道真的不生眼睛么?"

他一生天不怕地不怕的独来独往,我行我素,这时面临绝境,彷徨无计,轻轻将小龙女的身子往旁稍挪,跪倒在地,暗暗祷祝:"只要老天爷慈悲,保佑龙儿身子痊可,我宁愿……我宁愿……"

为了延小龙女一命,他又有什么事不愿做呢?

他正虔诚祷祝,小龙女忽然说道:"是欧阳锋,孙婆婆说定是欧阳锋!……过儿,过儿,你到哪里去了?"突然惊呼,坐起身来。杨过急忙坐回床沿,握住她手,说道:"我在这儿。"小龙女睡梦间蓦地里觉得身上少了依靠,大惊之下,立即醒转,发觉杨过原来便在身旁,并未离去,大是喜慰。

杨过道:"你放心,这一辈子我是永远不离开你的啦。将来就算要出古墓,我也寸步不离的守在你身边。"小龙女说道:"外边的世界,果然比这阴沉沉的所在好得多,只不过到了外边,我便害怕。"杨过道:"现今咱们什么也不用怕啦。过得几个月,等你身子大好了,咱俩一齐到南方去。听说岭南终年温暖如春,花开不谢,长年叶绿,咱们再也别抡剑使拳啦,种一块田,养些小鸡小鸭,在南方晒一辈子太阳,生一大群儿子女儿,你说好不好呢?"小龙女悠然神往,轻轻的道:"永远不再抡剑使拳,那可有多好!没有人来打咱俩,咱俩也不用去打别人,种一块田,养些小鸡小鸭……唉,倘使我可以不死……"

忽然之间,两颗心远远飞到了南方的春风阳光之中,似乎闻到了浓郁的花香,听到了小鸡小鸭叽叽喳喳的叫声……

小龙女实在支持不住,又要蒙蒙眬眬的睡去,但她又实在不愿睡,说道:"我不想睡,你跟我说话啊。"杨过道:"你刚才在睡梦中说是欧阳锋,那是什么事?"小龙女道:"我说了欧阳锋么?说些什么?"杨过道:"你又说孙婆婆料定是他。"小龙女听他一提,登时记起,说道:"啊!孙婆婆说,打伤我师父的,定是西毒欧阳锋。她说世上能伤得我师父的人寥寥无几,只欧阳锋是出名的坏人。我师父至死都不肯说那恶人的名字。孙婆婆问她:'是不是欧阳锋,是不是欧阳锋?'师父总是摇头,微笑了一下,便此断气了。那欧阳锋可不是你的义父吗?他武功果然了得,难怪师父打他不过。"

杨过叹道:"现下我义父死了,师祖和孙婆婆死了,重阳祖师和祖师婆婆都死了,什么怨仇,什么恩爱,大限一到,都让老天爷一笔勾销。倒是我师祖最看得破,始终不肯说我义父的姓名……"突然大叫:"啊,原来如此!"

小龙女问道:"你想起了什么?"杨过道:"我义父给师祖点了穴道,不是李莫愁解的,其实当时师祖没点中!"小龙女道:"没点中? 不会的。师父的点穴手段高明得很。"杨过道:"我义父有一门天下独一无二的奇妙武功,全身经脉能够逆行。经脉一逆,所有穴道尽都移位,点中了也变成点不中。"小龙女道:"有这等怪事?"

杨过道:"我试给你瞧瞧。"说着站起身来,左掌撑地,头下脚上,的溜溜转了几个圈子,吐纳了几口,突然跃起,将顶门对准床前石桌的尖角上撞去。小龙女惊呼:"啊哟! 小心!"只见他头顶心"百会穴"已对着石桌尖角重重一撞。

"百会穴"正当脑顶正中,自前发际至后发际纵画一线,自左耳尖至右耳尖横画一线,两线交叉之点即为该穴所在。此穴乃太阳穴和督脉所交,医家比为天上北极星,所谓"百会应天,璇玑(胸口)应人,涌泉(足底)应地",是谓"三才大穴",最是要紧不过。哪知杨过以此大穴对准了桌角碰撞,竟然无碍,翻身直立,笑道:"你瞧,经脉逆行,百穴移了位啦!"小龙女啧啧称奇,道:"真是古怪,亏他想得出来!"

杨过这么一撞,虽未损伤穴道,但使力大了,脑中也不免有些昏昏沉沉,迷糊之间,似乎突然想到了一件重要之事,到底是什么事,却又说不上来。小龙女见他怔怔的发呆,笑道:"傻小子,轻轻的试一下也就是了,谁教你撞得砰嘭山响,有些痛么?"杨过不答,摇手叫她不要说话,全神贯注的凝想。脑海中只觉有个模糊的影子摇来晃去,隐隐约约的始终瞧不清楚,似乎要追忆一件往事,又像是突然新发见了什么,恨不得从脑中伸出一只手来,将那影子抓住,放在眼前,细细的瞧个明白。

他想了一会,不得要领,却又舍不得不想,伸手抓头,甚是苦恼,道:"龙儿,我想到了一件极要紧的事儿,却不知是什么。你知道么?"一人思路混杂,有如乱丝,自己理不清头绪,却去询问旁人,此事本来不合情理,但他二人长期共处,心意相通,对方的心思平时常可猜到十之八九。小龙女道:"这事十分要紧?"杨过道:"是啊。"小龙女道:"是不是和我伤势有关呢?"杨过喜道:"不错,不错!那是什么事?我想到了什么事?"小龙女微笑道:"你刚才在说你义父欧阳锋,说他能逆行经脉,这和我的伤势有什么相干?我又不是他打伤的……"杨过突然跃起,高声大叫:"是了!"

这"是了"两字,声音宏亮,古墓中一间间石室凡是室门未关的,尽皆隐隐发出回音,"是了,是了……"之声不绝。杨过一把抓住小龙女的右臂,叫道:"你有救了!你有救了!我有救了!我有救了!"大叫几声,不禁喜极而泣,再也说不下去。小龙女见他这般兴奋,也染到了他的喜悦之情,坐起身来。

杨过道:"龙儿,你听我说,现下你受了重伤,不能运转本门的玉女心经,以致伤势难愈。但你可以逆行经脉疗伤,寒玉床正是绝妙的补助。"小龙女若有所悟,喃喃的道:"逆行经脉……寒玉床……"杨过喜道:"你说这不是天缘么?你倒练玉女心经,那便成了!刚好有寒玉床。"小龙女迷迷惘惘的道:"我还是不明白。"

杨过道:"玉女心经顺行乃至阴,逆行即为纯阳。我说到义父的经脉逆行之法,隐隐约约便觉你的伤势有救,只是如何疗伤,却摸不着半点头脑,后来想到重阳祖师信中提及的寒玉,这才豁然而悟。"小龙女道:"难道祖师婆婆以寒玉疗伤,她也是逆行经脉么?"杨过道:"那倒不见得,这经脉逆行之法,祖师婆婆一定不会。但我猜想她必是为阳刚内力所伤,与你所受全真教道士的阴柔之力恰恰相反。你逆行经脉,将道家武功以阴为主的阴力化为阳刚之气,通入寒玉床化去。"小龙女含笑点头,喜悦之情,充塞胸臆。

杨过道:"事不宜迟,咱们这便起手。"去柴房搬了几大捆木柴,在石室角落里点了起来,然后将最初步的经脉逆行之法传授小龙女,扶着她坐上寒玉床。他自行坐在火堆之旁,伸出左手,和小龙女右掌对按,说道:"我引导这里的热气强冲你各处穴道,你勉力使内息逆行,冲开一处穴道便是一处,待热气回到寒玉床上,伤势便减了一分。"小龙女笑道:"我也得似你这般倒过来打转么?"杨过道:"那倒不用。倒转身子逆行经脉,穴道易位,临敌时自然十分有用。咱们慢慢疗伤,还是坐着的好。"

小龙女伸手握住他左掌,微笑道:"那位郭姑娘还不算太坏,没斩断你两条手臂。"两人经历了适才的生死关头,于断臂之事已视同等闲,小龙女竟拿此事说笑。杨过也笑道:"要是我双臂齐断,还有两只脚呢。只是用脚底板助你行功,臭烘烘的未免不雅。"小龙女嗤的一笑,当下默默记诵经脉逆行之法,过了一会,说道:"行了!"

杨过见火势渐旺,潜引内息,正要起始行功,突然叫道:"啊哟! 好险!"小龙女道:"怎么?"杨过指着睡在床头边的郭襄道:"咱们练到紧要关头,要是这小鬼头突然叫嚷起来,岂不糟糕!"小龙女低声道:"好险!"修道人练功,最忌外魔扰乱心神。当年小龙女和杨过共练玉女心经,为甄志丙及赵志敬无意中撞见,小龙女惊怒之下险些呕血身亡。其时她身子安健尚且如此,今日重伤之下,如何能容得半点惊扰?

杨过调了小半碗蜜浆,抱起郭襄喂饱了,将她放到远处一间石室之中,关上两道室门,便是她大声哭叫,也再不会听到,这才回到寒玉床边,说道:"你全身三十六处大穴要尽数冲开,我瞧快则十日,慢须半月。本来这么多的时日之中,免不了有外物分心,但这古墓与尘世隔绝,当真是天下最好不过之地,便是最幽静的荒山穷谷,也总会有清风明月、鸟语花香扰人心神。"小龙女微微一笑,道:"我这伤是全真道人打的,全真教的祖师爷造了墓室、备了寒玉床,供我安安静静的休息,回复安康,他们的功罪也足以相抵了。"杨过道:"那金轮国师呢? 咱们可饶他不得。"

小龙女叹道:"只要我能活着,你还有什么不满足的么?"杨过握住了她手,柔声道:"你说得是。这次你伤好了,咱们永远不再跟人动手。老天爷待咱们这么好! 唉。"小龙女低低的道:"咱们到南方去，种几亩田，养些小鸡小鸭……"她出了一会神，突觉掌心一股热力传了过来，心中一凛，当即依杨过所传的经脉逆行之法用起功来。

这经脉逆行和寒玉床相辅相成的疗伤怪法，果然大有功效。当年一灯大师以一阳指神功为黄蓉打通周身穴道，治愈重伤，道理原是一般，只是使一阳指疗伤内力耗损极大，见功却甚快，杨过这怪法子不免多费时日。再者，即令是丝毫不会武功的婴儿受了重伤，精通一阳指神功之人也能以本身浑厚内力助其打通玄关，起死回生。但小龙女如无深湛的内功根基，而所学与杨过又非同一门派，纵然欧阳锋复生，王重阳亲至，施治者和受治者的精微内息不能丝丝合拍，也决不能一一冲破逆通经脉的无数难关。两人在共练玉女心经时曾手掌相抵，互通经脉，于此法颇为熟习。

杨过除一日三次给郭襄喂蜜及煮瓜为食之外，极少离开小龙女身边，遇到逆冲大穴，有时一连四五个时辰两人手掌不能分离。当时郭靖受伤，黄蓉以七日七夜之功助他疗伤，小龙女体质既远不如郭靖壮健，受的伤又倍重之，所需时日自更长久。好在古墓石室密处地底，却不若郭靖当年疗伤牛家村时那般敌友纷至，干扰层出不穷。

那日黄蓉在林外以兰花拂穴手制住李莫愁，遍寻女儿郭襄不见，大为忧急，出得林来，喝问李莫愁："你使什么诡计，将我女儿藏到哪里去啦？"李莫愁奇道："那小姑娘不是好好的在棘藤中么？"黄蓉急得几乎要哭了出来，摇头道："不见了。"李莫愁抚养郭襄多日，对她极为喜爱，突然听得失踪，心下一怔，冲口说道："不是杨过，便是金轮国师。"黄蓉问道："怎么？"

李莫愁于是将襄阳城外她如何与杨过、国师二人争夺婴儿之事说了，说到惊险处，黄蓉也不禁耸然动容，见李莫愁神色间甚是挂怀，确信她实不知情，伸手将她穴道解了，顺手小指一拂，拂中了她胸口的"璇玑穴"。这么一来，她行动与平时无异，但十二个时辰之内不能发劲伤人。李莫愁微微苦笑,站直身子,以拂尘挥去身上泥尘,说道:"如落在杨过手中,那倒不妨,就怕是国师这贼秃抢了去。"黄蓉道:"怎么?"李莫愁道:"杨过对这小女娃儿极好,抢夺时奋不顾身,料来决无加害之意。他为了救护这娃儿,几乎连自己性命也不要了,若不是他出力,这女娃儿已给金轮国师抢去啦!因此上我才瞎猜,以为是他女儿……"说到这里急忙住口,生怕黄蓉又要生气。

但黄蓉心中,却在想另一件事。她在想像杨过当时如何和李莫愁及金轮国师恶斗,出力保护郭襄,自己和郭芙却错怪了他,以至郭芙斩断了他一条手臂。她内心深感歉仄,自怨自艾:"唉,过儿救过靖哥哥,救过我,救过芙儿,这次又救了襄儿……但我心中先入为主,想到他作恶多端的父亲,总以为有其父必有其子,从来就信不过他……便偶尔对他好一阵,不久又疑心他了。蓉儿啊蓉儿,你枉然自负聪明,说到推心置腹,忠厚待人,哪里及得上靖哥哥的万一。"

李莫愁见她眼眶中珠泪盈然,只道她是耽心女儿的安危,劝道:"郭夫人,令爱生下不过一月,迭遭大难,但居然连毛发也无损伤。她生得如此玉雪可爱,便是我这杀人不眨眼之人,也喜欢得什么似的,可见她生就福命,一生逢凶化吉。你尽管望安,咱俩一起去找寻罢。"

黄蓉伸袖抹了抹眼泪,心想她说得倒也不错,又想:"诚以待物,才是至理。以后宁可让人负我,不可我再负人了。"便伸手解开了她"璇玑穴",说道:"李道长愿同去找寻小女,小妹感谢之至。但若道长另有要紧事,咱们就此别过,后会有期。"

李莫愁道:"什么要事?最要紧之事莫过于去找寻这小娃娃了。你等一等!"说着抢步钻进一株大树的树洞,解开了豹子脚上的绳索,在它后臀轻轻一拍,说道:"放你去罢。"那豹子低吼一声,窜入长草之中。黄蓉奇道:"这豹子干什么?"李莫愁笑道:"那是令千金的乳娘。这法子也是杨过想出来的,我没他聪明。"

黄蓉微微一笑,两人一齐回到新城镇,只见郭芙站在镇头,正伸长了脖子张望。

　　郭芙见到黄蓉,大喜纵上,叫了声:"妈!妹妹给……"一句话没说完,看清楚站在母亲身后的竟是李莫愁,不禁大吃一惊。她曾与李莫愁交过手,平时听武氏兄弟说起杀母之仇,心中早当她是世上最恶毒之人。

　　黄蓉道:"李道长帮咱们去找你妹子。你说妹妹怎么啦?"郭芙道:"妹妹给杨过抱了去啦,他还抢了我的小红马去。你瞧这把剑。"说着举起手中弯剑,道:"他用断臂的袖子一拂,这剑撞在墙角上,便成了这个样子。"黄蓉与李莫愁齐声问道:"是袖子?"郭芙道:"是啊,当真邪门!想不到他又学会了妖法。"

　　黄蓉与李莫愁相视一眼,均各骇然。她二人自然都知一人内力练到极高深之境,确可挥绸成棍、以柔击刚,但纵遇明师,天资颖异,至少也得三四十年的刻苦勤修,杨过小小年纪,竟能到此境地,实属罕有。黄蓉听说女儿果然是杨过抱了去,倒放了一大半心。李莫愁却自寻思:"这小子功夫练到这步田地,定是得力于我师父的玉女心经。眼下有郭夫人这个强援,我助她夺回女儿,她便得助我夺取心经。我是本派大弟子,师妹虽得师父喜爱,但她连犯本派门规,这心经焉能落入男子手中?"她这么一想,自己颇觉理直气壮。

　　黄蓉问明了杨过所去方向,说道:"芙儿,你也不用回桃花岛啦,咱们一起找杨大哥去。"郭芙大喜,连说:"好,好!"但想到要见杨过,脸色又十分尴尬。黄蓉脸一沉,说道:"你总得再见他一面,不管他恕不恕你,务须诚诚恳恳的向他引咎谢罪。"郭芙心中不服,道:"干么啊?他不是抢了妹妹去吗?"黄蓉简略转述李莫愁所说言语,道:"他若存有歹心,你妹子焉能活到今日?再说,他这袖子的一拂,若不是拂在剑上,而是对准了你的小脑袋儿,你想想现下是怎生光景?"

　　郭芙听母亲这么一说,心中不自禁的一寒,暗想:"难道他当真是手下留情么?"但她自幼给母亲宠惯了,兀自嘴硬,辩道:"他抱了妹妹向北而去,自然是去绝情谷了!"黄蓉摇头道:"不会,他定是去终南山。"郭芙撅起嘴唇道:"妈,你尽是帮着他! 他倘若真有好意,怎不抱妹妹到襄阳来还给咱们? 抱去终南山又干什么?"

黄蓉叹道:"你和杨大哥从小一块儿长大的,居然还不懂得他的脾气! 他从来心高气傲,受不得半点折辱,突然给你斩断一臂,要伤你性命,有所不忍,但如就此罢休,又有不甘。这才抱了你妹子去,叫咱们耽心忧急。过得一些时日,他气消了,自会把你妹子送回。你懂了吗? 你冤枉他偷你妹子,他索性便偷给你瞧瞧!"

黄蓉回到适才打尖的饭铺去,借纸笔写了个短简,给了二两银子,命饭铺中店伙送到襄阳去给郭靖。那店伙道:"郭大侠保境安民,真是万家生佛,小人能为郭大侠稍效微劳,那是磕头去求也求不来的。"无论如何不肯收银子,拿了短简,欢天喜地的去了。郭芙见众百姓对父亲如此崇敬,甚是得意。

当下三人买了牲口,向终南山进发。郭芙不喜李莫愁,路上极少和她交谈,逢到迫不得已非说不可,神色间也冷冷的。

朝行夜宿,一路无事,这日午后,三人纵骑正行,迎面有人乘马飞驰而来。

注:

一、据史籍记载,宋道安继丘处机为全真教掌教,尹志平为副,其后相继各任掌教依次为李志常、张志敬、王志坦、祁志诚等。至于甄志丙与赵志敬则为小说中的虚构人物,史上并无其人。

二、据道藏中《七真年谱》及历史著作《丘处机年谱》等记载,丘处机于公元一二二七年七月与成吉思汗同年同月去世。王处一去世在他之前。全真七子与金朝及蒙古的关系,事实上与《射雕》、《神雕》小说中所述并不全同,郭靖携杨过上终南山时已届中年,事实上丘处机已去世。武侠小说非历史小说,所述故事,不能全符史实。有不符者,读者谅之。

郭芙给烟火薰得快将晕去，吓得连哭也哭不出了，忽听得东首呼呼声响，只见一团旋风裹着一个灰影疾卷而来，旋风到处，火焰向两旁分开。风中人影便是杨过。

第二十九回　劫难重重

　　郭芙叫道："是我的小红马,是我的……"叫声未毕,红马已奔到面前。郭芙纵身上前。红马认得主人,不待她伸手拉缰,已斗然站住,昂首欢嘶。

　　郭芙见马上乘者是个身穿黑衣的少女,昔日见过一面,是曾与她并肩共斗李莫愁的完颜萍。只见她头发散乱,脸色苍白,神情甚为狼狈。郭芙道："完颜姊姊,你怎么了?"完颜萍伸手指着来路,道："快……快……"突然身子摇晃,摔下马来。郭芙伸手扶起,向母亲道："妈,她便是那个完颜姊姊。"说着向李莫愁瞪了一眼。

　　黄蓉心想："她骑了汗血宝马奔来,天下没人再能追赶得上,本来已无危险。但她手指北方,神情惶急,必是为旁人担忧,咱们须得赶去救人。"叫女儿抱了完颜萍坐在马上,说道："这马脚程太快,你千万不可越过我头!"郭芙问道："为什么?"黄蓉道："前面有重大危险,怎么这都想不到?"说着向李莫愁一招手,两人纵马向北。

　　奔出十余里,果然听得山岭彼方隐隐传来兵刃相交之声。黄蓉和李莫愁纵马绕过山岭,只见前面空地上有五人正自恶斗。其中二人是武氏兄弟,另外一男一女,年纪均轻,黄蓉并不识得,四人联手与一个中年汉子相抗。虽以四敌一,但兀自遮拦多,进攻少,武氏兄弟均已负伤,只那青年人一柄长剑纵横挥舞,抵挡了中年汉子的大半招数。旁边空地上躺着一人,却是武三通,不住口的吆喝叫嚷。

黄蓉见那汉子左手使柄金光闪闪的大刀,右手使柄又细又长的黑剑,招数奇幻,生平未见,自己若不出手,武氏兄弟便要遭逢奇险,向李莫愁道:"那两个少年是我徒儿。"李莫愁涩然一笑,心想:"他们母亲是我杀的,我岂不知?"见那中年汉子武功高得出奇,江湖上却从未听说有这号人物,暗自惊异,微微一笑,道:"下场罢!"拔出拂尘一拂,黄蓉也已持竹棒在手。两人左右齐上,李莫愁拂尘攻那人黑剑,黄蓉的竹棒便缠向他金刀。

这中年汉子正是绝情谷谷主公孙止,突见两个中年美貌女子双双攻来,心中一震。只听李莫愁叫道:"一!"拂尘挥出一招,跟着又叫:"二!"原来她与黄蓉暗中较上了劲,要瞧是谁先将这汉子的兵刃打落脱手。但她一直叫到"十"字,公孙止仍有攻有守。那青年长剑唰唰唰连刺三剑,指向公孙止后心。这三剑势狠力沉,公孙止缓不出手来抵挡,向前纵跃丈余,脱出圈子,心知再斗下去,定要吃亏,向黄蓉与李莫愁横了一眼,暗道:"哪里钻出这两个厉害女将来?偏都又这般美貌!我这些年不出谷来寻妻觅妾,当真错过了不少良缘。"刀剑互击,嚓嚓作响,纵身再上。

黄蓉与李莫愁不敢轻敌,举兵刃严守门户,哪知公孙止在空中一个转身,落地后几下起落,奔上了山岭。黄蓉和李莫愁相视一笑,均想:"此人武功既强,人又狡猾,自己倘若落单,只怕不是他对手。"

武氏兄弟手按伤口,上前向师母磕头,一站直身子,都怒目瞪视李莫愁。

黄蓉道:"旧帐暂且不算,你们爹爹的伤不碍事么?这两位是谁?啊哟,不好!李姊姊快跟我来!"不及上马,飞身向来路急奔。李莫愁没领会她的用意,但也随后跟去,叫道:"怎么啊?"黄蓉道:"芙儿,芙儿正好和这人撞上!"

两人提气急追,但公孙止脚程好快,便在这稍一耽搁之际,已相距里许。

只见郭芙双手搂着完颜萍,两人骑了小红马正缓步绕过山岭。

黄蓉遥遥望见,提气高叫:"芙儿——小心!"叫声未歇,公孙止快步抢近,纵身飞跃,已上了马背,伸手将郭芙制住,跟着拉缰要掉转马头。黄蓉撮唇作哨。红马听得主人召唤,便即奔来。

公孙止吃了一惊,心想:"今日行事怎地如此不顺,连一头畜生也差遣不动?"运劲勒马。这一勒力道不小,红马一声长嘶,人立起来。公孙止强行将马头掉转,要向南奔驰,但红马翻蹄踢腿,竟一步步的倒退而行。黄蓉大喜,急奔近前。公孙止见红马倔强,黄蓉与李莫愁转眼便要追到,当即兵刃入鞘,右手挟了郭芙,左手挟了完颜萍,下马奔行。黄蓉和李莫愁都是一等一的轻功,不多时便已追近,相距已不过数十步。

公孙止转过身来,笑道:"我双臂这般一使劲,这两个花朵般的女孩儿还活不活?"黄蓉说道:"阁下是谁? 何以擒我女儿?"公孙止笑道:"这是你的女儿? 原来你是完颜夫人?"黄蓉指着郭芙道:"这才是我女儿!"公孙止向郭芙看了一眼,又向黄蓉望了一眼,笑嘻嘻的道:"啧啧,很美,母女俩都很美,倒像是姊妹,美丽之极!"

黄蓉大怒,女儿受他挟制,投鼠忌器,只有先使缓兵之计,再作道理,正待说话,突然飕飕两声发自身后,两枝长箭自左颊旁掠过,直向公孙止面门射去。箭去劲急,破空之声极响。黄蓉听得箭声,险些喜极而呼,错疑是丈夫到了。中原一般武林高手均少熟习箭术,而蒙古武士箭法虽精,以无浑厚内力,箭难及远。这两枝箭破空之声如此响亮,除郭靖所发之外,她生平还未见过第二人有此功力。但比之郭靖毕竟相差尚远,箭到半路,她便知并非丈夫。

公孙止眼见箭到,张口咬住第一枝箭的箭头,跟着偏头一拨,以口中箭杆将第二枝箭拨在地下。黄蓉心想:"此箭若是靖哥哥所射,你张口欲咬,不在你咽喉上穿个窟窿才怪。"心念方动,只听得飕飕之声不绝,连珠箭发,一连九箭,一枝接着一枝,枝枝对准了公孙止双眉之间。这一来公孙止不由得手忙脚乱,忙放下二女,抽剑格挡。

黄蓉和李莫愁发足奔上，待要去救二女，只见一团灰影着地滚去，抱住了郭芙向路旁一滚，待要翻身站起，公孙止左手金刀尚未拔出，空掌向他头顶击落。

那人横卧地下，翻掌上挡，双掌相交，砰的一声，只激得地下灰尘纷飞。公孙止叫道："好啊！"第二掌加劲击落。眼见那人难以抵挡，黄蓉打狗棒挥出，使个"封"字诀，已接过了这掌。公孙止见敌人合围，料知今日已讨不了好去，哈哈一笑，倒退三步，转身扬长而去。这一下身法潇洒，神态英武，黄蓉等倒也不敢追赶。

抱着郭芙那人站起身来，松臂放开。黄蓉见他腰挂长弓，身高膀阔，正是适才使剑的青年，那十一枝连珠箭自然是他所发了。郭芙为公孙止所制，但未受伤，说道："耶律大哥，多谢你救我。"说着脸上一红，状甚娇羞。

这时武修文和另一少女也已追到，只武敦儒留在父亲身边照料。按理武修文该为各人引见，但他满腔怒火，狠狠的瞪着李莫愁，浑忘了身旁一切，黄蓉连叫他两声，竟没听见。李莫愁却已站得远远的，负手观赏风景，并不理睬众人。

郭芙指着适才救她的青年，对黄蓉道："妈，这位是耶律齐耶律大哥。"指着那高身材的少女道："这位是耶律燕耶律姊姊。"黄蓉赞道："两位好俊的功夫！"耶律兄妹齐称："郭夫人夸奖！"上前行礼。

黄蓉道："瞧两位武功是全真一派，但不知是全真七子中哪一位门下？"她见耶律齐武功了得，后一辈弟子中除杨过之外罕有其匹，料想不会是全真门下的第四代弟子。耶律燕道："我的功夫是哥哥教的。"黄蓉点了点头，眼望耶律齐。耶律齐颇感为难，说道："长辈垂询，原该据实禀告。只是我师父嘱咐晚辈，不可说他老人家的名讳，请郭夫人见谅。"

黄蓉一怔，心想："全真七子哪里来这个怪规矩了？这青年人武功人才两臻佳妙，为什么说不得？"心念一动，突然哈哈大笑，弯腰捧腹，显是想到了什么滑稽之极的趣事。郭芙奇道："妈，什么事好笑?"她听母亲正自一本正经的询问耶律齐的师承门派,蓦地里如此发笑,颇为无礼,只怕耶律齐定要着恼,心中微感尴尬,又道:"妈,耶律大哥不便说,也就是了,有什么好笑?"黄蓉笑着不答。耶律齐也哈哈一笑,笑道:"原来郭夫人猜到了。"郭芙甚感迷惘,转头看耶律燕时,见她也大惑不解,不知两人笑些什么。

这时武修文左足跪地,在给完颜萍包扎伤处。她刚才给公孙止挟制了奔跑时扭脱了右足小腿关节。黄蓉问道:"文儿,你爹爹的伤势怎样?"武修文道:"爹爹中了那公孙老儿一剑,伤在左腿,幸亏没伤到筋骨。"黄蓉点点头,过去抚摸汗血宝马的长鬃,轻轻说道:"马儿啊马儿,我郭家满门真难报答你的恩情。"眼见武修文始终不和郭芙说话,神色间颇有异状,但照料完颜萍却甚殷勤,也不知是故意做给女儿看呢,还是当真对这姑娘生了情意,一时也理会不了,说道:"咱们瞧你爹爹去。"

武三通本来坐着,见黄蓉走近,叫道:"郭夫人!"站起身来,终因腿上有伤,身子微微一晃。武敦儒和耶律燕同时伸手去扶,两人手指互碰,相视一笑。

黄蓉心中暗笑:"好啊,又是一对!没几日之前,两兄弟为了芙儿拼命,兄弟之情也不顾了,这时另行见到了美貌姑娘,一转眼便把从前之事忘得干干净净。"突然间想到郭靖,心下不禁自傲,靖哥哥对自己一片真心,当真富贵不夺,艰险不负,眼前的少年人有谁能比得上?跟着又想到了杨过,觉得他和小龙女的情爱身分不称,伦常有乖,然而这份生死不渝的坚贞,却也令人可敬可佩,两个徒儿万万不如。

武氏兄弟和郭芙同在桃花岛上自幼一齐长大,一来岛上并无别个妙龄女子,二来日久自然情生,若要两兄弟不对郭芙钟情,反不合情理了。后来忽然得知郭芙对自己原来绝无情意,自是心灰意懒,只道此生做人再无半点乐趣,哪知不久遇到了耶律燕和完颜萍,竟尔分别和两兄弟颇为投缘。这时二武与郭芙重会,心中暗地称量,只觉新识的姑娘非但并无不及郭芙之处,反而颇有胜过。一个心道:"耶律姑娘豪爽和气,哪像你这般捏捏扭扭,尽是小心眼儿?"另一个心道:"完颜姑娘楚楚可怜,多温柔斯文,怎似你每日里便叫人呕气受罪?"他兄弟俩本已立誓终生不再与郭芙相见,但这时狭路相逢,难以回避,均想:"今日并非我有意前来找你,可算不得破誓。"

郭芙心中,却尽在回想适才自己为公孙止所擒、耶律齐抱住她相救之事,几次偷眼瞧他,见这人长身玉立,英秀挺拔,不禁暗自奇怪:"去年和他初会,事过后也便忘了,哪知这人的武功竟如此了得。妈妈和他相对大笑,却又不知笑些什么?"

黄蓉看了武三通腿上的剑伤,幸喜并无大碍。当下各人互道别来之情。

那日武三通、朱子柳随师叔天竺僧赴绝情谷寻求解药,刚出襄阳城,武三通便见到两个儿子。他吃了一惊,只怕两人又要决斗,忙叫朱子柳陪师叔先去,抢上去揪住二武兄弟厉声喝问,原来他兄弟俩为了曾对杨过立誓不再见郭芙之面,不愿再在襄阳多耽。武三通大慰,连赞:"好孩儿,有志气!"又道:"杨兄弟舍命救我父子,他眼下有难,如何能不设法报答?咱父子三人一起去绝情谷。"

但绝情谷便如世外桃源一般,虽曾听杨过说过大致的所在方位,却着实不易找到入口。三人盘旋来去,走了不少岔路,好容易寻到了谷口,天竺僧和朱子柳却已双双失陷,遭裘千尺派遣弟子以渔网阵擒住。武三通父子几次救援不成,反而险些也陷在谷内,只得退出,想回襄阳求救,途中偏又和公孙止遇上,说他三人擅闯禁地,动起手来。武三通不敌,腿上中了一剑。公孙止倒也不欲伤三人性命,只催迫他们快走,永远不许再来。

便在此时,耶律兄妹和完颜萍三人在大路上并骑驰来。这三人曾和武氏兄弟联手拒敌,当即下马叙旧。公孙止在旁冷眼瞧着,他既和小龙女成不了亲,又给妻子逐出,正在百无聊赖之际,见到完颜萍年轻美貌,又起歹心,突然出手将她掳走。耶律兄妹、武氏父子群起而攻。武三通若非先受了伤,六人联手,原可和公孙止一斗,但他腿伤后转动不便,真正武功精强的只剩耶律齐一人,自是抵挡不住。恰好汗血宝马自终南山独自驰回襄阳,武修文截住宝马,让完颜萍骑了逃走,心想公孙止失了鹄的,终当自去,想不到黄蓉和李莫愁竟会于此时赶到。

黄蓉听后,将杨过断臂、夺去幼女等情也简略说了。武三通大惊,忙解释当日情由,说道:"杨兄弟一片肝胆热肠,全是为了相救我那两个畜生,免得他兄弟自相残杀,沦于万劫不复之地,想不到竟生出这些事来。"想到杨过不幸断肢,全是受了自己两子牵累,越想越气,指着两兄弟破口大骂起来。

武氏兄弟在一旁和耶律兄妹、完颜萍三人说得甚是起劲,过不多时,郭芙也过来参与谈论。六人年纪相若,适才又共同经历了一场恶战,说起公孙止穷凶极恶,终于落荒而逃,无不兴高采烈。突然之间,猛听得武三通连珠弹般骂了起来:"武敦儒、武修文你这两只小畜生,杨过兄弟待你们何等大仁大义,你这两只畜生却累得他断了手臂,你们自己想想,咱们姓武的怎对得他住?"他面红耳赤的越骂越凶,若不是腿上有伤,便要扑过去挥拳殴击。

二武莫名其妙,不知父亲何以忽然发怒,各自偷眼去瞧耶律燕和完颜萍,均觉在美人之前,给父亲这么畜生长、畜生短的痛骂,委实大失面子,倘若他再抖出兄弟俩争夺郭芙的旧事,那更狼狈之至了。两兄弟你望我,我望你,不知如何是好。

黄蓉见局面尴尬,劝道:"武兄也不必太过着恼,杨过断臂,全因小妹少了家教,把女孩儿纵坏了。当时我们郭爷也气恼之极,要将小女的手臂砍一条下来。"武三通大声道:"对啊,不错。当真应该砍的! 一臂还一臂!"郭芙向他白了一眼,心想:"要你说什么'当真应该砍的'?"若不是母亲在前,她立时便要出言挺撞。

黄蓉道:"武兄,现下一切说明白啦,当真错怪了杨过这孩子。眼前有两件大事,第一,咱们须得找到杨过,好好的向他赔个不是。"武三通连称:"应得,应得。"黄蓉又道:"第二件大事,便是上绝情谷去相救令师叔和朱大哥,同时为杨过求取解药。但不知朱大哥如何被困,刻下是否有性命之忧?"

武三通道:"我师叔和师弟是给渔网阵困住的,因在石室之中,那老乞婆倒似还不想便即加害。"黄蓉点头道:"嗯,既是如此,咱们须得先找到杨过,跟他同去绝情谷救人。一获解药,好让他立刻服下。"武三通道:"不错,却不知杨过现下是在何处?"黄蓉指着汗血宝马道:"此马刚由杨过借了骑过,只须让这马原路而回,当可找到他的所在。"武三通大喜,说道:"今日若非足智多谋的郭夫人在此,老武枉自暴跳如雷,一筹莫展。"郭芙道:"可不是吗? 当真如此! 暴跳如雷,犹似老天爷放那个气!"

黄蓉微微一笑,她一句不提去寻回幼女,却说得武三通甘心跟随,又想:"武氏父子既去,那三个年轻人多半也会随去,凭空多了几个强助,岂不甚妙?"向耶律齐道:"耶律小哥若无要事,便和我们同去,相助一臂如何?"

耶律齐尚未回答,耶律燕拍手叫道:"好,好! 哥哥,咱们一起去罢!"耶律齐忍不住向郭芙望了一眼,见她眼光中大有鼓励之意,躬身道:"听凭武前辈和郭夫人吩咐。晚辈们能多获两位教益,正求之不得。"完颜萍也脸有喜色,缓缓点头。

黄蓉道:"嗯,咱们人虽不多,也得有个发号施令之人。武兄,大伙儿一齐听你号令,谁都不可有违。"武三通连连摇手,说道:"有你这个神机妙算、亚赛诸葛的女军师在此,谁还敢发号施令?自然是穆桂英挂帅。"黄蓉笑道:"当真?"武三通道:"那还有假?"黄蓉笑道:"小辈们也还罢了,就怕你不听我号令。"武三通大声道:"你说什么,我便干什么。赴汤蹈火,在所不辞。"黄蓉道:"在这许多小辈之前,你可不能说过了话不算!"武三通胀红了脸,道:"便无人在旁,我也岂能言而无信?"

黄蓉道:"好! 这一次咱们找杨过,求解药,救你的师叔、师弟,须得和衷共济。旧日恩怨,暂且搁过一边。武兄,你们父子可不能找李莫愁算帐,待得大事一了,再拼你死我活不迟。"武三通一怔，他可没想到黄蓉先前言语相套，竟有如此用意。李莫愁和他有杀妻大恨，这一口怒气却如何忍得下？正沉吟未答，黄蓉低声道："武兄，你眼前腿上有伤，君子报仇，十年未晚，又岂急在一时？"武三通道："好，你说什么，我就干什么。"

黄蓉纵声招呼李莫愁："李姊姊，咱们走罢！"她让汗血宝马领路，众人在后跟随。红马本欲回归襄阳，这时遇上了主人，黄蓉牵着它面向来路，便向终南山而去。

武三通和完颜萍身上有伤，不能疾驰，一行人每日只行一百余里，也就歇了。李莫愁暗中戒备，歇宿时远离众人，白天赶路时也遥遥在后。

一路上朝行晚宿，六个青年男女闲谈说笑，越来越融洽。武氏兄弟自来为在郭芙面前争宠，手足亲情不免有所隔阂，这时各人情有别钟，两兄弟便十分的相亲相爱起来。武三通瞧在眼里，老怀弥慰，但每次均即想起："那日两兄弟就算不中李莫愁的毒针，他二人自相残杀，必有一亡，而活着的那一个，我也决不能当他是儿子了。现下这两只畜生居然好端端地有说有笑，杨兄弟却断了一条手臂。唉，真不知从何说起？该当斩下两只小畜生一人一条臂膀，接在杨兄弟身上才是道理。"至于杨过不免由此变成三只手，他却没想到。

不一日来到终南山。黄蓉、武三通率领众人要去重阳宫拜会全真五子。李莫愁远远站定，说道："我在这里相候便了。"黄蓉知她与全真教有仇，也不相强，径往重阳宫去。刘处玄、丘处机等得报，忙迎出宫来，相偕入殿，分宾主坐下，刚寒暄得几句，忽听得后殿一人大声吆喝。黄蓉大喜，叫道："老顽童，你瞧是谁来了？"

这些日来，周伯通尽在钻研指挥玉蜂的法门。他生性聪明，锲而不舍，居然已有小成，这天正玩得高兴，忽听得有人呼叫，却是黄蓉的声音。周伯通喜道："啊哈，原来是我把弟的刁钻古怪婆娘到了！"大呼小叫，从后殿抢将出来。

耶律齐上前磕头，说道："师父，弟子磕头，您老人家万福金安。"周伯通笑道："免礼平身！你小娃儿也万福金安！"武三通等听了，都感奇怪，想不到耶律齐竟是周伯通的弟子。这老顽童疯疯颠颠，教出的徒弟却精明练达，少年老成，与他全然不同。丘处机等见师叔门下有了传人，均甚高兴，纷纷向周伯通道贺，与耶律齐相叙。郭芙这时方始醒悟，那日母亲和耶律齐相对而笑，便因猜到他师父是老顽童之故。

　　原来耶律齐于十二年前与周伯通相遇，其时他年岁尚幼，与周伯通玩得投机，老顽童便收他为徒。所传武功虽然不多，但耶律齐聪颖强毅，练功甚勤，竟成为小一辈中的杰出人物。周伯通见他武功日进，举止越来越规矩，浑不似初相识时的小顽童模样，他又学不会左右互搏功夫，大觉没瘾，不许他自称是老顽童的嫡传弟子。但事到如今，想赖也赖不掉了。

　　耶律齐之父耶律楚材是契丹皇族，为报女真金国灭辽之仇，在成吉思汗、窝阔台二汗手下位居宰相，因忠正立朝，忤了皇后意旨，遭到罢斥，其子耶律铸为朝廷所杀。耶律齐保护母亲、妹子，逃到南朝，做了个南下难民，与大宋寻常百姓无异。

　　正热闹间，突然山下吹起唢呐，教中弟子传讯，有敌人大举来袭。当日全真教既拒蒙古大汗的敕封，复又杀伤多人，丘处机等便知这事决不能就此善罢，蒙古兵迟早会杀上山来，全真教终不能与蒙古大军对垒相抗，早已安排了弃宫西退的方策。这时全真教的代掌教由长春门下第三代弟子宋道安充任，遇上这等大事，自仍由全真五子发号施令。丘处机向黄蓉道："郭夫人，蒙古兵攻山！时机当真不巧，不能让贫道一尽地主之谊了。"

　　山下喊杀之声大作，金鼓齐鸣。黄蓉等自南坡上山，蒙古兵却自北坡上山，前后相差不到半个时辰。

　　周伯通道："是敌人来了？当真妙不可言，来来来，咱们下去杀他个落花流水。"抓住了耶律齐的手腕，说道："你显点师父教的功夫，给几位老师兄们瞧瞧。我看也不差于全真七子，你加上去算全真八子好了。"至于徒儿并非道士,他早忘了。大凡小孩有了心爱玩物,定要到处炫耀,博人称赏,方始欢喜。他初时叫耶律齐不可泄露师承,是嫌他全无顽皮之性,半点不似老顽童如此名师的高徒。但今日师徒相见,高兴之下,早将从前自己嘱咐的话忘得干干净净。

丘处机道:"师叔,我教数十年经营、先师的毕生心血,不能毁于一旦,咱们今日全身而退,方为上策。"也不等周伯通有何高见,便即传令:"各人携带物事,按派定路程下山。"众弟子齐声答应,负了早就打好的包裹,东一队、西一队的奔下山去。前几日中,全真五子和宋道安早已分派妥当,何人冲前、何人断后、何处会合、如何联络,曾试演多次,因此事到临头,毫不混乱。

黄蓉道:"丘道长,贵教安排有序,足见大才,眼前小小难关,不足为患。行见日后卷土重来,自必更为昌盛。此番我们有事来找杨过,就此拜别。"丘处机一怔,道:"杨过?却不知他是否仍在此山之中?"黄蓉微微一笑,道:"有个同伴知晓他的所在。"

说到此时,山下喊杀之声更加响了。黄蓉心想:"全真教早有布置,自能脱身。我上山来是找杨过、接女儿,别混在大军之中,误了要事。"当下和丘处机等别过,招呼一同上山的诸人,奔到重阳宫后隐僻之处,对李莫愁道:"李姊姊,就烦指引入墓之法。"李莫愁问道:"你怎知他定在古墓之中?"黄蓉微微一笑,道:"杨过便不在古墓,玉女心经一定在的。"李莫愁一凛,暗道:"这位郭夫人当真厉害,怎竟知悉我的心事?"

李莫愁随着众人自襄阳直至终南,除黄蓉外,余人对她都毫不理睬,沿途甚是没趣,自不必说,武氏父子更虎视眈眈的俟机欲置之死地。黄蓉心想:"她对襄儿纵然喜爱,也决不肯干冒如此奇险,必定另有重大图谋。"一加琢磨,想起杨过与小龙女曾以《玉女心经》的剑术击败金轮国师,而李莫愁显然不会这门武功,否则当日与自己动手,岂有不使之理?她自是既想取《玉女心经》,又怕别人先入古墓取了经去。两下里一凑合，便猜中了她的心意。

　　李莫愁心想你既然知道了，不如索性说个明白，便道："我助你去夺回女儿，你须助我夺回本门武经。你是丐帮前任帮主、扬名天下的女侠，可不能说了话不算。"黄蓉道："杨过是我们郭爷的故人之子，和我小有误会，见面即便冰释。小女倘若真在他处，他自会还我，说不上什么夺不夺。"李莫愁道："既然如此，咱们各行其是，便此别过。"说着转身欲行。

　　黄蓉向武修文使个眼色。武修文长剑出鞘，喝道："李莫愁，今日你还想活着下终南山么？"李莫愁心想：单黄蓉一人自己已非其敌，再加上武氏父子、耶律兄妹等人，哪里还有生路？她本来颇有智计，但一遇上黄蓉，竟缚手缚脚，一切狡狯伎俩全无可施，淡淡的道："郭夫人精通奇门之变，杨过既然在此山上，郭夫人还愁找不到么？何必要我引路？"

　　黄蓉知她以此要挟，说道："要找寻古墓的入口，小妹却无此本事。但想杨过和龙姑娘虽在墓中隐居，终须出来买米打柴。我们八个人分散了慢慢等候，总有撞到他的日子。"意思说你若不肯指引，我们便立时将你杀了，只不过迟几日见到杨过，也没什么大不了。

　　李莫愁一想不错，对方确是有恃无恐。在这平地之上，自己寡不敌众，但若将众人引入地下墓室，那时凭着地势熟悉，便能设法逐一暗害，说道："今日你们恃众凌寡，我别无话说，反正我也是要去找杨过，你们跟我来罢！"穿荆拨草，从树丛中钻了进去。

　　黄蓉等紧跟在后，怕她突然逃走。见她在山石丛中穿来插去，许多处所明明无路可通，但东一转，西一弯，居然别有洞天。这些地势全是天然生成，并非人力布置，因此黄蓉虽通晓五行奇门之术，却也不能依理推寻，心想："有言道是'巧夺天工'，其实天工之巧，岂是人所能夺？"

　　行了一顿饭时分，来到一条小溪之旁，这时蒙古兵呐喊之声仍隐隐可闻，但因深处林中，听来似乎极为遥远。

李莫愁数年来处心积虑要夺《玉女心经》，上次自地底溪流逃出古墓，因不谙水性，险些丧命，此后便在江河中熟习水性，此次乃有备而来。她站在溪旁，说道："古墓正门已闭，若要开启，须费数千人穷年累月之功。后门是从这溪中潜入，哪几位和我同去？"

　　郭芙和武氏兄弟自幼在桃花岛长大，每逢夏季，日日都在大海巨浪之中游泳，精通水性，三人齐道："我去！"武三通也会游水，虽然不精，但也没将这条小溪放在心上，说道："我也去。"

　　黄蓉心想李莫愁心狠手辣，若在古墓中忽施毒手，武三通等无一能敌，本该自己在侧监视，但产后满月不久，在寒水中潜泳只怕大伤中元，正自踌躇，耶律齐道："郭伯母你在这儿留守，小侄随武伯父一同前往。"

　　黄蓉大喜，此人精明干练，武功又强，有他同去，便可放心，问道："你识水性么？"耶律齐道："游水是不大行，潜水勉强可以对付。"黄蓉心中一动，道："是在冰底练的么？"耶律齐道："是。"黄蓉又问："在哪里练的？"耶律齐道："晚辈幼时随家父在斡难河畔住过几年。"蒙古苦寒，那斡难河一年中大半日子都雪掩冰封。蒙古武士中体质特强之人常在冰底潜水，互相赌赛，以迟出冰面为胜。

　　黄蓉见李莫愁等结束定当，便要下溪，无暇多问，只低声道："人心难测，多加小心。"她对女儿反不嘱咐，这姑娘性格莽撞，叮咛也是无用，只有她自己多碰几次壁，才会得到教训。

　　耶律、完颜二女不识水性，与黄蓉留在岸上。李莫愁当先引路，找到当日上岸处，自溪水的一个洞穴中潜了下去。耶律齐紧紧跟随。郭芙与武氏父子又在其后。

　　耶律齐等五人跟着李莫愁在溪底暗流中潜行。地底通道时宽时窄，水流也忽急忽缓，有时水深没顶，有时只及腰际，潜行良久，终于到了古墓入口。李莫愁钻了进去。五人鱼贯而入，均想："若非得她引路，焉能想到这溪底居然别有天地？"这时身周虽已无水，却仍黑漆一团，五人手拉着手，唯恐失散，跟着李莫愁曲曲折折的前行。

又行多时，但觉地势渐高，脚下已甚干燥，忽听得轧轧声响，李莫愁推开了一扇石门，五人跟着进去。只听得李莫愁道："此处已到古墓中心，咱们少憩片刻，这便找杨过去。"自入古墓，武三通和耶律齐即半步不离李莫愁身后，防她使奸行诈，然伸手不见五指，只有以耳代目，凝神倾听。郭芙和武氏兄弟向来都自负大胆，此刻深入地底，双目又如盲了一般，都不自禁的怦怦心跳。

黑暗之中，寂然无声。李莫愁忽道："我双手各有一把冰魄银针，你们三个姓武的，怎不过来尝尝滋味？"

武三通等吃了一惊，明知她不怀好意，但也没料到竟会立即发难。武氏父子都吃过她毒针的苦头，实不敢丝毫轻忽，各自高举兵刃，倾听银针破空之声，以便辨明方向来势，挡格闪避，但各人聚集一起，纵然用兵刃将毒针砸开，仍不免伤及自己人。耶律齐心想若容她乱发暗器，己方五人必有伤亡，只有冒险上前近身搏击，叫她毒针发射不出，才有生路。郭芙心中也是这个主意，两人不约而同的向李莫愁发声处扑去。

李莫愁三句话一说完，当众人愕然之际，早已悄没声的退到了门边。耶律齐和郭芙纵身扑上，使的都是近身搏斗的小擒拿法，勾腕拿肘，要叫李莫愁无法发射暗器。两人四手一交，郭芙首先发觉不对，"咦"的一声叫了出来。耶律齐双手一翻一带，已抓住了两只手腕，但觉肌肤滑腻，鼻中跟着又闻到一阵香气，直到听得郭芙呼声，方始惊觉。

轧轧声响，石门正在推上。耶律齐和武三通叫道："不好！"抢到门边，风声飕飕，两枚银针射了过来，两人侧身避过，伸手再去推石门时，那门已然关上，推上去如撼山丘，纹丝不动。

耶律齐伸手在石门上下左右摸了一转，既无铁环，亦无拉手。他沿墙而行，在室中绕了一圈，察觉这石室约莫两丈见方，四周墙壁尽是粗糙坚厚的石块。他拔出长剑，用剑柄在石门上敲了几下，但听得响声郁闷，显得极为重实。这石门乃开向室内，内拉方能开启，苦于光秃秃的无处可资着手。郭芙急道："怎么办？咱们不是要活活的闷死在这儿么?"耶律齐听她说话声音几乎要哭了出来,安慰道:"别耽心。郭夫人在外接应,定有相救之策。"四下摸索,寻找出路。

李莫愁将武三通等关入石室,心中极喜,暗想:"这几个家伙出不来啦。师妹和杨过只道我不识水性,说什么也料不到我会从秘道进来偷袭。只不知他二人是否真的在内?"心知只有不发出半点声息,才有成功之望,否则当真动手,他二人已练成《玉女心经》,只怕此时已敌不过二人中任何一个。她除去鞋子,只穿布袜,双手都扣了冰魄银针,慢慢的一步步前行。

连日来小龙女坐在寒玉床上,依着杨过所授的逆冲经脉之法,逐一打通周身三十六处大穴。这时两人正以内息冲激小龙女任脉的"膻中"穴。此穴正当胸口,在"玉堂"穴之下一寸六分,古医经中名之曰"气海",为人身诸气所属之处,最是要紧不过。两人全神贯注,不敢有丝毫怠忽。小龙女但觉颈下"紫宫"、"华盖"、"玉堂"三穴中热气充溢,不住要向下流动,同时寒玉床上的寒气也渐渐凝聚在脐上"鸠尾"、"中庭"穴中,要将颈口的一股热气拉将下来。但热气冲到"膻中穴"处便给撞回,没法通过。她心知只要这股热气一过膻中,任脉畅通,身受的重伤十成中便好了八成,只火候未到,半点勉强不得。她性子向来不急,古墓中日月正长,今日不通,留待明日又有何妨? 因此内息绵绵密密,若断若续,殊无半点躁意,正合了内家高手的运气法要。

杨过却甚性急,只盼小龙女早日痊可,便放却了一番心事,但也知这内息运功之事欲速则不达,何况逆行经脉,比之顺行又加倍艰危。但觉小龙女腕上脉搏时强时弱,虽不匀净,却无凶兆,当下缓缓运气,加强冲力。

便在这寂无声息之中,忽听得远处"嗒"的一响。这声音极轻极微,若不是杨过凝气运息,心神到了至静境地,决计不会听到。过了半晌,又有"嗒"的一声,却已近了三尺。杨过心知有异,但怕小龙女分了心神,当这紧急关头,若内息走入岔道,轻则伤势难愈,重则立时毙命,岂能稍有差池?因此虽然惊疑,只有故作不知。

过不多时,又听得轻轻"嗒"的一响,声音更近了三尺。他这时已知有人潜入古墓,那人不敢急冲而来,只缓缓移近。过了一会,轧轧两声轻响,停一停,又轧轧两响,敌人正在极慢极慢的推开石门。如小龙女能于敌人迫到之前冲过"膻中穴",自是上上大吉,否则可凶险万分,此时已骑虎难下,便欲停息不冲,也已不能。

只听得"嗒"的一声轻响,那人又跨近了一步。杨过心神难持,不知如何是好,突觉掌心震荡,一股热气逼了回来,原来小龙女也已惊觉。杨过忙提内息,将小龙女掌上传来的内力推了转去,低声道:"魔由心生,不闻不见,方是真谛。"练功之人到了一定境界,常会生出幻觉,或耳闻雷鸣,或剧痛奇痒,只有一概当其虚幻,毫不理睬,方不致走火入魔。这时杨过听脚步声清晰异常,自知不是虚相,但小龙女正当生死系于一线的要紧关头,只有骗她来袭之敌是心中所生的魔头,任他如何凶恶可怖,始终置之不理,心魔自消。小龙女听了这几句话,果然立时宁定。

其时古墓外红日当头,墓中却黑沉沉的便如深夜。杨过耳听脚步声每响一次,便移近数尺,心想世上除自己夫妻之外,只李莫愁和洪凌波方知从溪底潜入的秘径,那么来者必是她师徒之一。凭着杨过这时的武功,本来全不畏惧,只早不来,迟不来,偏偏于这时进袭,不由得彷徨焦虑,苦无抵御之计。敌人来得越慢,他心中煎熬越甚,凶险步步逼近,自己却只有束手待毙。他额上渐渐渗出汗珠,心想:"那日郭芙斩我一臂,剑落臂断,倏然了结,虽然痛苦,可比这慢慢的煎熬爽快得多。"

又过一会,小龙女也已听得明明白白,知道决非心中所生幻境,实是大难临头,想要加强内息,赶着冲过"膻中穴",但心神稍乱,内息便即忽顺忽逆,险些在胸口乱窜起来。就在此时,只听脚步之声细碎,倏忽间到了门口,飕飕数声,四枚冰魄银针射了过来。

这时杨过和小龙女便和全然不会武功的常人无异,好在两人早有防备,一见毒针射到,同时向后仰卧,手掌却不分离,四枚毒针均从脸边掠过。李莫愁没想到他们正自运功疗伤,生怕二人反击,因此毒针一发,立即后跃,若不是她心存惧怕,则四针发出后跟着又发四针,他二人决难躲过。

李莫愁隐隐约约只见二人并肩坐在寒玉床上。她一击不中,已自惴惴,见二人并不起身还手,更不明对方用意,当即斜步退至门边,手执拂尘,冷冷的道:"两位别来无恙!"

杨过道:"你要什么?"李莫愁道:"我要什么,难道你不知么?"杨过道:"你要玉女心经,是不是?好,我们在墓中隐居,与世无争,你就拿去罢。"李莫愁将信将疑,道:"拿来!"这玉女心经刻在另一间石室顶上,杨过心想:"且告知她真相,心经奥妙,让她去慢慢参悟琢磨就是。我们只消有得几个时辰,姑姑的'膻中穴'一通,那时杀她何难?"但此时小龙女内息又正狂窜乱走,杨过全神扶持,无暇开口说话。

李莫愁睁大眼睛,凝神打量两人,蒙蒙眬眬见到小龙女似乎伸出一掌,和杨过的手掌相抵,心念一动,登时省悟:"啊,杨过断臂重伤,这小贱人正以内力助他治疗。此刻行功正到了要紧关头,今日不伤他二人性命,此后怎能更有如此良机?"她这猜想虽只对了一半,但忌惮之心立时尽去,纵身而上,举起拂尘便往小龙女顶门击落。

小龙女只感劲风袭顶,秀发已飘飘扬起,唯有闭目待死。便在此时,杨过张口一吹,一股气息向李莫愁脸上喷去。他这时全身内力都用以助小龙女打通脉穴,这口气中全无劲力,眼见小龙女危急万分,唯一能用以扰敌的也不过吹一口气罢了。

李莫愁素知杨过诡计多端,但觉一股热气扑面吹到,心中一惊,向后跃开半丈。她自因智力不及而惨败在黄蓉手下之后,处处谨慎小心,未暇伤敌,先护自身,跃开后觉脸上也无异状,喝道:"你作死么?"

杨过笑道:"那日我借给你的一件袍子,今日可带了来还我么?"李莫愁想起当日与铁匠冯默风激斗,全身衣衫都给火红的大铁锤烧烂,若非杨过掷袍遮身,那一番出丑可就狼狈之极了。按理说,单凭这赠袍之德,今日便不能伤他二人性命,但转念一想,此刻心肠稍软,他日后患无穷,欺身直上,左掌又拍了过去。

危难之中,杨过情急智生,想起先几日和小龙女说笑,曾说我若双臂齐断,你只好抓住我的脚底板了,耳听得掌风飒然,李莫愁的赤练神掌又已击到,不遑细想,猛地里头下脚上的倒竖过来,同时双脚向上一撑,挥脱鞋子,喝道:"龙儿,抓住我脚!"左掌斜挥,啪的一声,和李莫愁手掌相交。他身上一股极强的内力本来传向小龙女身上,突然内缩,登时生出黏力,将李莫愁的手掌吸住。便在同时,小龙女也已抓住了他右脚。

李莫愁忽见杨过姿式古怪,不禁一惊,随即想起那日他抵挡自己的"三无三不手"便曾这般怪模怪样,也没什么了不起,催动掌力,要将杨过毙于当场。当年她以赤练神掌杀得陆家庄上鸡犬不留之时,掌力已极凌厉,经过这些年的修为,更加威猛悍恶。杨过但觉一股热气自掌心直逼过来,竟不抗拒,反而加上自己掌力,一齐传到了小龙女身上。

这么一来,变成李莫愁和杨过合力,协助小龙女通关冲穴。李莫愁所习招数虽不如杨龙二人奥妙,但说到功力修为,自比他二人深厚得多。小龙女蓦地里得了一个强助,只觉一股大力冲过来,"膻中穴"豁然而通,胸口热气直至丹田,精神大振,欢然叫道:"好啦,多谢师姊!"松手放脱杨过右脚,跃下寒玉床来。

李莫愁一愕,她只道小龙女助杨过疗伤,因此催动掌力,想乘机震伤杨过心脉,岂知无意中反而助了敌人。杨过大喜,翻转身子,赤足站在当地,笑道:"若非你赶来相助,你师妹这膻中穴可不易打通呢。"李莫愁踌躇未答,小龙女突然"啊"的一声,捧住心口,摔倒在寒玉床上。杨过惊问:"怎么?"小龙女喘道:"她,她,她手掌有毒。"这时杨过头脑中也大感晕眩,已知李莫愁运使赤练神掌时剧毒逼入掌心,适才与她手掌相交,不但剧毒传入自己体内,更传到了小龙女身上。

杨过提起玄铁重剑，喝道："快取解药来！"举剑当头砍下。李莫愁举拂尘挡架，铮的一声，精钢所铸的拂尘柄断为两截，虎口也震得鲜血长流。她这柄拂尘以柔力为主，不知会过天下多少英雄豪杰，但给人兵刃震断，却从所未有，只吓得她心惊胆战，急忙跃出石室。杨过提剑追去，左臂前送，眼见这一剑李莫愁万难招架得住，不料体内毒性发作，眼前金星乱冒，手臂酸软无力，当的一声，玄铁剑掉落在地。

李莫愁不敢停步，向前窜出丈余，这才回过头来，见杨过摇摇晃晃，伸手扶住墙壁，心想："这小子武功古怪之极，我稍待片刻，让他毒发跌倒，才可走近。"

杨过咽喉干痛，头胀欲裂，劲贯左臂，只待李莫愁近前，发掌将她击毙，哪知她站得远远的竟不过来。杨过"啊"一声，仆跌在地，手掌已按住玄铁剑的剑柄。李莫愁这时已成惊弓之鸟，不敢贪功冒进，算定已立于不败之地，站着静观其变。

杨过心想多挨一刻时光，自己和小龙女身上的毒便深一层，拖延下去，只于敌人有利，深深吸一口气，内息流转，晕眩少止，握住玄铁剑剑柄，站了起来，反身伸臂抱住小龙女腰间，喝道："让路！"大踏步向外走出。李莫愁见他气势凛然，不敢阻拦。

杨过只盼走入一间石室，关上室门让李莫愁不能进来，小龙女任督两脉已通，只须半个时辰，两人便可将体内毒液逼出。此事比之打通经脉易过百倍。杨过幼时中了李莫愁银针之毒，一得欧阳锋传授，即时将毒液驱出，眼前两人如此功力，自毫不为难。

李莫愁自也知他心意，哪容他二人驱毒之后再来动手？她不敢逼近袭击，不即不离的跟随在后，和杨过始终相距五尺。杨过站定了等她过来，她也即站定不动。

杨过但觉一颗心越跳越厉害，似乎要从口中窜将出来，委实无法支持，跌跌冲冲的奔进一间石室，将小龙女在一张石桌上一放，伸手扶住桌面，大声喘气，明知李莫愁跟在身后，也顾不得了。稍过片刻,才知竟是来到停放石棺之处,自己手上所扶、小龙女置身的所在,乃是一具石棺。

李莫愁从师学艺之时,在古墓中也住过不少时候,暗中视物的本事虽不及杨龙二人,却也瞧清楚石室中并列五具石棺,其中一具石棺棺底便是地下秘道的门户,她适才正是由此进来,心想:"你们想从这里逃出去吗?这次可没这么容易了。"

三人一坐一站,另一个斜倚着身子,一时石室中只有杨过呼呼喘气之声。

杨过身子摇晃几下,呛啷一声,玄铁剑落地,随即仆跌下去,扑在小龙女身上,跟着手中一物飞出,啪的一声轻响,飞入一具空棺之中,叫道:"李莫愁,这《玉女心经》总是不能让你到手。啊哟……"长声惨叫,便一动也不动了。

室中五具石棺并列,三具收敛着林朝英师徒和孙婆婆,另外两具却是空的,其中一具是秘道门户,棺盖推开两尺有余,可容出入,另一具的棺盖则只露出尺许空隙。李莫愁见杨过将《玉女心经》掷入这具空棺,又惊又喜,但上次拿到的是一卷寻常道书《参同契》,这次怕他又使狡计,过了片刻,见他始终不动,这才俯身去摸他脸颊,触手冰凉,显已死去,哈哈大笑,说道:"坏小厮,饶你刁恶,也有今日!"当即伸手入棺中去取经书。

但杨过这么一掷,将《心经》掷到了石棺的另一端,李莫愁拂尘已断,否则便可用帚尾卷了出来。她伸长手臂摸了两次,始终抓不到,于是缩身从这尺许的空隙钻入石棺,爬到石棺彼端,这才抓住《心经》,入手猛觉不妙,似乎是一只鞋子。

便在此时,杨过已跃到石棺彼端,左臂奋力提起玄铁剑,将剑头抵住棺盖,左臂发劲猛推,棺盖合缝,登时将李莫愁封在棺中!

李莫愁自始不知《玉女心经》其实是石室顶上的石刻,总道是一部书册。杨过假装惨呼跌倒,扑在小龙女身上,立时除下她脚上一只鞋子,掷入空棺,软物碰在石上,倒也似是一本书册。他掷出鞋子当即经脉倒转,便如僵死一般。其实他纵然中毒而死,也不会瞬息之间便全身冰冷,一个人心停脉歇,至少也得半个时辰之后全身方无热气。李莫愁大喜之下,竟至失察。此举自凶险万分,李莫愁若不理他死与不死,在他顶门补上一掌赤练神掌,杨过自不免假死立变真死,但身处绝境,只有行险以求侥幸。

杨过推上棺盖,劲贯左臂,跟着又用重剑一挑,喝一声:“起!”将另一具空棺挑了起来,砰的一声巨响,压在那棺盖之上。这一棺一盖,本身重量已在六百斤以上,加之棺盖的榫头做得极是牢固,合缝之后,李莫愁武功再高,无论如何也逃不出来了。

杨过中毒后心跳头痛,随时均能晕倒不起,大敌当前,全凭一股强劲心意支持到底,待得连挑两剑,已神困力乏,抛下玄铁剑,挣扎着走到小龙女身旁,以欧阳锋所授之法,先将自身毒质逼出大半,再伸左掌和小龙女右掌相抵,助她逆运经脉驱毒。

郭芙、耶律齐等被困于石室之中,众人从溪底潜入,身上携带的火折尽数浸湿,难以着火,黑暗中摸索了一会,哪里找得着出路?五人无法可施,只得席地枯坐。

武三通不住的咒骂李莫愁阴险恶毒。郭芙本已万分焦急愁闷,听武三通骂个不停,更是烦躁,忍不住说道:“武伯伯,那李莫愁阴险恶毒,你又不是今天才知,怎么你毫不防备?这时再来背后痛骂,又有何用?”武三通一怔,答不出话来。

武氏兄弟和郭芙重会以来,各怀心病,当和耶律兄妹、完颜萍等在一起之时,大家有说有笑,但从不曾相互交谈,这时武修文听她出言抢白父亲,忍不住道:“咱们到古墓中来,是为了救你妹子,既不幸遭难,大家一起死了便是,你又发什么小姐脾气了……”他还待要说,武敦儒叫道:“弟弟!”武修文这才住口,他说这番话时心意激动,但话一出口,自己也大为诧异。他从来对郭芙千依百顺,怎敢有半分冲撞,岂知今日居然厉声疾言的数说她起来。

郭芙一怔,待要还嘴,却又说不出什么道理,想到不免要生生闷死在这古墓之中,从此不能再见父母之面,心中一痛,黑暗中也看不清周遭物事,伏在一块什么东西上面,呜呜咽咽哭了起来。武修文听她哭泣,心中过意不去,说道:"好啦,是我说得不对,跟你赔不是啦。"郭芙哭道:"赔不是又有什么用?"哭得更加厉害,顺手拉起手边一块布来擦了擦鼻涕,猛地发觉,原来是靠在一人腿上,拉来擦鼻涕的竟是那人的袍角。郭芙一惊,忙坐直身子,她听武三通父子都说过话,那三人都不是坐在她身边,只有耶律齐始终默不作声,那么这人自然是他了。她羞得满脸通红,嗫嚅着道:"我……"

耶律齐忽道:"你听,什么声音?"四人侧耳倾听,却听不到什么。耶律齐道:"嗯,嗯,是婴儿啼哭。郭姑娘,定是你妹子。"这声音隔着石壁,细若游丝,若不是他内功修为了得、耳音特强,决计听不出来。

他站起身来走了几步,哭声登时减弱,心中一动:"婴儿哭声既能传到,这石室或有通气之处。"当下留神倾听,要分辨哭声自何处传入。他向西走几步,哭声略轻,向东退回,哭声又响了些,斜趋东北,哭声听得更加清晰。于是走到东北角上,伸剑在石墙上轻轻刺击,刺到一处,空空空的声音微有不同,似乎该处特别薄些。他还剑入鞘,双掌抵住石块向外推去,全无动静,他吸一口气,双掌力推,跟着使个"黏"字诀,掌力急收,砰的一声,那石块竟为他掌力吸出,掉在地下。

郭芙等惊喜交集,齐声欢呼,奔上去你拉我扳,又起出了三块石头。此时身子已可通过,众人鱼贯钻出,循声寻去,到了一间小小石室。郭芙黑暗中听那孩子哭得极响,当即伸手抱起。

这婴儿正是郭襄。杨过为了相助小龙女通脉,又和李莫愁对敌,错过了喂食的时刻,因此她哭得甚是厉害。郭芙竭力哄她,又拍又摇,但郭襄饿狠了,越哭越凶。郭芙不耐烦起来,将妹子往武三通手里一送,道:"武伯伯,你瞧瞧有什么不对了。"

耶律齐伸手在桌上摸索,摸到了一只烛台,跟着又摸到火刀火石,当下打火点烛。众人在沉沉黑暗之中闷了半日,眼前突现光明,胸襟大爽,齐声欢呼。

　　武三通究竟养过儿子,听郭襄如此哭法,知是为了肚饿,见桌上放有调好了的蜜水,又有一只木雕小匙,便舀了一匙蜜水喂她。蜜一入口,郭襄果然止哭。耶律齐笑道:"若不是小郭姑娘饿了大哭,只怕咱们都要死在那间石室里了。"

　　武三通恨恨的道:"这便找李莫愁去。"各人拉断桌腿椅脚,点燃了当作火把,沿着甬道前行。每到转角之处,武敦儒便用剑尖划了记号,生怕回出时迷失道路。

　　五人进了一室又是一室,高举火把,寻觅李莫愁的踪迹,见这座古墓规模庞大,通道曲折,石室无数,都惊诧不已,万想不到一条小溪之下,竟会隐藏着如此宏伟的建构。待走进小龙女的卧室,见到地下有几枚冰魄银针。郭芙以布裹手,拾起两枚,说道:"待会我便用这毒针还敬那魔头一下。"

　　杨过以内力助小龙女驱出毒质,眼见她左手五指指尖上微微渗出黑水,只须再有一顿饭时分便可毒质尽除,忽听得通道中又有脚步声响,共有五人过来。杨过暗暗吃惊,心想每当紧急关头,总有敌人来袭,李莫愁一人已难应付,何况更有五人?小龙女经脉初通,内力不固,毒质若不立即驱出,势必侵入要穴。正自彷徨,突见远处火光闪动,那五人行得更加近了。杨过伸臂抱起小龙女,跃进压在李莫愁之上的那空棺之中,伸掌推拢棺盖,只是不合榫头,以防难以揭开石盖。

　　他二人刚躲入石棺,耶律齐等便即进来。五人见室中放着五具石棺,都是一怔,隐约均觉这事太过巧合,大是恶兆。郭芙忍不住道:"哼,咱们这儿五个人,刚好有五口棺材!"杨过和小龙女在石棺中听到郭芙的声音,均感奇怪:"怎么是她?"杨过左掌仍不离小龙女手掌,要赶着驱出毒质。他听来者五人之中有郭芙在内,虽觉奇怪,却心中一宽,料想她还不致乘人之危,一声不响,全心全意的运功驱毒。

耶律齐已听到石棺中的呼吸之声,心想李莫愁躲在棺中,必有诡计,这次可不能再上她当,当即做个手势,叫各人四下里围住。郭芙见棺盖和棺身并未合拢,从缝中望进去尚可见到衣角,料定必是李莫愁躲着,哈哈一笑,心想:"即以其人之道,还治其人之身!"左掌用力将棺盖一推,两枚冰魄银针便激射进去。

这两枚银针发出,相距既近,石棺中又无空隙可以躲闪。杨龙二人齐叫:"啊哟!"一针射中了杨过右腿,另一针射中小龙女左肩。

郭芙银针发出,正大感得意,却听石棺中竟传出一男一女的惊呼声,她心怦的一跳,也"啊哟"一声叫了出来。耶律齐左腿飞出,砰嘭一响,将棺盖踢落在地。杨过和小龙女颤巍巍的站起,火把光下但见二人脸色苍白,相对凄然。

郭芙不知自己这一次所闯的大祸更甚于砍断杨过一臂,只略觉歉疚,陪话道:"杨大哥,龙姊姊,小妹不知是你两位,发针误伤。好在我妈妈有医治这毒针的灵药,当年我的两只雕儿给李莫愁银针伤了,也是妈妈给治好的。你们怎么好端端的躲在棺材之中?谁又料得到是你们呢?"

她想自己斩断了杨过一臂,杨过却弄曲了她的长剑,算来可说已经扯平,何况爹爹妈妈又为此狠狠责骂过自己,心想:"我不来怪你,也就是了。"她自幼处于顺境,旁人瞧在她父母份上,事事趋奉容让,因此她一向只想到自己,绝少为旁人打算,说到后来,倒似杨龙二人不该躲在石棺之中,以致累得她吓了一跳。她哪知小龙女身中这枚银针之时,恰当体内毒质正要顺着内息流出,突然受到如此剧烈的一刺,赤练神掌上的毒质尽数倒流,侵入周身诸处大穴,这么一来,纵有灵芝仙丹,也已无法解救。李莫愁的银针不过是外伤,但教及时医治,原本无碍,然毒质内侵,厉害处却相差不可以道里计了。

小龙女在一刹那之间,但觉胸口空荡荡的宛似无物,一颗心竟如不知到了何处,转头瞧杨过时,只见他眼光之中又伤心,又悲愤,全身发颤,便似一生中所受的忧患屈辱尽数要在这时候发泄出来。小龙女不忍见他如此凄苦,轻声道:"过儿,咱们命该如此,也怨不得旁人,你别太气苦了。"伸手先替他拔下腿上银针,然后拔下自己肩头的毒针。这冰魄银针是她本师所传,和李莫愁自创的赤练神掌毒性全然不同,本门解药她是随身携带的,取出来给杨过服了一颗,自己服了一颗。杨过恨极,呸的一声,将解药吐在地下。

郭芙怒道:"啊哟,好大的架子啊。难道我是存心来害你们的吗?我向你们赔了不是,也就是了,怎么发这般大脾气?小小一两枚针儿,又有什么了不起啦?"

武三通见杨过脸上伤心之色渐隐,怒色渐增,又见他弯腰拾起地下一柄黑黝黝的大剑,知道情势不对,忙上前劝道:"杨兄弟请别生气。我们五人给李莫愁那魔头困在石室之中,好容易逃了出来,郭姑娘一时鲁莽,失手……"

郭芙抢着道:"怎么,是我鲁莽了?你自己也以为是李莫愁,否则怎地不作声?"武三通瞧瞧杨过,瞧瞧郭芙,不知如何劝说才好。

小龙女又取出一颗解药,柔声道:"过儿,你服了这颗药。难道连我的话你也不听了?"杨过听小龙女这般温柔缠绵的劝告,张开口来,吞了下去,想起两人连日来苦苦在生死之间挣扎,到头来终成泡影,再也忍耐不住,突然跪倒,伏在石棺上放声大哭。

武三通等面面相觑,均想他向来十分硬朗,怎地今日中了小小一枚银针,便如此痛哭起来?

小龙女伸手抚摸杨过头发,说道:"过儿,你叫他们出去罢,我不喜欢他们在这里。"她从不疾言厉色,"我不喜欢他们在这里"这句话中,已含了她最大的厌憎和愤慨。

杨过站起身来,从郭芙起始,眼光逐一横扫过去,他虽怒极恨极,终究知道郭芙发射银针乃无心之过,除了怪她粗心鲁莽之外,不能说她如何不对,何况纵然一剑将她劈死,也已救不了小龙女的性命。他提剑凝立,目光如炬,突然间举起玄铁重剑,当的一声巨响,火花一闪,竟尔将他适才躲藏在内的石棺砍为两段。这一剑不单力道沉雄绝伦,其中更蕴蓄着无限伤心悲愤。

郭芙等见他这一剑竟有如斯威力,不禁都惊得呆了。眼见这石棺坚厚重实,系以花岗石凿成,一个石匠若要将之断为两截,非用大斧大凿穷半日之功不可。倘若杨过用的是开山巨斧或厚背大砍刀,犹有可说,长剑却自来以轻捷灵动为尚,即令宝剑利刃,和这般坚石硬碰也非损即折,岂知这柄剑斫石如泥,刃落棺断。

杨过见五人愕然相顾,厉声喝道:"你们来做什么?"武三通道:"杨兄弟,我们是随着郭夫人来找你的。"杨过怒道:"你们要来夺回她的女儿,是不是?为了这小小婴儿,你们便忍心害死我的爱妻。"武三通惊道:"害死你的爱妻?啊,是龙姑娘。"他见小龙女穿的是新娘服饰,登时会意,忙道:"你夫人中了毒针,郭夫人有解药,她便在外边。"杨过呸的一声,喝道:"你们这么来一扰,毒质侵入了我爱妻周身大穴。郭夫人便怎么了?她难道还能起死回生么?"武三通因杨过有救子之恩,对他极是尊敬,虽听他破口斥责,也丝毫不以为忤,只喃喃的道:"毒质侵入了周身大穴,这便如何是好?"

这一旁却恼了郭芙,听杨过言语中对她母亲颇有不敬,勃然大怒,喝道:"我妈妈什么地方对你不起了?你幼时无家可归,不是我妈收留你的么?她给你吃,给你穿,你,哼,你到头来反而忘恩负义,抢我的妹子。"这时她早知妹子虽落入杨过手中,并非他存有歹意,但既和他斗上了口,想不到什么话可以反唇相稽,便又牵扯了这件事。

杨过冷笑道:"不错,我今日正要忘恩负义。你说我抢这孩子,我便抢了永远不还,瞧你拿我怎么?"郭芙左臂一紧,牢牢抱住妹子,右手高举火把,挡在身前。武三通急道:"杨兄弟,你夫人既然中毒,快设法解毒要紧……"杨过凄然道:"武兄,没有用的。"突然间一声长啸,右袖卷起一拂,郭芙等五人猛觉一阵疾风掠过,脸上犹似刀割,热辣辣的生疼,五枝火把一齐熄灭,眼前登时漆黑一团。郭芙大叫一声"啊哟!"耶律齐生怕杨过伤害于她,纵身抢上。

只听得郭襄"啊啊"一声啼哭,已出了石室。众人蓦地一惊,哭声已在数丈之外,身法之快,宛如鬼魅。

郭芙叫道:"我妹子给他抢去啦。"武三通叫道:"杨兄弟,龙姑娘! 杨兄弟,龙姑娘!"却哪里有人答应? 各人均无火折,黑沉沉瞧不见周遭情势。耶律齐道:"快出去,别给他关在这里。"武三通怒道:"杨兄弟大仁大义,怎会做这等事?"郭芙道:"他仁义个……还是快走的好,在这里干什么?"刚说了这句话,忽听得石棺中喀喀两响,因有棺盖相隔,声音甚为郁闷。

郭芙大叫:"有鬼!"拉住了身旁耶律齐的手臂。武三通等听清楚声音确是从石棺中发出,似有僵尸要从棺中爬将出来。黑暗之中,人人毛骨悚然。

耶律齐向武三通低声道:"武叔叔,你在这里,我在那边。僵尸倘若出来,咱们四掌齐施,打他个筋折骨断。"他反手握住郭芙手腕,拉她站在自己身后,生怕鬼物暴起伤人。

只听得呼的一响,棺中有物飞出。武三通和耶律齐早已运劲蓄势,听到风声,同时拍击下去。两人手掌碰到那物,齐叫:"不好!"原来击到的竟是一条长长的石块,却是放置在棺中的石枕。两人这一击用足了全身之力,将那石枕猛击下去,撞上石棺,碎片纷飞,石枕裂为数块,同时风声飒然,有物掠过身体。武三通和耶律齐待要出掌再击,那物已飘然远去,但听得室外"嘿嘿"几下冷笑,随即寂然无声。

武三通惊道:"李莫愁!"郭芙叫道:"不,是僵尸! 李莫愁怎会在石棺之中?"耶律齐"嗯"一声,并不接口。他不信世上竟有鬼怪,但如说是李莫愁,却又不合情理,她明明和自己一起进来,杨过和小龙女却已在古墓多日,她怎会处于杨龙二人身下的棺中? 武三通道:"然则李莫愁哪里去了?"耶律齐道:"这墓中到处透着邪门,咱们还是先出去罢。"郭芙道:"我妹子怎生是好?"武三通道:"咱们没法子,你妈妈必有妙策,大家出去听她吩咐便了。"

当下众人觅路而出，潜回溪水。刚从水底钻上，眼前一片通红，左右树林均已着火，一股热气扑面而来。郭芙惊叫："妈，妈!"却不闻应声。蓦地里一棵着了火的大树直跌下来，耶律齐拉着她向上游急跃，这才避过。此时正当隆冬，草木枯槁，满山已烧成一片火海。五人身上虽均浸湿了溪水，大火逼来，脸上仍感滚热。

武三通道："必是蒙古兵攻打重阳宫失利，放火烧山泄愤。"郭芙急叫："妈，妈! 你在哪里啊?"忽见溪左一个女子背影正在草间跳跃避火。郭芙大喜，叫道："妈，妈!"从溪水中纵身而出，奔了过去。武三通叫道："小心!"喀喇、喀喇几响，两株大树倒下，阻断了他目光。

郭芙冒烟突火的奔去。当她在溪水中时，一来思母心切，二来从黑沉沉的古墓中出来，眼前突然光亮异常，目为之炫，不易看得清楚，待得奔到近处，才见背影不对，一怔之间，那人斗然回身，竟是李莫愁。

她给杨过压在石棺之下，本已无法逃出，后来杨过盛怒下挥剑斩断上面一口石棺，全力挥剑，连下面的棺盖竟也斩裂，李莫愁死里逃生，先掷出石枕，再跟着跃出。

她闭在棺中虽还不到一个时辰，但这番注定要在棺中活生生闷毙的滋味，实为人生最苦最惨的处境，在这短短的时刻之中，她咬牙切齿，恨极了世上每一个人，只想："我死后必成厉鬼，要害死杨过，害死小龙女，害死武三通，害死黄蓉，害死何沅君，害死陆展元……"不论是谁，她都要一一害死，连何沅君、陆展元已死，也都忘了。后来她虽侥幸逃得性命，心中积蓄的怨毒却丝毫不减，忽然见到郭芙，当即脸露微笑，柔声道："郭姑娘，是你啊，大火烧得很厉害，可要小心了。"

郭芙见她神色亲切，颇出意外，问道："见到我妈妈么?"李莫愁走近几步，指着左首，道："那边不是么?"郭芙顺着她手指望去。李莫愁突然欺近，一伸手点中她腰下穴道，笑道："别性急，你妈就会来找你的。"眼见大火从四面八方逼近，若再逗留，自己性命不保，纵身一跃，疾驰而西。郭芙软瘫在地，只听李莫愁凄厉的歌声隔着烈焰传了过来："问世间，情是何物，直教生死相许？"

歌声渐远，蓦地里一股浓烟随风卷至，裹住了郭芙。她四肢伸动不得，给浓烟呛得大声咳嗽。武氏父子和耶律齐站在溪水之中，满头满脸都是焦灰，小溪和郭芙之间烈火冲起两三丈高，四人明知她处境危急，但如过去相救，只有陪她一起送命，决计救她不出。

郭芙给烟火薰得快将晕去，吓得连哭也哭不出了，忽听得东首呼呼声响，转过头来，只见一团旋风裹着一个灰影疾刮而来，旋风到处，火焰向两旁分开，顷刻间已刮到她身前。风中人影便是杨过。郭芙本以为有人过来相救，正自欢喜，待得看清却是杨过，身外虽然炙热，心头宛如一盆冷水浇下，想道："我死到临头，他还要来讥嘲羞辱我一番。"她毕竟是郭靖、黄蓉之女，狠狠的瞪着杨过，竟毫不畏惧。

杨过奔到她身边，挺剑刺去，剑身从她腰下穿过，喝道："小心了！"左臂向外挥出。玄铁剑加上他浑厚内力，郭芙便如腾云驾雾般飞上半空，越过十余株烧得烈焰冲天的大树，噗通一声，掉入了溪水。耶律齐急忙奔上，扶了起来，解开她被封的穴道。郭芙头晕目眩，隔了一会，才哇的一声哭了出来。

原来杨过带着小龙女、郭襄出墓，见蒙古兵正在烧山。杨龙二人在这些大树花草之间一起度过多时，忽见起火，自是甚为痛惜，眼见蒙古军势大，无力与抗。杨过不知小龙女毒质侵入要穴与脏腑之后，还能支持得多久，便找了个草木稀少的石洞暂且躲避。

过不多久，遥遥望见郭芙为李莫愁所害，大火即将烧到身边。杨过道："龙儿，这姑娘害了我不够，又来害你，今日终于遭到如此报应。"小龙女明亮的眼光凝视着他，奇道："过儿，难道你不去救她？"杨过恨恨的道："她将咱们害成这样，我不亲手杀她，已算对得起她父母了。"小龙女叹道："咱们不幸，那是命苦，让别人快快乐乐的，不很好吗？"

杨过口中虽然如此说，但望见大火烧近郭芙身边，心里终究不忍，涩然道："好！咱们命苦，人家命好！"除下身上浸得湿透的长袍，裹在玄铁剑上，催动内力急挥，剑上所生风势逼开大火，救了郭芙脱险。他回到小龙女身边，头发衣衫都已烧焦，裤子着火，虽即扑熄，但腿上已烧起了无数大泡。

　　小龙女抱着郭襄，退到草木烧尽之处，伸手给杨过整理头发衣衫，只觉嫁了这样一位英雄夫婿，心中不自禁的得意，俏立劲风烈焰之间，倚着杨过，脸上露出平安喜乐的神色。杨过凝目望着她，但见大火逼得她脸颊红红的倍增娇艳，伸臂环抱着她腰间。在这一刹那时，两人浑忘了世间的一切愁苦和哀伤。

　　他二人站在高处，武氏父子、郭芙、耶律齐五人从溪水中隔火仰望，但见他夫妇衣袂飘飘，姿神端严，宛如神仙中人。郭芙向来瞧不起杨过，这时见了他这般情状，又想起他以德报怨，奋不顾身的救了自己性命，当真是大仁大义，猛然间自惭形秽。

　　杨过和小龙女站立片刻，小龙女望着满山火焰，叹道："这地方烧得干干净净，待得花草树木再长，将来不知又是怎生一副光景？"杨过不愿她为这些身外之物难过，笑道："咱俩新婚，蒙古兵放烟火祝贺，这不是千千万万对花烛么？"小龙女微微一笑。杨过道："到那边山洞中歇一忽儿罢，你觉得怎样？"小龙女道："还好！"两人并肩往山后走去。

　　武三通忽地想起一事，纵声叫道："杨兄弟，我师叔和朱师弟受困绝情谷，你去不去救他们啊？"杨过一怔，并不答话，自言自语："我还管得了这许多么？"

　　他心中念头微转，脚下片刻不停，径自向山后草木不生的乱石堆中走去。小龙女中毒虽深，一时尚未发作，关穴通后，武功渐复，抱着郭襄快步而行。两人走了半个时辰，离重阳宫已远，回头遥望，大火烧得半边天都红了。

　　北风越刮越紧，冻得郭襄的小脸苹果般红。小龙女道："咱们得去找些吃的，孩子又冷又饿，只怕支持不住。"杨过道："我也真傻,抢了这孩子来不知干什么,徒然多个累赘。"小龙女俯头去亲亲郭襄的脸,道:"这小妹妹多可爱,你难道不喜欢么?"杨过笑道:"人家的孩子,有什么希罕? 除非咱俩自己生一个。"小龙女脸上一红,杨过这句话触动了她心底深处的母性,轻轻说道:"倘若我能给你生一个孩儿……唉,我怎有这般好福气?"

杨过怕她伤心,不敢和她眼光相对,抬头望望天色,但见西北边灰扑扑的云如重铅,便似要压到头上来一般,说道:"瞧这天怕要下大雪,得找家人家借宿才好。"他们为避火势,行的是山后荒僻无路之处,满地乱石荆刺,登高四望,十余里内竟没人烟。杨过道:"这一场雪定然不小,倘若大雪封山,那可糟了,说不得,只好辛苦一些,今日须得赶下山去。"

小龙女道:"武三叔、郭姑娘他们会不会遇上蒙古兵? 全真教的道士们能否逃得性命?"语意之中,极是挂念。杨过道:"你良心也真忒好,这些人对你不起,你仍念念不忘的挂怀。难怪当年师祖知你良心太好,怕你日后吃苦,因此要你修得无情无欲,什么事都不过问。可是你一关怀我,十多年的修练前功尽弃,对人人都关怀了。"

小龙女微微一笑,说道:"其实啊,我为你耽心难过,苦中是有甜的。最怕的是你不要我关怀你。"杨过道:"我最怕的是你不关怀我! 大苦大甜,远胜于不苦不甜。我只能发痴发颠,可不能太太平平的过日子。"小龙女微笑道:"你不是说咱俩要到南方去,种田、养鸡、晒太阳么?"杨过叹道:"我只盼能这样。"

又行出数里,天空飘飘扬扬的下起雪来。初时尚小,后来北风渐劲,雪也越下越大。两人自不放在心上,在大风雪之下展开轻功疾行,另有一番兴味。

小龙女忽道:"过儿,你说我师姊到哪里去了?"杨过道:"你又关心起她来了。这一次没杀了她,也不知……也不知……"他本待说"也不知咱们能活到几时,日后能不能再杀了她",但怕惹起小龙女伤心,便不再说下去。小龙女道:"师姊其实也是很可怜的。"杨过道："她不甘心自己独个儿可怜,要天下人人都如她一般伤心难过。"

说话之间,天色更加暗了。转过山腰,忽见两株大松树之间盖着两间小小木屋,屋顶上已积了寸许厚白雪。

杨过喜道："好啦,咱们便在这儿住一晚。"奔到临近,见板门半掩,屋外雪地中并无足迹,他朗声说道："过路人遇雪,相求借宿一宵。"隔了一会,并无应声。

杨过推开板门,见屋中无人,桌凳上积满灰尘,显是久无人居,便招呼小龙女进屋。她关上板门,生了一堆柴火。木屋板壁上挂着弓箭,屋角中放着一只捕兔机,看来这屋子是猎人暂居之处。另一间屋中有床有桌,床上堆着几张破烂已极的狼皮。杨过拿了弓箭,出去射了一只獐子,回来剥皮开腔,用雪一擦洗,便在火上烤了起来。

这时外边雪愈下愈大,屋内火光熊熊,和暖如春。小龙女咬些熟獐肉,嚼得烂了,喂在郭襄口里。杨过将獐子在火上翻来翻去,笑吟吟的望着她二人。

松火轻爆,烤肉流香,荒山木屋之中,别有一番温馨天地。

周伯通晃身抢近小龙女，一伸臂便托着她腰，将她放上了箱顶。慈恩生怕给小龙女赶上，全神贯注的疾奔。小龙女坐在箱上，平稳安适，犹胜于骑马。

第三十回　离合无常

　　这段宁静平安也无多时。郭襄睡去不久,东边远远传来嚓嚓嚓的踏雪之声,起落快捷。杨过站起身来,向东窗外张去。只见雪地里并肩走来两个老者,一胖一瘦,衣服褴褛,瞧模样是丐帮中人,劲风大雪之际,谅是要来歇足。杨过此时不愿见任何世人,对武林人物更感厌憎,转头道:"外边有人,你到里面床上睡着,假装生病。"小龙女抱起郭襄,依言走进内室躺在床上,扯过床边一张七孔八穿的狼皮盖在身上。

　　杨过抓起一把柴灰,涂抹脸颊头颈,将帽沿压得低低的,又将玄铁剑藏入内室,耳听得两人走近,接着便来拍门。杨过将獐肉油腻在衣衫上一阵乱抹,装得像个猎人模样,这才过去开门。

　　那肥胖老丐道:"山中遇上这场大雪,当真苦恼,还请官人行个方便,让叫化子借宿一宵。"杨过道:"小小猎户,老丈称什么官人?尽管在此歇宿便是。"那胖老丐连声称谢。杨过心想自己曾在英雄会上大献身手,莫要被他们认出了,撕下两条烤熟的獐腿给了二人,说道:"乘着大雪正好多做些活。明儿一早便得去装机捉狐狸,我不陪你们啦。"胖老丐道:"小官人请便。"

　　杨过粗声粗气的道:"大姐儿他妈,咳得好些了吗?"小龙女应道:"一变天,胸口更加发闷。"说着大声咳了一阵,伸手轻轻摇醒郭襄。女人咳声中夹着婴孩的哭叫,这一家三口的猎户真像得不能再像。杨过走进内室,掩上了板门,上床躺在小龙女身旁,心想:"这胖化子怎地面熟,似在什么地方见过。"一时却想不起来。

胖瘦二丐只道杨过真是荒山中的一个穷猎户,毫没在意,吃着獐腿,说起话来。瘦丐道:"终南山上大火烧通了天,想是已经得手。"胖丐笑道:"蒙古大军东征西讨,打遍天下无敌手,要剿灭全真教小小一群道士,便似踏死一窝蚂蚁。"瘦丐道:"但前几日金轮国师他们大败而回,那也够狼狈的了。"胖丐笑道:"这也好得很啊,好让四王子知道,要取中国锦绣江山,终究须靠中国人,单凭蒙古和西域的武士可不成。"瘦丐道:"彭长老,这次北派丐帮如能起得成,蒙古皇帝要封你个什么官啊?"

杨过听到这里,猛地记起,这胖老丐曾在大胜关英雄会上见过,那时他披裘裹毡,穿的是蒙古人装束,时时在金轮国师耳畔低声献策的,便是此人了,心想:"原来两个家伙都是卖国贼,这就尽快除了,免得在这里打扰。"

这胖老丐正是丐帮中四大长老之一的彭长老,早就降了蒙古。只听他笑道:"大汗许的是'镇南大将军'的官,可是常言道得好:讨饭三年,皇帝懒做。咱们丐帮里的人,还想做什么官?"他话是这么说,语调中却显然充满了热中和得意之情。瘦丐道:"做兄弟的先恭喜你了。"彭长老笑道:"这几年来你功劳不小,将来自然也少不了你的份儿。"

那瘦丐道:"做官我倒不想。只是你答应了的摄魂大法,到底几时才传我啊?"彭长老道:"待北派丐帮正式起成,我一当上帮主,咱两个都空闲下来,我自便传你。"那瘦丐道:"你当上了北派丐帮的帮主,又封了大蒙古国镇南大将军的官,只有越来越忙,哪里还会有空闲?"彭长老笑道:"老弟,难道你还信不过做哥哥的么?"那瘦丐不再说话,鼻中哼了一声,显是不信。杨过心道:"天下只一个丐帮,自来不分南北,他要起什么北派丐帮,定是助蒙古人捣鬼。"

只听那瘦丐又道:"彭长老,你答应了的东西,迟早总得给。你老是推搪,好教人心灰意懒。"彭长老淡淡的道:"那你便怎样?"那瘦丐道:"我敢怎样?只是我武功低,胆子小,没一项绝技傍身,却跟着你去干这种欺骗众兄弟的勾当,日后黄帮主、鲁帮主追究起来,我想想就吓得浑身发抖,那还是乘早洗手不干的好。"杨过心想:"瘦老儿性命不要了,胆敢说这样的话?那彭长老既胸怀大志,自然心狠手辣。你这人啊,当真又奸又胡涂。"彭长老哈哈一笑,道:"这事慢慢商量,你别多心。"那瘦丐不语,隔了一会,说道:"小小一只獐腿吃不饱,我再去打些野味。"说着从壁上摘下弓箭,推门而出。

杨过凑眼到板壁缝中张望,见那瘦丐一出门,彭长老便闪身而起,拔出短刀,躲在门后,耳听得他脚步声向西远去,跟着也悄悄出门。杨过向小龙女笑道:"这两个奸徒要自相残杀,倒省了我一番手脚。那胖化子厉害得多,那瘦的决不是他对手。"小龙女道:"最好两个都别回来,这木屋安安静静的,不要有人来打扰。"杨过道:"是啊。"突然压低声音道:"有脚步声。"只听西首有人沿着山腰绕到屋后。

杨过微微一笑,道:"那瘦老儿回来想偷袭。"推窗轻轻跃出。果见那瘦丐矮着身子在壁缝中张望。他不见彭长老的影踪,似乎一时打不定主意。杨过走到他的身后,"嘻"的一声笑。

那瘦丐出其不意,急忙回头,只道是彭长老到了身后,脸上充满了惊惧之色。杨过笑道:"别怕,别怕。"伸手点了他胸口、胁下、腿上三处穴道,将他提到门前,放眼尽是白茫茫的大雪,童心忽起,叫道:"龙儿,快来帮我堆雪人。"随手抄起地下白雪,堆在那瘦丐的身上。小龙女从屋中出来相助,两人嘻嘻哈哈的动手,没多久间,已将那瘦丐周身堆满白雪。这瘦丐除了一双眼珠尚可转动之外,成为一个肥肥臃肿的大雪人。

杨过笑道:"这精瘦干枯的瘦老头儿,片刻之间便变得又肥又白。"小龙女笑道:"那个本来又肥又白的老头儿呢,你怎生给他变一变?"杨过尚未回答,听得远处脚步声响,低声道:"胖老儿回来啦,咱们躲起来。"两人回进房中,带上了房门。小龙女摇动郭襄,让她哭叫,口中却不断安慰哄骗:"乖宝宝,别哭啦。"她一生从不作伪,这般精灵古怪的勾当她想都没想过,眼见杨过喜欢,也就顺着他玩闹。

彭长老一路回来,一路察看雪地里的足印,眼见瘦老丐的足印去了又回,显是埋伏在木屋左近。他随着足印跟到木屋背后,又转到屋前。杨过和小龙女在板缝中向外张去,但见他矮身从窗孔中向屋内窥探,右手紧握单刀,全神戒备。

瘦老丐身上寒冷彻骨,眼见彭长老站在自己身前始终不觉,只要伸手挥落,便能击中他要害,苦在身上三处要穴遭点,半分动弹不得。

彭长老见屋中无人,甚是奇怪,伸手推开板门,正在猜想这瘦丐到了何处,忽听得远远传来脚步之声。彭长老脸上肌肉一动,缩到板门背后,等那瘦丐回来。

杨过和小龙女都觉奇怪,那瘦丐明明已成为雪人,怎么又有人来?刚一沉吟,已听明来者共有两人,原来又有生客到了。彭长老耳音远逊,直到两人走近,方始惊觉。

只听得屋外一人说道:"阿弥陀佛,贫僧山中遇雪,向施主求借一宿。"彭长老转身出来,见雪地里站着两个老僧,一个白眉长垂,神色慈祥,另一个身裁矮小得多,留着一部苍髯,身披缁衣,虽在寒冬腊月,两人衣衫均甚单薄。

彭长老一怔之间,杨过已从屋中出来,说道:"两位大和尚进来罢,谁还带着屋子走道呢?"便在此时,彭长老突然见到了瘦丐所变成的雪人,察看之下,便即认出,见他变得如此怪异,大感惊诧,转眼看杨过时,见他神色如常,似乎全然不知。

杨过迎着两个老僧进来,寻思:"瞧这两个老和尚也非寻常之辈,尤其那黑衣僧相貌凶恶,眼发异光,只怕和这彭长老是一路。"说道:"大和尚,住便在此住,我们山里穷人,没床给你们睡,你两位吃不吃野味?"那白眉僧合什道:"罪过,罪过。我们带有干粮,不敢劳烦施主。"杨过道:"这个最好。"回进内室,在小龙女耳边低声道:"两个老和尚,看来是很强的高手。"小龙女一皱眉头,低声道:"世上恶人真多,便是在这深山之中,也教人不得清静。"

杨过俯眼板壁缝中张望,见白眉僧从背囊中取出四团炒面,交给黑衣僧两团,另两团自行缓缓嚼食。杨过心想:"这白眉老和尚神情慈和,举止安详,当真似个有道高僧,可是世上面善心恶之辈正多,这彭长老何尝不是笑容可掬,和蔼得很? 那黑衣僧的眼色却又何以这般凶恶?"

正寻思间,忽听得呛啷啷两响,黑衣僧从怀中取出两件黑黝黝的铁铸之物。彭长老本来坐在凳上,立即跃起,手按刀柄。黑衣僧对他毫不理睬,喀喀两响,将一件黑物扣在自己脚上,原来是副铁铐,另一副铁铐则扣上了自己双手。杨过和彭长老都诧异万分,猜不透他自铐手足是何用意,但这么一来,对他的提防之心便减了几分。

那白眉僧脸上大有关怀之色,低声道:"又要发作么?"黑衣僧道:"弟子一路上老觉得不对,只怕又要发作。"突然间跪倒在地,双手合什,说道:"求佛祖慈悲。"他说了那句话后,低首缩身,一动不动的跪着,过了一会,身子轻轻颤抖,口中喘气,渐喘渐响,到后来竟如牛吼一般,连木屋的板壁也为吼声震动,檐头白雪扑簌簌地掉将下来。彭长老固惊得心中怦怦而跳,杨过和小龙女也相顾骇然,不知这和尚干些什么,从吼声听来,似乎他身上正经受莫大苦楚。杨过本来对他颇怀敌意,这时却不自禁的起了怜悯之心,暗想:"不知他得了什么怪病,何以那白眉僧毫不理会?"

再片刻,黑衣僧的吼声更加急促,直似上气难接下气。那白眉僧缓缓的道:"不应作而作,应作而不作,悔恼火所烧,证觉自此始……"这几句偈语轻轻说来,虽在黑衣僧牛吼一般的喘息之中,仍令人听得清清楚楚。杨过吃了一惊:"这老和尚内功如此深厚,当世不知有谁能及?"只听白眉僧继续念偈:"若人罪能悔,悔已莫复忧,如是心安乐,不应常念着。不以心悔故,不作而能作,诸恶事已作,不能令不作。"

他念完偈后,黑衣僧喘声顿歇,呆呆思索,低声念道:"若人罪能悔,悔已莫复忧……师父,弟子深知过往种种,俱是罪孽,烦恼痛恨,不能自已。弟子便是想着'诸恶事已作,不能令不作'。心中始终不得安乐,如何是好?"白眉僧道:"行罪而能生悔,本为难得。人非圣贤,孰能无过? 知过能改,善莫大焉。"

杨过听到这里,猛地想起:"郭伯母给我取名一个'过'字,表字'改之',说是'知过能改,善莫大焉'的意思。难道这位老和尚是圣僧,今日是来点化我吗?"

黑衣僧道:"弟子恶根难除。十年之前,弟子皈依吾师座下已久,仍出手伤了三人。今日身内血煎如沸,难以自制,只怕又要犯大罪,求吾师慈悲,将弟子双手割去了罢。"白眉僧道:"善哉善哉!我能替你割去双手,你心中的恶念,却须你自行除去。若恶念不去,手足纵断,有何补益?"黑衣僧全身骨骼格格作响,突然痛哭失声,说道:"师父诸般开导,弟子总不能除去恶念。"

白眉僧喟然长叹,说道:"你心中充满憎恨,虽知过去行为差失,只因少了仁爱,总之恶念难除。我说个'佛说鹿母经'的故事给你听听。"黑衣僧道:"弟子恭聆。"说着盘膝坐下。杨过和小龙女隔着板壁,也肃然静听。

白眉僧道:"从前有只母鹿,生了两只小鹿。母鹿不慎为猎人所捕,猎人便欲杀却。母鹿叩头哀求,说道:'我生二子,幼小无知,不会寻觅水草。乞假片时,使我告知孩儿觅食之法,决当回来就死。'猎人不许。母鹿苦苦哀告,猎人心动,纵之使去。

"母鹿寻到二子,低头鸣吟,舐子身体,又喜又悲,向二子道:'一切恩爱会,皆由因缘合,会合有别离,无常难得久。今我为尔母,恒恐不自保,生死多畏惧,命危于晨露。'二鹿幼小,不明母亲所言之意。母鹿带了二子,指点美好水草所在,涕泪交流,说道:'吾朝行不吉,误堕猎者手;即当应屠割,碎身化糜朽。念汝求哀来,今当还就死;怜汝小早孤,努力活自己。'"

小龙女听到这里,念及自己命不长久,想着"生死多畏惧,命危于晨露"、"怜汝小早孤,努力活自己"这几句话,忍不住泪水流了下来。杨过明知白眉僧说的只是佛家寓言，但其中所述母子亲情悲切深挚，也大为感动。

只听白眉僧继续讲道："母鹿说完，便和小鹿分别。二子鸣啼，悲泣恋慕，从后紧紧跟随，虽然幼小奔跑不快，还是跌倒了重又爬起，不肯离开母亲。母鹿停步，回头说道：'儿啊！你们不可跟来，如给猎人见到，母子一同毕命。我原甘心就死，只因哀怜你们稚弱。世间无常，皆有别离。我自薄命，使你们从小便没了母亲。'说毕，便奔到猎人身前。两小鹿孺慕心切，不畏猎人弓箭，追寻而至。

"猎人见母鹿笃信死义，舍生守誓，志节丹诚，人所不及；又见三鹿母子难分难舍，恻然悯伤，便放鹿不杀。三鹿悲喜，鸣声啾啾，以谢猎者。猎人将此事禀报国王，举国赞叹，为止杀猎恶行。"

黑衣僧听了这故事，泪流满面，说道："此鹿全信重义，母慈子孝，非弟子所能及于万一。"白眉僧道："慈心一起，杀业即消。"说着向身旁的彭长老望了一眼，似乎也有向他开导之意。黑衣僧应道："是！"白眉僧道："若要补过，唯有行善。与其痛悔过去不应作之事，不如今后多作应作之事。"说着微微叹息，道："便是我，一生之中，何尝也不是曾做了许多错事。"说着闭目沉思。

黑衣僧若有所悟，但心中烦躁，总是难以克制，抬起头来，见彭长老笑眯眯的凝望自己，眼中似发光芒。黑衣僧一怔，觉得曾在什么地方和此人会过，又觉得他这眼色瞧得自己极不舒服，当即转头避开，过不片刻，忍不住又去望了他一眼。彭长老笑道："下得好大的雪啊，是不是？"黑衣僧道："是，好大的雪。"彭长老道："来，咱们去瞧瞧雪景。"说着推开了板门。黑衣僧道："好，去瞧瞧雪景。"站起身来，和他并肩站在门口。杨过虽隔着板壁，也觉彭长老眼光特异，心中隐隐有不祥之感。

彭长老道："你师父说得好，杀人是万万不可的，但你全身劲力充溢，若不和人动手，心里便十分难过，是不是啊？"黑衣僧迷迷糊糊的应道："是啊！"彭长老道："你不妨发掌击这雪人，打好了，那可没罪孽。"黑衣僧望着雪人，双臂举起，跃跃欲试。这时离二僧到来之时已隔了小半个时辰，瘦丐身上又堆了一层白雪，连得他双眼也皆掩没。彭长老道："你双掌齐发，打这雪人，打啊！打啊！打啊！"语音柔和，充满了劝诱之意。黑衣僧运劲于臂，说道："好，我打！"

白眉僧抬起头来，长长叹了口气，低声道："杀机既起，业障即生。"

但听得砰的一声响，黑衣僧双掌齐出，白雪纷飞。那瘦丐身上中掌，震松穴道，"啊"的一声大叫，声音惨厉，远远传了出去。小龙女轻声低呼，伸手抓住了杨过手掌。黑衣僧大吃一惊，叫道："雪里有人！"白眉僧急忙奔出，俯身察看。那瘦丐中了黑衣僧这一下功力深厚之极的铁掌，早已毙命。黑衣僧神不守舍，呆在当地。

彭长老故作惊奇，说道："这人也真奇怪，躲在雪里干什么？咦，怎么他手中还拿着刀子？"他以摄心术唆使黑衣僧杀了瘦丐，自是得意，但也不禁奇怪："这厮居然有这等耐力，躲在雪中毫不动弹。难道白雪塞耳，竟没听到我叫人出掌搏击吗？"

黑衣僧只叫："师父！"瞪目呆视。白眉僧道："冤孽，冤孽。此人非你所杀，可也是你所杀。"黑衣僧伏在雪地之中，颤声道："弟子不懂。"白眉僧道："你只道这是雪人，原无伤人之意。但你掌力猛恶，出掌之际，难道竟无杀人之心么？"黑衣僧道："弟子确有杀人之心。"

白眉僧望着彭长老，目不转睛的瞧了一会，目光柔和，充满了悲悯之意，只这么一瞧，彭长老的"摄心术"竟尔消于无形。黑衣僧突然叫了出来："你……你是丐帮的长老，我记起了！"彭长老脸上笑眯眯的神色于刹那间影踪不见，眉宇间洋溢乖戾之气，说道："你是铁掌帮的裘帮主啊，怎地做了和尚？"

这黑衣僧正是铁掌帮帮主裘千仞。当日在华山绝顶顿悟前非，皈依一灯大师座下为僧。这位白眉老僧，便是与王重阳、黄药师、欧阳锋以及洪七公齐名的一灯大师。裘千仞剃度后法名慈恩，诚心皈佛，努力修为，只为往日作孽太多，心中恶根难以尽除，遇到外诱极强之际，不免出手伤人，因此打造了两副铁铐，每当心中烦躁，便自铐手足，以制恶行。这一日一灯大师在荆湖北路隐居处接到弟子朱子柳求救的书信，便带同慈恩前往绝情谷。哪知在这深山中遇到彭长老，慈恩却无意间杀了一人。

慈恩出家以来，近二十年中虽有违犯戒律，杀害人命却为第一次，一时心中迷惘无依，只觉过去近二十年来的修为尽付东流。他狠狠瞪着彭长老，眼中如要喷出烈火。

一灯大师知道此时已到紧急关头，如以武功强行制住他不许动手，他心中恶念越积越重，终有一日堤防溃决，一发而不可收拾，只有盼他善念滋长，恶念潜消，方能渐趋善径。他站在慈恩身旁，轻轻念道："阿弥陀佛，阿弥陀佛！"直念到七八十声，慈恩的目光才离开彭长老身上，回进木屋坐倒，又喘起气来。

彭长老早知裘千仞武功卓绝，却不认得一灯大师，但见他白眉如雪，是个行将就木的衰僧，浑不放在意下，本想只消以"摄心术"制住了裘千仞，便可为所欲为，哪知一灯的目光射来，自己心头便如有千斤重压，再也施展不出法术。这一来登时心惊胆战，没了主意，倘若发足逃走，这裘千仞号称"铁掌水上飘"，轻功异常了得，雪地中足迹清楚，决计逃不了，只盼他听从白眉老和尚劝善的言语，不来跟自己为难。他缩在屋角，惴惴不安。慈恩喘气渐急，他一颗心也越跳越快。

杨过听一灯讲了三鹿的故事，想起有生之物莫不乐生恶死，那瘦丐虽行止邪恶，死有余辜，但突然间惨遭不测，却也颇为怃然，又见慈恩掌力大得异乎寻常，暗想这和尚不知是谁，竟有如此高强武功？

但听得慈恩呼呼喘气，大声道："师父，我生来是恶人，上天不容我悔过。我虽无意杀人，终究免不了伤人性命，我不做和尚

啦!"一灯道:"罪过,罪过! 我再说段佛经给你听。"慈恩粗声道:
"还听什么佛经? 你骗了我十多年,我再也不信啦。"格喇、格喇两
声,手足铁铐上所连的铁链先后崩断。

一灯柔声道:"慈恩,已作莫忧,勿须烦恼。"慈恩站起身来,向
一灯摇了摇头,蓦地迅速转身,对着彭长老胸口双掌推出,一灯不
及阻止,砰的一声巨响,彭长老撞穿板壁,飞了出去。在这铁掌挥
击之下,自是筋折骨断,便有十条性命也活不成了。

杨过和小龙女听得巨响,吓了一跳,携手从内室出来,见慈恩
双臂高举,目露凶光,高声喝道:"你们瞧什么? 今日一不做,二不
休,老子要大开杀戒了。"说着运劲于臂,便要使铁掌功拍出。

一灯大师走到门口,挡到杨龙二人身前,盘膝往地下一坐,口
宣佛号,说道:"迷途未远,犹可知返。慈恩,慈恩,你当真要沉沦
于万劫不复之境么?"慈恩脸上一阵青、一阵红,心中混乱已极,善
念和恶念不住交战。此日他在雪地里行走时胸间已万分烦躁,待
得给"摄心术"一扰,又连杀两人,再也难以自制。眼中望将出来,
一灯大师一时是救助自己的恩师,一时却成为专跟自己作对的大
仇人。

如此僵立片刻,心中恶念越来越盛,突然间呼的一声,出掌向
一灯大师劈去。一灯举手斜立胸口,身子微晃,挡了这一掌。慈恩
怒道:"你定是要和我过不去!"左手又是一掌,一灯大师伸手招
架,仍不还招。慈恩喝道:"你假惺惺作甚? 快还手啊,你不还手,
枉自送了性命,可别怨我!"

他虽神智混乱,这几句话却说得不错,他的铁掌功夫和一灯大
师的一阳指各擅胜场,当年本在武林齐名。一灯的佛学修为做他
师父而有余,说到武功,要是出先天功一阳指全力周旋,或可胜得
一招半式,掌上功夫却有所不及,这般只挨打而不还手,时候稍久,
纵不送命,也必重伤。可是一灯抱着舍身度人的大愿大勇,宁受铁
掌撞击之祸,也决不还手,只盼他终于悔悟。这并非比拼武功内
力,却是善念和恶念之争。

杨过和小龙女眼见慈恩的铁掌有如斧钺般一掌掌向一灯劈去,劈到第十四掌时,一灯"哇"的一声,一口鲜血喷了出来。慈恩一怔,喝道:"你还不还手么?"一灯柔声道:"我何必还手?我打胜你有什么用?你打胜我有什么用?须得胜过自己、克制自己,这才有用。"慈恩一楞,喃喃的道:"要胜过自己,克制自己!"

　　一灯大师这几句话,便如雷震一般,轰到了杨过心里,暗想:"要胜过自己的任性,要克制自己的随意妄念,确比胜过强敌难得多。这位高僧的话真是至理名言。"却见慈恩双掌在空中稍作停留,终于呼的一声又拍了出去。一灯身子摇晃,又一口鲜血喷出,白须和僧袍上全染满了。

　　杨过见他接招的手法和耐力,知他武功决不在黑衣僧之下,但这般一味挨打,便铁石身躯终于也会毁了。这时他对一灯已钦佩无已,明知他要舍身点化恶人,但决不能任他如此丧命,心想凭自己单掌之力,挡不了黑衣僧的铁掌,回身提起玄铁重剑,绕过一灯身侧,待慈恩又挥掌拍出,便即挺剑直刺。

　　玄铁剑激起劲风,和慈恩的掌风一撞,两人身子都微微一摇。

　　慈恩"咦"的一声,万想不到荒山中一个青年猎人竟有如此高强武功。一灯大师瞧了杨过一眼,也甚诧异。慈恩厉声喝道:"你是谁?干什么?"杨过道:"尊师好言相劝,大师何以执迷不悟?不听金石良言,已是不该,反而以怨报德,竟向尊师猛下毒手。如此为人,岂非禽兽不如?"慈恩大怒,喝道:"你也是丐帮的?跟那个鬼鬼祟祟的长老是一路的么?"杨过笑道:"这二人是丐帮败类,作恶多端,大师除恶即是行善,何必自悔?"慈恩一怔,自言自语:"除恶即是行善……除恶即是行善……"

　　杨过隔着板壁听他师徒二人对答,已隐约明白了他的心事,知他因悔生恨,恶念横起,又道:"那二人是丐帮叛徒,意图引狼入室,将我大汉河山出卖于异族。大师杀此二人,实为莫大功德。这二人不死,不知有多少无辜男女家破人亡。我佛虽然慈悲,但遇到邪魔外道,不也要大显神通将之驱灭么?"杨过所知的佛学尽此而已,实在浅薄之至,但慈恩听来却极为入耳。他缓缓放下手掌,一转念间,猛地想起自己昔日也曾受大金之封,也曾相助异族侵夺大宋江山,杨过这几句话无异痛斥自己之非,突然提掌向他劈去,喝道:"小畜生,你胡说八道些什么?"

这一掌既快且狠,杨过只道已用言语打动了他,哪料他竟会忽地发难,霎时间掌风及胸,危急中不及运劲相抗,索性顺着他掌力纵身后跃,砰嘭喀喇两声响,木屋板壁撞破了一个大洞,杨过飞身到了屋外。一灯大师大吃一惊,暗道:"难道这少年便也如此丧命?瞧来他武功不错啊!唉,我怎不及时救他性命?"心下好生懊恼。

蓦地里屋中柴火一暗,板壁破洞中刮进一股疾风,杨过身随风至,挺剑向慈恩刺去,喝道:"好,你我今日便较量较量。"慈恩右掌斜劈,欲以掌力震开他剑锋。可是杨过这路剑法其实乃独孤求败的神功绝技,虽年代相隔久远,不能亲得这位前辈的传授,但洪水练剑,蛇胆增力,仗着神雕之助,杨过所习的剑法已仿佛于当年天下无敌的剑魔。慈恩一掌击出,杨过剑锋只稍偏数寸,剑尖仍指向他左臂。慈恩大骇,向右急闪,才避过了这剑,立即还掌劈出。两人各运神功,剑掌激斗。

一灯越看越奇,心想这少年不过二十有余,竟能与当代一流高手裘铁掌打成平手,自己见多识广,却也认不出他的武功是何家数,这柄剑如此沉重,亦奇妙之至。一回头间,见小龙女手抱婴儿,站在门边,容颜佳丽,神色闲雅,对两人恶斗殊不惊惶,暗想:"这个少女也非寻常人物。"随即见她眉间与人中隐隐有一层黑气,不禁叫了声:"啊哟!"小龙女报以一笑,心道:"你瞧出来了。"

这时两人一剑双掌越斗越激烈,杨过在兵刃上占了便宜,慈恩却多了一条手臂,可说扯了个直。只听得砰的一声,木板飞脱一块,接着喀喇声响,柱子又断了一条,木屋既小,又非牢固,实容不下两位高手的剧斗。剑刃和掌风到处,木板四下乱飞,终于喀喇喇一声大响,木柱折断,屋面压了下来。小龙女抱起郭襄,从窗中飞身而出，一灯在后相护，挥袖拂开了几块碎木。

北风呼呼，大雪不停，两人恶斗不休。慈恩二十年来从未与人如此酣战，打得兴发，大吼声中铁掌翻飞，堪堪拆到百余招外，但觉对方剑上劲力不住加重，他年纪衰迈，渐渐招架不住。杨过挺剑当胸刺去，见他斜走闪避，当即铁剑横扫，疾风卷起白雪，直扑过去。慈恩双目为雪蒙住，忙伸手去抹，猛觉玄铁剑搭上了右肩，斗然间身上犹如压上了千钧之重，再也站立不住，翻身跌倒。杨过剑尖直刺其胸，这剑虽不锋利，力道却是奇大，只压得他肋骨向内剧缩，只能呼气出外，不能吸进半口气来。

便在此刻，慈恩心头如闪电般掠过一个"死"字。他自练成绝艺神功之后，纵横江湖，只有他去杀人伤人，极少遇到挫折，便败在周伯通手下，一直逃到西域，最后仍凭巧计吓退老顽童。此时去死如是之近，生平从未遭逢，一想到"死"，不由得大悔，但觉这一生便自此绝，百般过恶，再也无法补救。一灯大师千言万语开导不了的，杨过这一剑却登时令他想到："给人杀死如是之惨，然则我过去杀人，被杀者也一样的悲惨。"

一灯大师见杨过将慈恩制服，心想："如此少年英杰，实在难得。"走上前去，伸指在剑刃上一点，杨过只觉左臂一热，玄铁剑立时荡开。

慈恩挺腰站起，跟着扑翻在地，叫道："师父，弟子罪该万死，弟子罪该万死！"一灯微笑，伸手轻抚其背，说道："生死大事，原难勘破。还不谢过这位小居士的教诲？"

杨过本就疑心这位老和尚是一灯大师，给他一指荡开剑刃，心想这一阳指功夫和黄岛主的弹指神通真有异曲同工之妙，当世再无第三人的指力能与之并驾齐驱，当即下拜，说道："弟子杨过参见大师。"见慈恩向自己跪倒，忙即还礼，说道："前辈行此大礼，可折煞小人了。适才多有得罪。"指着小龙女道："这是弟子室人龙氏。快来叩见大师。"小龙女抱着郭襄，敛衽行礼。

慈恩道："弟子适才失心疯了，师父的伤势可厉害么？"一灯淡然一笑,问道:"你可好些了么?"慈恩歉仄无已,不知说什么才好。

四人坐在几株大树之下。杨过约略述说如何识得武三通、朱子柳及点苍渔隐,又说到自己如何在绝情谷中毒,天竺神僧及朱子柳如何为己去求解药被困。一灯道:"我师徒便是为此而去绝情谷。你可知这慈恩和尚,和那绝情谷的女谷主有何渊源?"

杨过听彭长老说过"铁掌帮的裘帮主",便道:"慈恩大师俗家可是姓裘,是铁掌帮的裘帮主?"见慈恩缓缓点头,便道:"如此说来,绝情谷的女谷主便是令妹了。"慈恩道:"不错,我那妹子可好么?"杨过难以回答,裘千尺四肢被丈夫截断筋脉,成为废人,实在说不上个"好"字。慈恩见他迟疑,道:"我那妹子暴躁任性,倘若遭到了孽报,也不足为奇。"杨过道:"令妹便是手足有了残疾,身子倒挺安健的。"慈恩叹了口气,道:"隔了这许多年,大家都老了……嗯,她一向只跟她大哥说得来……"说到这里,呆呆出神,追忆往事。

一灯大师知他尘缘未断,适才所以悔悟,只因临到生死关头,恶念突然消失,其实心中孽根并未除去,将来再遇极强的外感,不免又要发作,自己能否活得那么久,到那时再来维护感化,一切全凭缘法了。

杨过见一灯瞧着慈恩的眼光中流露出悲悯之情,忽想:"一灯大师武功决不在他弟子之下,始终不肯还手,定有深意。我这出手,只怕反而坏了事。"忙道:"大师,弟子愚不解事,适才轻举妄动,是否错了,请大师指点。"

一灯道:"人心变幻难知,他便将我打死了,也未必就此能大彻大悟,说不定陷溺更深。你救我一命,又令他迷途知返,怎会是错?老衲深感盛德。"转头望着小龙女,问道:"小娘子如何毒入内脏?"杨过听他一问,似在沉沉黑暗之中突然见到一点光亮,忙道:"她受伤之后正在打通经脉治疗,不幸恰在那时中了喂有剧毒的暗器。大师可能慈悲救她一命?"说着不由自主的双膝跪地。

一灯伸手扶起,问道:"她如何打通经脉? 内息怎生运转?"杨过道:"她逆运经脉,又有寒玉床及弟子在旁相助。"一灯听了他的解释,不由得啧啧称奇,道:"欧阳兄真乃天下奇人,他武功向来极高,开创逆运经脉之法,更加匪夷所思,在武学中另辟蹊径。"伸指搭了小龙女双手腕脉,脸现忧色,半晌不语。

杨过怔怔的瞧着他,只盼他能说出"有救"两个字来。小龙女的眼光却始终望着杨过,她早便没想到能活至今日,见杨过脸色沉重,只为自己担忧,缓缓的道:"生死有命,人生无常,因缘离合,岂能强求?过儿,忧能伤人,你别太过关怀了。"

一灯自进木屋以来,第一次听到小龙女说话,听她这几句话语音温柔,而且心情平和,达观知命,不禁一怔。他不知小龙女自幼便受师父教诲,灵台明净,少受物羁,本想这姑娘小小年纪,中毒难治,定然忧急万状,自当与当年郭靖、黄蓉前来求自己救治时心情相似,哪知说出话来竟是功行深厚的修道人口吻,心想:"这对少年夫妇人间龙凤,男的武功如此了得,女的参悟生死,更加不易,即是苦修了数十年的老僧老道,也未必有此造诣。郭靖、黄蓉夫妇武功为人,足可和他们比肩,但达观知命、漠视生死,比之却有所不如,我那些蠢弟子更无一能及。唉,但她中毒既深,我受伤后又使不出一阳指神功。"微一沉吟,说道:"两位年纪轻轻,修为却着实不凡,老衲不妨直言……"杨过听到这里,一颗心不由得沉了下去,双手冰冷。

只听一灯续道:"小夫人剧毒透入重关,老衲倘若身未受伤,可用一阳指功夫助她体内毒质暂不发作,然后寻觅灵药解毒。如今嘛……好在小夫人幼功所积颇厚,老衲这里有药一颗,服后保得七日平安。咱们到绝情谷去找到我师弟……"杨过拍腿站起,叫道:"啊,不错,这位天竺神僧治毒的本事出神入化,必有法子解毒。"

一灯道:"倘若我师弟也不能救,那是大数使然。世上有的孩子生下来没多久便死了,小夫人嫁人之后方始不治,也不为夭。"说到这里,想起当年周伯通和刘贵妃所生的那个孩子,只因自己由妒生恨,坚不肯为其治伤,终于丧命;而那个孩子,却是慈恩打伤的。

木屋倒塌,四人在大树下避雪,小龙女抱了郭襄,拾块木板遮在她头顶挡雪。

杨过睁大了眼睛望着一灯,心想:"龙儿能否治愈,尚在未定之天,你却不说一句安慰的言语。"小龙女淡淡一笑,道:"大师说得很是。"眼望身周大雪,淡淡的道:"这些雪花落下来,多么白,多么好看。过几天太阳出来,每一片雪花都变得无影无踪。到得明年冬天,又有许许多多雪花,只不过已不是今年这些雪花罢了。"

一灯点了点头,转头望着慈恩,道:"你懂么?"慈恩点了点头,心想日出雪消,冬天下雪,这些粗浅的道理有什么不懂?

杨过和小龙女本来心心相印,对方即是最隐晦的心意相互也均洞悉,但此刻她和一灯对答,自己却隔了一层。似乎她和一灯相互知心,自己反成为外人,这情境自与小龙女相爱以来从所未有,不禁大感迷惘。

一灯从怀中取出一个鸡蛋,交给小龙女,说道:"世上鸡先有呢,还是蛋先有?"这是千古不解的难题。杨过心想:"当此生死关头,怎地问起这些不打紧的事来?"小龙女接过蛋来,见是个磁蛋,颜色形状无一不像。她微一沉吟,已明其意,道:"蛋破生鸡,鸡大生蛋,既有其生,必有其死。"轻轻旋开蛋壳,滚出一颗丸药,金黄浑圆,便如蛋黄。一灯道:"快服下了。"小龙女心知此药贵重,放入口中嚼碎咽下。

次晨大雪兀自未止,杨过心想此去绝情谷路程不近,一灯的丸药虽可续得七日性命,但必须全力赶路,毫不耽搁,方能及时到达,说道:"大师,你伤势怎样?"一灯伤得着实不轻,但想救援师弟、朱子柳和小龙女三人,都片刻延缓不得,袍袖一拂,说道:"不碍事。"站起身来,提气发足,在雪地里窜出丈余。杨过三人随后跟去。

小龙女服了丸药后,只觉丹田和缓,精神健旺,展开轻功,片刻间便赶在一灯大师之前。慈恩吃了一惊,心想这娇怯怯的姑娘原来武功竟也这生了得，蓦地里好胜心起，腿下发劲，向前急追。一个是轻功天下无双的古墓派传人，一个是号称"铁掌水上飘"的成名英雄，霎时之间赶出数十丈，在雪地中成为两个黑点。杨过生怕慈恩忽又恶性发作，加害小龙女，当即追上相护。他轻功不及二人，但内功既厚，脚下劲力自长，初时和二人相距甚远，行不到半个时辰，前面二人的背影越来越清晰。

忽听身后一灯笑道："小居士内力如此深厚，当真难得。师承是谁，能见告么？"杨过脚步略慢，和他并肩而行，说道："晚辈武功是我妻子教的。"一灯是南传佛徒，戒律虽多，教中居士并无师徒不得成婚的规矩，于娶师为妻之事不以为奇，只说："尊夫人可不及你啊？"杨过道："近数月来，晚辈不知怎的忽地内力大进，自己也不明白是何缘故。"一灯道："你可服了什么增长内力的丹药？或者是成形的人参、千年以上的灵芝？"杨过摇了摇头，说道："晚辈吃过数十枚蛇胆，吃后力气登时大了许多，不知可有干系？"一灯道："蛇胆？蛇胆只能驱除风湿，并无增力之效。"（注）

杨过道："这是一种奇蛇之胆，那毒蛇身上金光闪闪，头顶生有肉角，形状十分怪异。"一灯沉吟片刻，突然道："啊，那是菩斯曲蛇。佛经上曾有记载，原来中土也有。听说此蛇行走如风，极难捕捉。"杨过道："是一头大雕衔来给弟子吃的。"一灯赞叹："这真是旷世难逢的奇缘了。"

两人口中说话，足下毫不停留，又行一会，和小龙女及慈恩二人更加接近了。一灯和杨过相视一笑。他二人轻功虽不及小龙女和慈恩，但长途奔驰，最后决于内力深厚。再看前面两人时，小龙女已落后丈许，以内力而论，她自是不及慈恩。疾行间转过一个山坳，杨过指着前面道："咦，怎地有三个人？"

原来小龙女身后不远又有一人快步而行。杨过一瞥之间，便觉此人轻身功夫实不在小龙女和慈恩之下，见他背上负着一件巨物，似是一口箱子，但仍步履矫捷，和小龙女始终相隔数丈。一灯也觉奇怪，在这荒山之中不意连遇高人，昨晚遇到一对少年英秀的夫妻,今日所见此人却是个老者。

　　小龙女给慈恩超越后,不久相距更远,听得背后脚步声响,只道杨过跟了上来,说道:"过儿,这位大和尚轻功极好,我比他不过,你追上去试试。"身后一个声音笑道:"你到箱子上来歇一歇,养养力气,不用怕那老和尚。"小龙女听得语音有异,回头一看,见一人白发白须,却是老顽童周伯通。

　　他笑容可掬的指着背上的箱子,说道:"来,来,来!"小龙女认得木箱是重阳宫藏经阁中用来藏装全真教道藏经书之用,不知他为什么这般巴巴的负出来。小龙女微微一笑,尚未回答,周伯通突然身形晃动,抢到她身边,一伸臂便托着她腰,将她放上了箱顶。这一下身法既快,出手又奇,小龙女竟不及抗拒,身子已在木箱之上,不禁暗自佩服:"全真派号称天下武学正宗,果有过人之处,重阳宫的众道人打不过我,只因没学到师门武功的精髓而已。"

　　这时杨过和一灯也均已认出是周伯通,只慈恩生怕小龙女赶上,全神贯注的疾走,不知身后已多了一人。周伯通迈开大步跟随其后,低声道:"再奔半个时辰,他脚步便会慢下来。"小龙女笑着轻声问:"你怎知道?"周伯通仍低声道:"我跟他斗过脚力,从中原直追到西域,又从西域赶回中原,几万里跑了下来,哪能不知?"小龙女坐在箱上,平稳安适,犹胜骑马,低声笑道:"老顽童,你为什么帮我?"周伯通道:"你模样儿讨人欢喜,又不似黄蓉那么刁钻古怪。我偷了你蜜糖,你也不生气。"

　　这般奔了半个多时辰,果如周伯通所料,慈恩脚步渐慢。周伯通道:"去罢!"肩头推耸,将小龙女送出丈余,她养足力气,纵身奔跑,片刻间便越过慈恩身旁,侧过头来微微一笑。慈恩一惊,急忙加力。但两人轻功本在伯仲之间,现下一个休憩已久,一个却一步没停过,相距越来越远,再也追赶不上了。

　　慈恩生平两大绝技自负天下无对,但一日一夜之间,铁掌输于杨过,轻功输于小龙女,不由得大为沮丧,但觉双腿软软的不听使唤,暗自心惊:"难道我大限已到,连一个小姑娘也比不过了?"他昨晚恶性大发,出手打伤了师父,一直怔忡不安,这时用足全力追赶小龙女不上,更加心神恍惚,但觉天下事全属不可思议。

杨过在后头看得明白,见周伯通暗助小龙女胜过慈恩,颇觉有趣,加快脚步走到他身边,笑道:"周老前辈,多谢你啊。"周伯通道:"这裘千仞好久没见他了,怎么越老越胡闹,剃光了头做起和尚来?"杨过道:"他拜了一灯大师为师,你不知道么?"说着向后一指。周伯通大吃一惊,叫道:"段皇爷也来了么?"回头遥遥望见一灯,叫道:"出行不利,溜之大吉!"当即斜刺里窜出,钻进了树林。杨过也不知"段皇爷"是什么,但见树分草伏,周伯通霎时间去得无影无踪,暗道:"这人行事之怪,当真天下少有。"

一灯见周伯通躲开,快步上前,见慈恩神情委顿,适才的刚勇强悍突然间不知去向,说道:"你对胜负之数,仍这般勘不破么?"慈恩惘然不语。一灯道:"有所欲即有所蔽。以你武功之强,若非一意争胜,岂能不知背后多了一人?"

四人加紧赶路,起初五日行得甚快,到第六日清晨,一灯伤势不轻,渐渐支持不住。杨过道:"大师还请暂且休息,保养身子为要。此去绝情谷已不在远,晚辈夫妇随慈恩大师赶去谷中,说什么也要救神僧和朱大叔出来。"一灯微笑道:"我留着可不放心。"稍停片刻,又道:"只怕谷中变故甚多,老僧还是亲去的好。"慈恩道:"弟子背负师父前往。"说着将一灯负在背上,大踏步而行。

午时过后,一行人来到谷口。杨过向慈恩道:"咱们是否要报明身分,让令妹出来迎接大师?"慈恩一怔,尚未回答,忽听得谷中隐隐传来兵刃相交之声。慈恩挂念妹子,生怕是她在和武三通等人交手,任谁一方伤了都不好,说道:"咱们快去制止动手要紧。"施展轻功向前急冲。他不识谷中道路,杨过一路指点。

四人奔到邻近,见七八名绿衣弟子各执兵刃,守在一丛密林之外,兵刃声从密林中传出,却不见相斗之人。绿衣弟子突见又有外敌攻到,发一声喊,冲将过来,奔到近处,认出了杨过和小龙女,一齐住足。领头的弟子上前两步,按剑说道:"主母请杨相公办的事,大功已成么?"

杨过反问道:"林中何人相斗?"那绿衣弟子不答,侧目凝视,不知他此来居心是善是恶。杨过微笑道:"小弟此来,并无恶意。公孙夫人安好?公孙姑娘安好?"那弟子心中去了几分敌意,道:"托福,主母和姑娘都好。"又问:"这两位大和尚是谁?各位和林中四个女子可是一路么?"杨过道:"四个女子,那是谁啊?"那弟子道:"四个女子分作两路闯进谷来,主母传令拦阻,她们大胆不听,现已分别引入情花坞中。哪知她们一见面,自己却打了起来。"

杨过听到"情花坞"三字,不禁一惊,猜不出四个女子是谁,倘是黄蓉、郭芙、完颜萍、耶律燕,四人怎会互斗?说道:"便烦引见一观,小弟倘若相识,当可劝其罢斗,一同叩见谷主。"那弟子心想反正这四个女子已经被困,让你见识一下,也可知我绝情谷的厉害,便引四人走进密林。果见四个女子分作两对,正自激斗。

杨过和小龙女一见,暗暗心惊。原来四个女子立足处是一片径长两丈的圆形草地,外边密密层层的围满了情花,此时正当冬季,情花早谢,花枝上只剩下千百枝尖刺,四女不论从哪个方位出来,都有八九丈地面生满情花。任你轻功再强,也决不能一跃而出,纵然跃至半路也必难能。

小龙女道:"是师姊!"南向而斗的两个女子一是李莫愁,另一个是她弟子洪凌波。两人各持长剑,想是李莫愁的拂尘在古墓中折断后,仓卒间不及重制。

敌对的两女一个手持柳叶刀,另一个兵刃是一根银色短棒,两人身形婀娜,步法迅捷,武功也自不弱,但和李莫愁相抗总是不及。杨过一惊:"是她们表姊妹俩?"这时洪凌波身子略侧,穿淡黄衫子的少女回过半面,穿浅紫衫的少女跟着斜身,正是程英和陆无双。

四人局处径长两丈的草地之中,便似擂台比武或斗室恶斗一般,地形有限,不能踏错半步,这么一来,武功较差的更缚手缚脚。幸得李莫愁兵刃不顺手,洪凌波对陆无双顾念师姊妹之情,不痛下杀手,而程英得黄药师真传,玉箫剑法好生了得,程陆二女虽处下风,还在勉力支持。

杨过问那领头的绿衣弟子:"她们四人好端端的,怎会闯到这圆圈中去打架?"那绿衣人甚是得意,傲然道:"这是公孙谷主布下的奇径。我们把奸细逼进情花坞,再在进口处堆上情花,怎么还能出来?"杨过急道:"她们都中了情花毒么?"那绿衣人道:"就算这时没中,也不久了。"

杨过心想:"凭你们的武功,怎能将李莫愁逼入情花坞中?啊,是了,定是使出带刀渔网阵绝恶的法门。倘若程陆二女再中情花之毒,世上已无药可救。"朗声说道:"程姑娘,陆姑娘,杨过在此。你们身周的花上有刺,剧毒无比,千万小心了。"

李莫愁早瞧出情花模样诡异,绿衣弟子既用花树拦路,其中必有缘故,因此一入情花坞后,便低声嘱咐洪凌波小心,须得远离花树。程英和陆无双也均乖巧伶俐,如何看不出来?四人见到花枝上无数尖刺,早觉厉害,这时听杨过一叫,对身周花树更增畏惧,向草地中心挤拢,近身而搏,斗得更加凶了。

程英和陆无双听得杨过到来,心下极喜,急欲和他相见,苦于敌人相逼极紧,难以脱身。李莫愁却想只有杀了两女,铺在情花上作垫脚石,方能踏着她们身子出去。杨过和小龙女之来,原让她大吃一惊,好在中间有情花相隔,他们不能过来援手,厉声喝道:"凌波,你再不出全力,自己的小命要送在这儿了。"洪凌波忙应道:"是!"剑上加劲,并力向程英刺去。

程英举短棒挡架,她使的铁棒外镀纯银,雕出几个假孔,有如一枝银箫,形状颜色都颇美观,使的是师传玉箫剑法。李莫愁长剑向她咽喉疾刺。陆无双抢上提刀横挡。李莫愁冷笑一声,长剑微晃,飞起左腿,踢中她手腕。陆无双柳叶刀脱手飞出,跌入情花丛中。李莫愁长剑闪动,向程英连刺三剑。程英招架不住,只得急退。她只消再退一步,左脚便得踏入花丛,陆无双惊叫:"表姊,不能再退。"李莫愁微笑道:"不能再退,那便上前罢!"说着斜后让开一步。程英明知她决无善意，但自己所站处实在过于危险，只得跟着踏前。李莫愁冷笑道："好大的胆子！"长剑抖动，闪出十余点银光，剑尖将她上半身尽数罩住了。

杨过在外瞧得明白，知是古墓派剑法的厉害招数，叫做"冷月窥人"，倘若不明这一招的来龙去脉，十九会尽全力守护上身，小腹便非中剑不可，眼见程英举棒在自己胸前削下，忙从地下拾起一块小石，放在拇指和中指之间，飕的一声，弹了出去，石子去势劲急，直取李莫愁双目。便在此时，李莫愁剑尖蓦地下指，离程英的小腹已不过数寸。她斗见石子飞到，不及挺剑杀敌，只得回剑击开石子。

杨过所使的正是黄药师传授的弹指神通功夫，但火候未到，只能声东击西，引敌回救。倘使黄药师亲自出手，这颗石子便击在李莫愁剑上，将长剑震落或震开，那就万无一失，但也亏得他传了杨过这手功夫，他晚年所收的女弟子方始保住性命，纵然如此，杨过和程英都已吓出一身冷汗。

李莫愁见程英这一下死里逃生，本来白嫩的面颊吓得更全无血色，知她心神未定，喝道："又来了！"长剑抖动，仍是这一招"冷月窥人"。程英学了乖，知她此招攻上盘是虚而击中盘是实，当即棒护丹田。哪知李莫愁诡变百出，剑尖果然指向程英丹田，跟着欺近身去，左手食指伸出，点中了她胸口的"玉堂穴"。程英一呆之际，李莫愁左脚横扫，先将陆无双踢倒，跟着足尖又点中了程英膝弯外侧的"阳关穴"，这几下变招快速无比，霎时间程陆二人齐倒，杨过欲待相救，已然不及。

李莫愁抓起程英背心，奋力远抛，跟着又将陆无双掷去，喝道："凌波，踏在她二人身上……"话犹未毕，杨过已纵身而入，伸左臂接住程英，跟着又向前跃。程英胸口与腿上虽给点了穴道，双臂无恙，当即抱住了陆无双，叫道："杨大哥，你……"她对杨过本来一往情深，此时见他不惜踏入情花丛中，舍身相救，更难以自己。

杨过接住二女后倒退跃出，将她们轻轻放落。程英左腿麻木，小龙女给她解了穴道。三女一齐望着杨过，见他裤脚给毒刺扯得稀烂，小腿和大腿上鲜血淋漓，不知多少毒刺刺伤了他。程英眼中含泪，陆无双急得只说："你……你……不用救我，谁教你这样？"杨过一笑，说道："我身上情花之毒未除，多一点少一点没什么不同。"但人人都知，毒深毒浅自然大有分别，他这么说，只是安慰眼前这三个姑娘而已。

程英含泪瞧着杨过右手的空袖。陆无双又叫："傻蛋，你……你的右臂呢？怎么断了？"小龙女见二女对杨过极是关怀，顷刻间已将她二人当作是最好的朋友看待，微笑道："你怎么叫他傻蛋，他可不傻啊？"陆无双"啊"了一声，歉然道："对不起！我叫惯了，一时改不过口。"和程英对望一眼，道："这位姊姊是？"杨过道："那就是……"程英接口道："那定是小龙女前辈了。"陆无双道："是了。我早该想到，这样仙女般的人物。"程陆二人以前见杨过对小龙女情有独钟，心中不能不含妒念，此刻一见，不由得自惭形秽，均想："我怎能和她相比？"

陆无双又问："杨大哥，你手臂是怎生断的？可还痛吗？"杨过道："早就好了。是给人斩断的。"陆无双怒道："是哪个该死的恶贼？他定然使了卑鄙奸计，是不是？是那万恶的女魔头么？"

忽然背后一个女子声音冷笑道："你背后骂人，便不卑鄙么？"陆无双等一惊，回过头来，见说话的是个美貌少女，正是郭芙。她手握剑柄，怒容满面，身旁站着好几人。陆无双奇道："我又没骂你，我是骂那斩断杨大哥手臂的恶贼！"

唰的一响，郭芙长剑从鞘中抽出了一半，说道："他的手臂便是我斩断的。我赔不是也赔过了，给爹爹妈妈也责罚过了，你们还在背后这般恶毒的骂我……"说到这里，眼眶一红，心中委屈无限。

武三通、郭芙、耶律齐、武氏兄弟等在小溪旁避火，待火势弱了，才缘溪水而下，和黄蓉及完颜萍、耶律燕相遇，便到绝情谷来。

一行人比一灯、杨过等早到了半日,只因在谷前谷后遍寻天竺僧和朱子柳被困处不获,耽搁了不少时光。至于李莫愁师徒和程英姊妹进入绝情谷,却均因周伯通童心大发而分别引来,要为绝情谷多增对头、闹个天翻地覆。周伯通见绝情谷中事事死样活气,有神没气,瞧着一百个不顺眼,因此一上来便跟他们捣蛋为难。

当下黄蓉、武三通等向一灯行礼,各人互相引见。程英先前在乱石阵外不及拜见黄蓉,久闻这位师姊的大名,一直十分钦仰,当下恭恭敬敬的上前磕头,叫了声:"师姊!"黄蓉早知父亲暮年又收了个女徒,这时见这小师妹丰神秀美,谦恭有礼,忙即还礼,拉住了她好生亲热,问起父亲,得知身体安健,更加欢喜。

林旁的绿衣弟子见入谷外敌会合,声势甚盛,不敢出手拦阻,飞报裘千尺去了。

郭芙和陆无双怒目对视,心中互相恼恨。郭芙听母亲吩咐,竟要对程英长辈称呼,更为不喜,那一声"师叔"叫得异常勉强。

杨过和小龙女携手远远的站着。杨过向小龙女臂弯中抱着的郭襄瞧了一眼,说道:"龙儿,把这女孩儿还给她母亲罢。"小龙女举起郭襄,在她颊上亲了亲,走过去递给黄蓉,说道:"郭夫人,你的孩儿。"很舍不得离手。黄蓉称谢接过,这女孩儿自出娘胎后,直到此刻,她方始安安稳稳的抱在怀里,喜悦之情自不可言喻。

杨过对郭芙朗声说道:"郭姑娘,你妹子安好无恙,我可没拿她去换救命解药。"郭芙怒道:"我妈妈来了,你自然不敢。你若无此心,抱我妹妹到此来干么?"她只逞一时意气,于杨过先前救她性命之恩尽数不理。按照杨过往日的脾性,立时便要反唇相稽,但他近月来迭遭生死大变,于这些口舌之争已不放在心上,只淡淡一笑,便和小龙女携手走开。

陆无双向郭襄看了一眼,对程英道:"这是你师姊的小女儿吗?但愿她长大以后,别要横蛮刁恶才好。"郭芙如何听不出这句话是讥刺自己,接口道:"我妹妹是不是横蛮刁恶,干你什么事?你说这话是什么用意?"陆无双道:"我又没跟你说话。横蛮刁恶之人,天下人人管得,怎能不干我事?"在陆无双心坎儿里,念兹在兹的便只杨过一人。她和程英见杨过手臂为郭芙斩断,原是一般的心痛恼怒,但她不如表姊沉得住气,虽在众人之前,仍然发作了出来。

郭芙大怒,按剑喝道:"你这跛脚……"黄蓉喝道:"芙儿,不得无礼!"陆无双一来剧怜杨过断臂,二来见小龙女秀美若仙,世所罕见,不由得神往,虽见杨过对小龙女情重亲热,不免嫉妒,但随即见到杨过腿上鲜血淋漓,全是为救自己表姊妹而致,嫉妒小龙女之心全转而去恼怒郭芙了。

便在此时,只听得远处"啊"的一声大叫,众人回过头去,但见情花丛中,李莫愁将洪凌波的身子高高举起,这一声喊叫乃洪凌波所发。众人忙于厮见,一时把隔在情花丛中的李莫愁师徒忘了。陆无双惊叫:"不好,师父要把师姊当作垫脚石,快,快想法子救……"众人一楞之间,见李莫愁已将洪凌波掷出,摔在情花丛中,跟着飞身跃出,左脚在洪凌波胸口一点,人又跃高,双脚甩起,右手却抓住洪凌波又向外掷了数丈,然后再落在她身上。

她两次落下借力,第三次跃起便可落在情花丛外,她生怕黄蓉等上前截拦,跃出的方位和众人站立之处恰恰相反。她纵身又要跃起,洪凌波突然大叫一声,跟着跃起,抱住了她左腿。李莫愁身子往下一沉,空中无从用力,右脚飞出,砰的一声,踢中洪凌波的胸口,这一脚好不厉害,登时将她踢得脏腑震裂,立时毙命,但洪凌波双手仍牢牢抱住她左腿不放,两人一齐摔下,跌落时离情花丛边缘已不过两尺。然而终于相差了这两尺,千万根毒刺一齐刺进了李莫愁体内。

这一变故凄惨可怖,人人惊心动魄,眼睁睁的瞧着,说不出话来。陆无双感念师姊平素相待的恩情,伤痛难禁,放声大哭,叫道:"师姊,师姊!"杨过想起当日戏弄洪凌波的情景,也不禁黯然神伤。

李莫愁俯身扳开洪凌波的双手,但见她人虽死了,双眼未闭,满脸怨毒之色。李莫愁心想："我既中花毒，解药定须在这谷中寻求。"待要绕过花堆，觅路而行，忽听黄蓉叫道："李姊姊，请你过来，我有句话跟你说。"李莫愁一愕，微一踌躇，走到数丈外站定，问道："什么？"暗盼她肯给解药，至少也能指点寻觅解药的门径。

黄蓉道："你要出这花丛，原不用伤了令徒性命。"李莫愁倒持长剑，冷冷的道："你要教训我么？"黄蓉微笑道："不敢。我只教你一个乖，你只须用长剑掘土，再解下外衫包两个大大的土包，掷在花丛之中，岂不是绝妙的垫脚石么？不但你能安然脱困，令徒也可丝毫无伤。"

李莫愁的脸自白泛红，又自红泛白，悔恨无已，黄蓉所说的法子其实简易之极，不过惶急之际来不及想到，以致既害了世上唯一亲人，自己却也摆脱不了祸殃，不由得恨恨的道："这时再说，已经迟了。"黄蓉道："是啊，早就迟了。其实，这情花之毒，你中不中都是一样。"李莫愁瞪视着她，不明她言中之意。黄蓉叹道："你早就中了痴情之毒，胡作非为，害人害己，到这时候，嗯，早就迟了。"

李莫愁傲气登生，森然道："我徒儿的性命是我救的，若不是我自幼将她养大，她早已活不到今日。自我而生，自我而死，原是天公地道。"黄蓉道："每个人都是父母所生，但便是父母，也不能杀死儿女，何况旁人？"

武修文仗剑上前，喝道："李莫愁，你今日恶贯满盈，不必多费口舌、徒自强辩了。"跟着武敦儒、武三通，以及耶律齐、耶律燕、完颜萍、郭芙六人分从两侧围了上去。程英和陆无双也各踏上两步。陆无双道："你狠心杀我全家，今日只要你一人抵命，算是便宜了你。不说你以往过恶，单是害死洪师姊一事，便已死有余辜。"郭芙回头向陆无双望了一眼，冷笑道："你拜的好师父！"陆无双瞪眼以报，说道："一人便有天大靠山，那也是自作孽，不可活！你别学这魔头的榜样！"

李莫愁听陆无双说到"靠山"两字，心中一动，提声叫道："小师妹，你便丝毫不念师门之情么？"她一生纵横江湖，任谁都不瞧在眼里，此时竟向小龙女求情，实因自知处境凶险无比，而杀洪凌波后内心不免自疚，终于气馁。

小龙女一时不知如何回答。杨过朗声道："你背师杀徒，还提什么师门之情？"李莫愁叹了一口气道："好！"长剑一摆，道："你们一齐上来罢，人越多越好。"

武氏兄弟双剑齐出，程英、陆无双自左侧抢上。陆无双手中没了兵刃，只空手在表姊身旁回护。武三通、耶律齐等兵刃同时递出。适才见了她杀害洪凌波的毒辣手段，人人均极为愤恨，连一灯大师也觉若容这魔头活在世上，只有多伤人命。但听得兵刃之声叮当不绝，李莫愁武功再高，转眼便要给众人乱刀分尸。

突然之间，李莫愁左手一扬，叫道："看暗器！"众人均知她冰魄银针厉害，一齐凝神注目，却见她纵身跃起，竟然落入情花丛中。众人忍不住出声惊呼。原来李莫愁突然想到，倘若情花果有剧毒，反正我已遍体中刺，再刺几下也不过如此，别人却不敢追来。她这一回入花丛，连黄蓉和杨过也没料及，但见她对穿花丛，直入林中去了。

杨过在地下拾起一块小石块，扣在中指，对准花丛中陆无双的柳叶刀弹出，小石块飞将过去，将柳叶刀弹得飞出花丛，陆无双跃起接住，对杨过道："杨大哥，多谢！"

武修文叫道："大伙儿追！"长剑一摆，从东首绕道追去，但林中道路盘旋曲折，只跑出数丈，眼前出现三条歧路。他正迟疑间，忽见前面走出五个身穿绿衣的少女，当先一人手提花篮，身后四人却腰佩长剑。当先那少女问道："谷主请问各位，大驾光临，有何指教？"杨过遥遥望见，叫道："公孙姑娘，是我们啊。"

这少女正是公孙绿萼。她一听到杨过的声音，矜持之态立失，快步上前，喜道："杨大哥，你大功告成了罢？快见我妈妈去。"杨过道："公孙姑娘，我给你引见几位前辈。"于是先引她拜见一灯，然后再见慈恩和黄蓉。

公孙绿萼不知眼前这黑衣僧人便是自己的亲舅舅，行了一礼，也不以为意,但听杨过称黄蓉为郭夫人,知她便是母亲日夜切齿的仇人,杨过非但没杀她,反而将她引入谷来,不觉疑心大起,退后两步,不再行礼,说道:"家母请众位赴大厅奉茶。"暗想此中变故必多,一切当由母亲作主,于是引导众人来到大厅。

裘千尺坐在厅上椅中,说道:"老妇人手足残废,不能迎客,请恕无礼。"

慈恩心中所记得的妹子,乃是她与公孙止成亲前的闺女,当时盈盈二十,娇嫩婀娜,不意此刻眼前竟是个秃头皱面的丑陋老妇,回首前尘,心中一阵迷惘。

一灯见他目中突发异光,不由得为他担忧。一灯生平度人无算,只这个弟子总是不能大彻大悟,悔恶行善,只因他武功高深,当年又是一帮之主,实是武林中了不起的人物,昔日陷溺愈深,改过便愈难。他以往二十年隐居深山,倒还安稳,这时重涉江湖,所见事物在在引他追思往昔。常言道"不见可欲,其心不乱",但若一见可欲,其心便乱,哪里谈得上修为自持? 一灯这次带慈恩上绝情谷来,固是为了相救师弟和朱子柳,但也有使他多历磨难、坚其心志的深意。

裘千尺见杨过逾期不返,只道他早已毒发而死,突然见他鲜龙活跳的站在面前,心下大奇,问道:"你还没死么?"杨过笑道:"我服了解毒良药,早把你的花毒消了。"裘千尺"嗯"了一声,心想:"世上居然尚有解药能解情花之毒,这倒奇了。"突然心念一动,冷笑道:"撒什么谎? 倘若真有解毒良药,那天竺和尚跟那姓朱的书生又巴巴的赶来作甚?"杨过道:"裘老前辈,天竺神僧和朱前辈给你关在什么地方? 晚辈既已亲到,请你放了他们罢!"裘千尺冷笑道:"缚虎容易纵虎难!"她这话倒也不假。她四肢残废,全凭一项渔网阵才擒了天竺僧和朱子柳。倘若释放,天竺僧不会武功,倒也罢了,朱子柳必要报复,绝情谷众弟子可没一个是他对手。

杨过心想只要她跟亲兄长见面,念着兄妹之情,诸事当可善罢,微笑道:"裘老前辈,你仔细瞧瞧,我给你带了谁来啦? 你见了一定欢喜不尽。"

裘千尺和兄长暌别数十年,慈恩又已改了僧装,她虽知兄长出家,但心中所记得的兄长乃是个剽捷勇悍的青年,一时之间哪里认得出这个老僧? 她听了女儿禀报,知杀兄大仇人黄蓉已到,眼光从众人脸上逐一扫过,终于牢牢瞪住黄蓉,咬牙道:"你是黄蓉! 我哥哥是死在你手里的。"

杨过吃了一惊,本意要他兄妹相见,她却先认出了仇人,忙道:"裘老前辈,这事暂且不说,你先瞧瞧还有谁来了?"

裘千尺喝道:"难道郭靖也来了吗? 妙极,妙极!"她向武三通瞧瞧,又向耶律齐瞧瞧,只觉一个太老,一个太少,都似不对,心中惘然,要在人丛中寻出郭靖来,斗然间眼光和慈恩的眼光相触,四目交投,心意登通。

慈恩纵身上前,叫道:"三妹!"裘千尺也大声叫了出来:"二哥!"二人心有千言万语,真是一时不知如何说起。过了半晌,裘千尺问道:"二哥,你怎么做了和尚?"慈恩问道:"三妹,你手足怎地残废了?"裘千尺道:"中了公孙止那奸贼的毒计。"慈恩惊道:"公孙止? 是妹丈么? 他到哪里去了?"裘千尺恨恨的道:"你还说什么妹丈? 这奸贼狼心狗肺,暗算于我。"

慈恩怒气难抑,大叫:"这奸贼哪里去了? 我将他碎尸万段,跟你出气。"裘千尺冷冷的道:"我虽受人暗算,幸而未死,大哥却已给人害死了。"慈恩黯然道:"是!"裘千尺猛地提气喝道:"你空有一身本领,怎地到今日尚不为大哥报仇? 手足之情何在?"慈恩瞿然而惊,喃喃道:"为大哥报仇? 为大哥报仇?"裘千尺大喝道:"眼前黄蓉这贱人在此,你先将她杀了,再去找郭靖啊。"慈恩望着黄蓉,眼中异光陡盛。

一灯缓步上前,柔声道:"慈恩,出家人怎可再起杀念? 何况你兄长之死,是他自取其咎,怨不得旁人。"慈恩低头沉思,过了片刻,低声道:"师父说得是。三妹,这仇是不能报的。"

裘千尺向一灯瞪了一眼,怒道:"老和尚胡说八道。二哥,咱们姓裘的一门豪杰,大哥给人害死,你全没放在心上,还算是什么英雄好汉?"慈恩心中一片混乱,自言自语:"我算得什么英雄好汉?"裘千尺道:"是啊!想当年你纵横江湖,'铁掌水上飘'的名头有多大威风,想不到年纪一老,变成个贪生怕死的懦夫。裘千仞,我跟你说,你不给大哥报仇,休想认我这妹子!"

众人见她越逼越紧,都想:"这秃头老太婆好生厉害。"黄蓉当年中了裘千仞一掌,幸蒙一灯大师仗义相救,才得死里逃生,自然知他了得,霎时之间,心中已盘算了好几条脱身之策。郭芙却已忍耐不住,喝道:"我妈不过不跟你一般见识,难道便怕了你这糟老太婆?你再啰唆不休,姑娘可要对你不客气了。"黄蓉正要喝阻,转念一想:"眼见那裘千仞便要受她之激,按捺不住,芙儿出来一打岔,倒可分散他心神。"郭芙见母亲不出声拦阻,又道:"我们远来是客,你不好好接待,却如此无礼,还夸什么英雄好汉?"裘千尺冷冷的望着她,说道:"你便是郭靖和黄蓉的女儿吗?"郭芙道:"不错,你有本事便自己动手。你哥哥早已出家做了和尚,怎能再跟人打打杀杀?"

裘千尺喃喃的道:"好,你是郭靖和黄蓉的女儿,你是郭靖和黄蓉……"那"的女儿"三字尚未说出,突然"呼"的一声,一枚铁枣核从口中疾喷而出,向郭芙面门激射过去。她上一句说了"你是郭靖和黄蓉的女儿",下句再说"你是郭靖和黄蓉"这七个字,人人都以为她定要再说"的女儿"三字,哪知在这一霎之间,她竟会张口突发暗器。这一下突如其来,而她口喷枣核的功夫更神乎其技,连公孙止武功这等高明也给她射瞎了右眼,郭芙别说抵挡,连想躲避也没来得及想。

众人之中,只杨过和小龙女知她有此奇技,小龙女没料到她会暴起伤人,杨过却时时刻刻均在留心,目光没一刹那间曾离开她的脸,见她口唇一动,不是说"的女儿"三字的模样,当即疾跃上前,抽出郭芙腰间长剑,回手急掠。当的一声,接着呛啷一响,长剑竟给铁枣核打得断成两截,半截剑掉在地下。

众人齐声惊呼,黄蓉和郭芙更吓得花容失色。黄蓉心下自警:"我料得她必有毒辣手段,但万万想不到她身不动、足不抬、手不扬、头不晃,竟会无影无踪的蓦地射出如此狠辣暗器。"枣核打断长剑,劲力之强,人人都瞧得清楚,均想:"若不是杨过这么一挡,郭姑娘哪里还有命在? 他出手如此之快,也真令人惊诧。"

裘千尺瞪视杨过,没料到他竟敢大胆救人,冷冷的道:"你今日再中情花之毒,刻下纵然未发,决计挨不过三日。世上仅有半枚丹药能救你性命,难道你不信么?"

杨过出手相救郭芙之时,在那电光石火般的一瞬间怎有余裕想到此事,这时经裘千尺一提,不由得气馁,上前一躬到地,说道:"裘老前辈,晚辈可没得罪你什么,若蒙赐予丹药,终身永感大德。"裘千尺道:"不错,我重见天日,也可说受你之赐。但我裘老太婆有仇必报,有恩却未必记在心上。你应承取郭靖、黄蓉首级来此,我便赠药救你。岂知你非但没遵约言,反而救我仇人,又有何话说?"

公孙绿萼眼见事急,说道:"妈,舅舅的怨仇可跟杨大哥无干。你……你就发一次慈悲罢。"裘千尺道:"我这半枚丹药是留给我女婿的,不能轻易送给外人。"公孙绿萼一听,满脸胀得通红,又羞又急。

郭芙连得杨过救援,心中兀自怦怦乱跳,此时才相信杨过仁侠为怀,实无以妹子来换解药之意,回思自己一再损伤于他,而他始终以德报怨,大声道:"杨大哥,小妹以前全都想错了,请你见谅。"然而不知如何,心中对他的嫌隙总是难解,这句话刚说过,立时便想:"你一再救我,也不过是想向我卖弄本领,要我服你,感激你,显得你虽只一条手臂,仍比我有两条手臂之人强得多,哼,好了不起吗?"

杨过微微一笑,笑容之中却大有苦涩之意,心想:"你出言认错,容易不过,却不知我和龙儿为你受了多大苦楚。"但见裘千尺一双眼睛牢牢的瞪着自己,显然若不允娶她女儿,她决不肯给那半枚救命的灵丹,再僵持下去,徒然使绿萼和小龙女为难,朗声道:"我已娶龙氏为妻,杨过死就死了,岂能作负义之徒?"说着便即转身,携了小龙女的手,走向厅门,寻思:"让你们在厅中争闹,我正好去救天竺神僧和朱大叔。"

裘千尺冷笑道:"好,好! 你自愿送命,与我无干。"转头对慈恩道:"二哥,听说黄蓉是丐帮的帮主,咱们铁掌帮不敢得罪她罢。"慈恩道:"铁掌帮? 早就散了伙啦,还有什么铁掌帮?"裘千尺说道:"怪不得,怪不得,你无所依仗,胆子就更加小了……"

她不住发言相激,绿萼不再听母亲的言语,只眼望着杨过一步步的出厅。她突然奔出,叫道:"杨过,你这般无情无义,算我瞎了眼睛。"杨过愕然停步,心想这位姑娘向来斯文守礼,怎地忽然如此失常,难道是听得我和龙儿成婚,因而恚怒难当么? 他微感歉仄,回过头来,说道:"公孙姑娘……"绿萼骂道:"好奸贼,我叫你入谷容易出谷难……"她口中虽骂,脸上神色却柔和温雅,同时连使眼色。杨过一见,早知别有缘故,也大声喝道:"我怎么了? 谅你这区区绝情谷也难不了人。"他面向大厅,裘千尺看得明白,因此眉目之间不敢丝毫有异。

绿萼骂道:"我恨不得将你一劈两半,剖出你的心来瞧瞧……"口一张,噗的一声,吐出一枚枣核,向杨过迎面飞去。杨过伸手接住,冷笑道:"快快给我回去,我便不来伤你,谅你这点雕虫小技,能难为得我了?"绿萼使个眼色,命他快走,忽地双手掩面,叫道:"妈,他……他欺负人!"奔回大厅。她一番相思尽成虚空,意中人已与旁人结成良缘,这份伤心却半点不假。裘千尺见她泪流满面,喝道:"萼儿,这成什么样子? 那小子性命指日难保。"绿萼伏在她膝头,呜咽不止。

这一番做作,厅上众人都给瞒过,只黄蓉却暗暗好笑,心道:"她假意恼恨杨过,好叫母亲不防,便可伺机盗药。想不到杨过这小子到处惹下相思,竟令这许多美貌姑娘为他颠倒。"想到此处,向程英和陆无双望了一眼。

　　杨过接了枣核，快步便行，只觉绿萼的话很是奇怪，一时想不透是何用意。小龙女见了绿萼的脸色和眼神，也知她喝骂是假，道："过儿，她假意恼你，是不是叫她母亲不防，以便偷盗丹药？"杨过道："似乎是这样。"

　　两人转了个弯，杨过见四下无人，提手看掌中枣核，却是个橄榄核儿，中心隐隐有条细缝。杨过手指微一用力，榄核破为两半，中间是空的，藏着一张薄纸。小龙女笑道："这姑娘的话中藏着哑谜儿，什么'一劈两半，剖出心来瞧瞧'，原来是这个意思。"

　　杨过打开薄纸，两人低首同看，见纸上写道："半枚丹药母亲收藏极密，务当设法盗出相赠，天竺僧及朱前辈囚于火浣室中。"字旁绘着一张地图，通路盘旋曲折，终点写着"火浣室"三字。杨过大喜，道："咱们快去，正好此时无人阻拦。"

　　注：

　　民间医药以蛇胆治风湿，当代西医认为，此法未能以实验证实，但一般蛇胆中多寄生虫及各种细菌，服用不当即有害。